大人のための科学

渡辺 正・北條博彦

高校で教わりたかった化学

日本評論社

まえがき

　日本の壁紙は，紙に見えても9割までが塩ビ（ポリ塩化ビニル）だという。なぜ塩ビを選ぶのか？　糖尿病の人はインスリンの注射を受けるが，飲めるなら痛い思いはせずにすむ。インスリンはなぜ飲めないのか？……というような，材料や物質の「なぜ？」を解き明かすのが化学です。
　プラスチックや化粧品，衣類や家電製品は化学の知恵と技術が産みました。すっかり普及した携帯電話も，20種どころではない元素を絶妙に組み合わせ，驚異の機能を出させる製品です。このように化学は，理数系のうちで暮らしにいちばん縁の深い科目だといえます。

　　　　　　　　　＊　　　　　　＊　　　　　　＊

　大学の化学系に進む人はせいぜい1〜2％。つまり国民の大半が化学の勉強を高校で終える以上，化学は**暮らしに役立つ**科目であってほしい。かたや化学系に進む少数派は，**大学につながる**話を教わりたい。
　でも現実は？　教科書は商品カタログに似た味気ないもので，先生は「商品名」「説明書き」と簡単な計算を教えるだけ。入試がそれしか要求しないからですね。教科書の実験も，指示に従い決まった結果を出すものばかり。「なぜ？」がないから心に響かず，役にもあまり立ちません。
　第2の点（大学への接続）もあやしくて，高校化学と大学化学の間には，とてつもなく高い壁，深い溝があるのです（終章）。
　高校でどんなふうに教わったら，二つの願いはかなうのでしょう？

　　　　　　　　　＊　　　　　　＊　　　　　　＊

　政治とは民から富を集めて再分配する仕事——という言葉に出合い，目からウロコがポロポロ落ちた経験があります。それと似て，化学の核心を突く言葉は何なのか？‥‥と，研究・講義生活の中でぼんやり考えながら何年もたったころ，こんな言いかたがぴったりだろうと気づきました。

【化学の原理】 置かれた環境のもと，電子も原子・イオン・分子も，できるだけ居心地をよくしたい（エネルギーを減らしたい）。

　ドライアイスが液体を通らずに気化し，食塩が水に一定量まで溶け，紙が燃え，鉄がさび，アルカリが酸を中和するのも，さらには岩が少しずつ風化してゆき，生き物が命を保つのも，**原理**に従って粒子たちが安定化を目指す現象なのです。

　実のところ**原理**は，ミクロな粒子のほか「物体」でも成り立ち，あらゆる自然科学に当てはまる。扱う素材でとりあえず物理・化学・生物・地学に分け，中学→高校→大学‥‥とバーを上げていくだけのこと。‥‥そう悟った人間が，なるべく身近な素材を使いながら，高校化学の範囲に入る14個の「なぜ？」や「どのように？」を解剖してみました。そんな本書は，「エネルギーをもとに物質の性質や変化を見つめる本」だといえます。

＊　　　　　＊　　　　　＊

　化学は，未開の地も多い豊かな物質世界に分け入って**創造**（ものづくり）を目指す学問ですが，その手前で**想像**の力を要求します（序章）。目に見えない電子や原子・分子の姿やふるまいを思い浮かべる力です。

　ただし粒子の世界は，日本の高校化学では扱わない量子論に従います。量子論の感覚なしには，周期表（2章）も，H_2O 分子の形（5章）も，色の変化（14章）も，ホントのところはわかりません。そこで**想像**の助けにと，量子論の計算から出る粒子の素顔（電子雲のたたずまいや電子エネルギー）を1〜5章にちりばめました。

　14個の疑問を正面から扱ったため，数式が少し顔を出します（ことに中盤の7〜10章）。数式にあまり慣れていない方は，説明文だけをたどってください。最初に読む際，**むずかしそうな箇所は飛ばし読み**してかまいません。ときには電卓を使いながら手を動かし，何度もつき合っているうちに，数式の意味を含めた「化学の理屈」がつかめてくると思います。

＊　　　　　＊　　　　　＊

　本書はこのままで大学入試の攻略本にはなりませんが，入試問題の基礎にある化学の本質はお伝えします。また，国際標準の高校化学カリキュラムは

本書の内容をほぼ含むため（終章），化学オリンピック予選に挑む高校生諸君の手引きとして役立つでしょう。

　受験には縁のないシニアの皆さんと，受験しても化学はとらないジュニア諸君は，中身を純粋にお楽しみください。また，中学や高校で化学を担当なさる先生がたに本書のココロをつかんでいただけば，学校の化学を「暗記モノ」から少しずつ脱皮させることにもなるだろうと信じています。

　化学といえば‥‥の「実験」を扱う余地はありませんでした。物質に触れ，理論を確かめる実験の大事さは重々承知しながらも，そちらは世にあふれる実験書にゆずります。

　ただし，見たりやったりすれば楽しい実験も，原子・分子レベルの「なぜ？」がなければ，「あぁきれい，おもしろかった」で終わります。ビーカーの中で何かを反応させたとき，「真空中を飛び交う分子やイオンが毎秒100億回もぶつかり合い，**原理**に従って原子どうしが結合を組み替える」ありさまを**想像**できたら，実感はぐっと深まるでしょう。

＊　　　　　　＊　　　　　　＊

　本書は大部分を渡辺が書き（本文中の一人称は渡辺），量子論の計算と5章の執筆を北條が担当しました。

　東京学芸大学附属国際中等教育学校の鮫島朋美教諭，同大学附属高校の岩藤英司教諭，東京女学館中高校の柄山正樹教諭，東京大学の下井守教授と尾中篤教授，早稲田大学の神崎夏子講師ほか数名の方からは，原稿に貴重なコメントを頂戴しました。章扉や本文用の写真を提供してくださった方々と，本書の企画・刊行にご尽力いただいた日本評論社の佐藤大器氏にも深謝します。

2008年1月　　著者を代表して

渡辺　正

目 次

まえがき　i

序章　見えない世界　1
1章　安定な元素はいくつ？　11
2章　周期表とはなんだろう？　23
3章　ナトリウムのイオンはNa^+なのに，なぜ窒素のイオンはNO_3^-なのか？　37
4章　原子はなぜつながり合う？　49
5章　H_2O分子は，なぜ「く」の字に曲がっている？　63
6章　モルとは何か？　79
7章　熱と温度はどうちがう？　89
8章　$2H_2 + O_2 \rightarrow 2H_2O$の矢印は，なぜ右を向く？　105
9章　化学反応は，どのように進むのだろう？　119

10章　化学反応は，最後まで進みきるのか？　133

11章　水に溶けやすい物質と溶けにくい物質は，どうちがう？　147

12章　電池のパワーは，どこから出てくる？　161

13章　水を電気で分解するのに，なぜ硫酸などを溶かすのか？　175

14章　フェノールフタレインは，どうして赤くなる？　189

終章　教科書の記述は正しい…のか？　203

参考図書　217

付録1　標準生成ギブズエネルギー $\Delta_f G°$ の例　218

付録2　標準電極電位 $E°$ の例　219

索引　220

序章　見えない世界

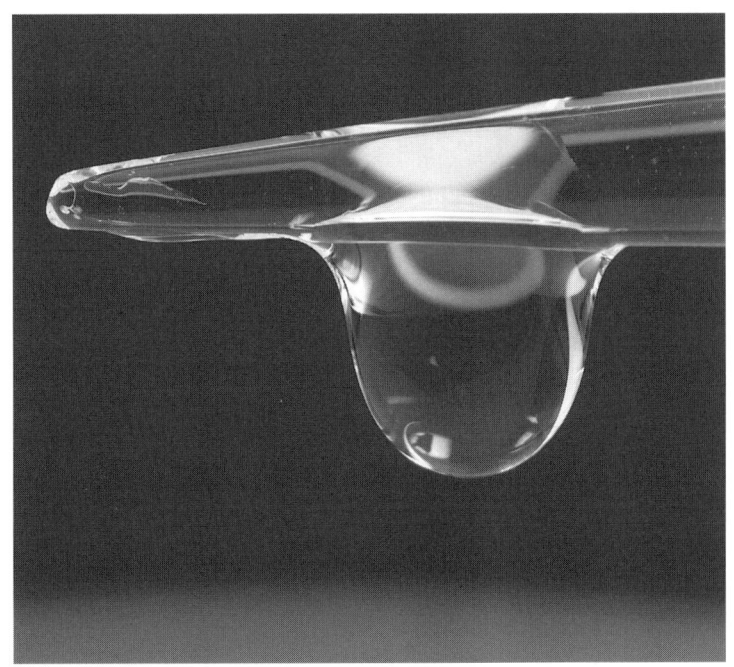

水　滴（協力：高野　清，撮影：倉科満寿夫）
　液体の水は，おびただしい数の H_2O 分子が集まっただけのもので，分子と分子のすき間には何もない。水滴の絶妙な形も，落ちる寸前におよそ $0.05\,cm^3$ となる体積も，H_2O 分子どうしの引き合いから生まれる。

　原子や分子には，もう中学校理科の終わり近くで出合う。高校ではいきなり原子・分子・イオンの話になるけれど，なにしろ目には見えないものだから，以後の話が実感しにくい。だから私も高校の化学は好きになれなかった。
　化学の話を実感するには，見えない世界を思い浮かべる力をつけたい。身近な水と空気を素材にして，分子の大きさや数，動きなどのあらましから始めよう。

1. クレオパトラのH₂O

古代エジプト最後の王クレオパトラ（前69〜前30年）は，ローマとの交流で歴史に大きな名を残す。絶世の美女だったとも伝わる。

どれほどの大物だろうと美女だろうと，私たちと同じく，日にほぼ2リットルの水をとり，ぴったり同じ量を尿や汗に出し続けた。39年半の生涯では約25 m³（25トン）にもなったはず。

地球をめぐる水

人の体から出た水は，蒸発して大気に混じるか，水路や川を通って海に行く。蒸発した分もいずれ雨や雪になって落ち，川や湖や海の水に混ざってしまう。

水の97.4％までは，平均深さ4000 mの海にある（図1）。水は海からしじゅう蒸発し，だいたい10日でまた地球表面に戻る。そうした旅の途中，水をつくっている**原子はけっして壊れない**。

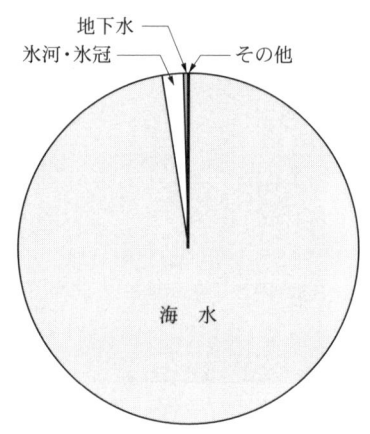

その他（多い順に塩湖・淡水湖・土壌水・水蒸気・河川水・生物内）：計0.02％
図1　地球上にある水

クレオパトラの死から2000年以上たつ。海の表層には流れがあるし，深みには数百年で一巡する深層循環もあるため，**彼女の体から出た水は，もう地球のすみずみに行きわたった**。

1滴の水

地球上には1,390,000,000,000,000,000,000 m³（立方体にしたら一辺1100 km）の水がある。2000年前にクレオパトラの体を通った25 m³は，総量の550億分の1の，さらに100万分の1にあたる。

割合はごくわずかでも，水の1滴（約 0.05 cm³）は 1,670,000,000,000,000,000,000 個の H_2O 分子（図2）からできている。上と同じ比率なら，その1滴は「クレオパトラの H_2O」を3万個も含む。つまり，アマゾンの密林に落ちる露の1滴も，さっき読者が飲んだコーヒーの1滴も，クレオパトラの H_2O 分子を3万個ほど含んでいる。コップ1杯の水 180 cm³ には1億個，読者の体内には200億個だ。

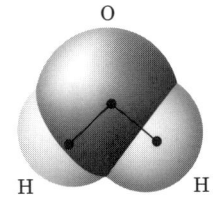

図2　H_2O 分子の形

こうした数字が，分子の小ささをよく語る。目に見える大きさの物体は無数の分子や原子からでき，そんな世界で1万個や1億個はゼロに近い。

2. スカスカで騒がしい世界

水の素顔

H_2O 分子は決まった大きさをもつ。それをもとにはじいてみると，**液体の水は体積の60%近くまでが真空だ**とわかる。すき間などなさそうな水も，意外にスカスカなのだ。

また，水をかき混ぜるか揺するかしないかぎり，コップの中は静かそのものに見える。けれど理論や実験の結果によれば，自由な H_2O 分子は秒速 600 m で動き回り，しじゅう仲間にぶつかっている。**ある1個の H_2O 分子が仲間にぶつかる回数は，毎秒1兆〜10兆回にのぼる**（7章）。

水に溶けた物質の粒子も，実験で使う濃度なら，毎秒100億〜1000億回ほど仲間にぶつかる。ぶつかったとき，どこかの結合が切れたり，新しく生まれたりすることがある。それが化学反応の世界にほかならない（9章）。

温度と騒がしさ

　熱湯と冷水はどこがちがう？‥‥この問いが，大学に入ってすぐ学ぶ「熱力学」で脳内がウニ状態だった私の目から，ウロコを何枚か落としてくれた。

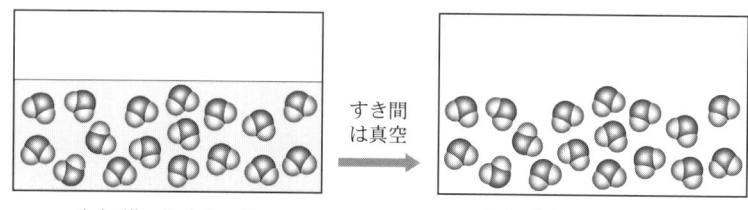

図3　液体の水：誤ったイメージ（a）と，実体に近いイメージ（b）

　水はH$_2$O分子の集まりだと中学で習う。頭ではそうかと思っても，「H$_2$O分子の間に何かがある」イメージ（図3(a)）が抜けきらない。化学史を振り返ってみれば，私の脳みそは200年前の人々と似たレベルだった。だが上記の問いを頭に置いて考えるにつれ，「**H$_2$O分子が集まり，動き回っているだけ**」というイメージ（図3(b)）が少しずつはっきりしてきた。

　皮膚の表面はタンパク質の分子ででき，温度計の先端にはケイ素や酸素の原子が並ぶ。分子も原子も，たえず動いている。湯に指を入れたらH$_2$O分子がタンパク質分子にぶつかる。そのときタンパク質分子はエネルギーをもらって運動が活発になり，神経細胞に信号を生み，私たちは「熱い」と感じるのだ（7章）。

空気はほとんど真空

　空気は透明だし，重さも感じないけれど，けっして「無」ではない。数字で当たってみよう。空気1 m^{3}の重さは1.2 kgで，普通サイズ（9 m × 7.5 m × 3 m）の教室は容積が約200 m^3。密度をかけた**空気の重さ240 kg**は大人の体重およそ4人分だから，空気も意外に実質がある。

　ただし空気のスカスカ度は，むろん水どころではない。長さを2000万倍に拡大したら，空気はおおよそ図4（天地の幅と同じ奥行きをもつ箱）のイメージになる。いちばん多い窒素分子N$_2$（同じ倍率でサイズ6 mm）がかろ

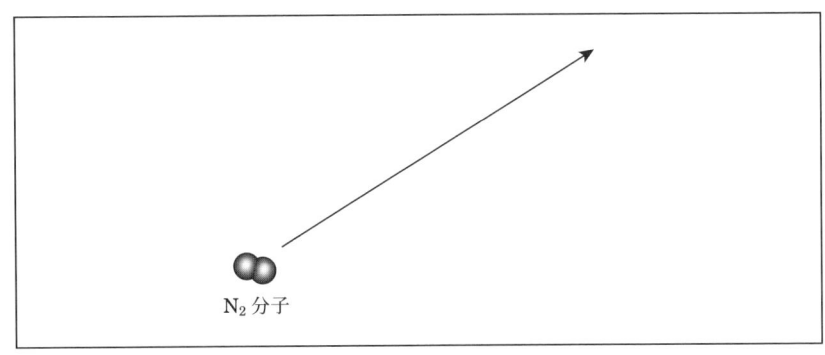

図4　2000万倍に拡大した空気の姿

うじて1個だけ見え，白い部分（体積で99.96％）は真空だ。

おなじみの組成（窒素：酸素 ≒ 4：1）に合う「窒素分子4個＋酸素分子1個」を見たいなら，5個の箱を合体させなければいけない。さらに，合体50箱でH_2O分子1個が，100箱でアルゴン原子1個が顔を出す。近ごろ話題になる二酸化炭素は，2500箱の合体でようやく1分子が見える。

分子の動き

図4の矢印は，1兆分の1秒間にN_2分子が飛ぶ平均距離を表す。分子サイズから計算すると，矢印のほぼ200倍の距離を飛ぶたびに分子は別の分子とぶつかる。つまり，**ある1個のN_2分子は，毎秒50億回も仲間と衝突をくり返す**。容器に入れた分子なら，壁にもしじゅうぶつかっている。

見た目は静かな空気の中で進むこういう騒がしいドラマが，気体の圧力を生み（7章），光化学スモッグをつくる。

3. 万物は万物を含む

空気の成分

図4の拡大率だと窒素分子1個しか描けない空気も，目に見える体積には万物を含む。呼吸1回で吸う空気$500\,\text{cm}^3$の成分を眺めよう。

窒素（78％）から酸素・水蒸気・アルゴン・二酸化炭素（0.04％）・ネオン・ヘリウム（0.0005％）・メタン・クリプトン・水素・一酸化炭素・一酸化二窒素・キセノン（0.00001％）までの13種は除き，**きれいな空気500 cm^{3}が含む物質**のうち，猛毒の一部を表1にまとめた。

表1　空気500 cm^{3}が含む有害物質(一部)

物質	分子・原子数
オゾン(O_3)分子	240兆個
二酸化硫黄(SO_2)分子	60兆個
アンモニア(NH_3)分子	10兆個
硫化水素(H_2S)分子	6000億個
水銀(Hg)原子	3000億個
鉛(Pb)原子	50億個
塩化水素(HCl)分子	10億個
ダイオキシン分子	1億個

表1のリストは氷山の一角だ。1万個レベルまで見れば，最強の発がん物質ベンズピレンを始め，何千何万種という毒性気体も並ばなければいけない。とはいえ，さっき述べたように，1万個だろうと1兆個だろうと「ものの数ではない」ため，健康に問題を起こす量ではない。

空気500 cm^{3}が含む分子の総数と，成分いくつかの個数を比べたら，下のように書ける（表1を見ながら，ほかの成分も書きこんでみよう）。

(空気500 cm^3)　　垓(がい)　　京(けい)　　兆　　億　　万
分子の総数　12,000,000,000,000,000,000,000,000個
　　　　　　　　　↑　　　↑　　↑　　↑
　　　　　　　　CO_2　　O_3　　Hg　ダイオキシン

体の成分

私たちは日ごろそんな空気を吸っている。食卓にのぼる生物（食品）も，そんな空気や，おびただしい種類の物質を含む土と水に触れながら育った。**きれいな米ひと粒が5兆個のカドミウム原子を含み，人体の組織1 mgがPCB分子を100億個ほど含む**のも，だから不思議なことではない。

高級な装置で人体の組織を分析すれば，水素からウランまでの全元素がつかまる。金も銀も白金も，ヒ素も水銀もタリウムも入っている。

以上のような感覚を身につけたら，健康にからむ環境問題を見る目もだいぶ変わってくるだろう。

4. 目に見えないものを「みる」

ソンな分野

　ロボットや建築の研究なら，成果がくっきりと目に見え，話もわかりやすい。ソフトウェアの開発も成功・失敗は一目瞭然。かたや化学は，**目に見えない原子・分子**を相手にするから他人に説明しにくい。ソンな分野だ。

　ものを見るには可視光を使う。**波長**（14章）**以下のもの**

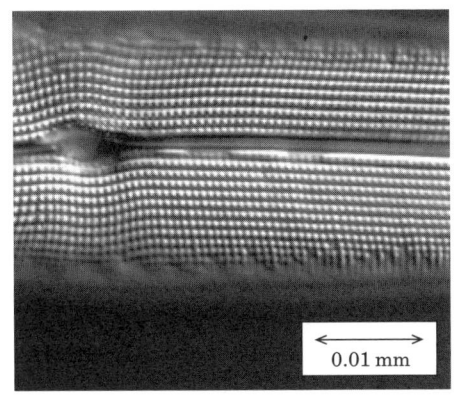

図5　光学顕微鏡で見た単細胞生物の珪藻
（提供：ニコン・大木裕史）

は識別できないため，最先端の光学顕微鏡も分解能は 0.0003 mm どまり（図5）。原子・分子はその3桁も下，**1億分の1 cm** の世界にいる。

　とはいえ科学はそこに突破口を開けた。中学・高校ではまず無理だが，大学や大学院に進むとミクロ世界を覗く手段あれこれに出合う。その一部を眺めておこう。

理論・計算でつかむ

　筋のいい理論があれば，**見えた現象から見えない世界の出来事をつかめる**。たとえば，一定時間の反応で生まれた物質の量は，分子やイオンが1秒間にぶつかり合う回数を教えてくれる（7章）。

可視光でなければ見える

　X線の波長は1億分の1 cm以下しかない（14章）。結晶に当てたX線は決まった方向に強く反射され，そのパターンが，原子のつながりかたを物語る（5章）。

序章　見えない世界　7

1980年代には，1億分の1 cmほど離れた原子間に流れる電流や，原子間に働く力を測って原子や分子を「みる」道がひらけた。電流を測る装置を走査トンネル顕微鏡（STM），力を測る装置を原子間力顕微鏡（AFM）という。AFMを使うと，ケイ素＝シリコンの表面が図6のように見える。

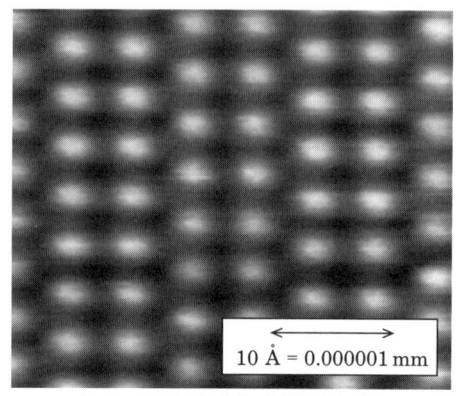

図6　AFMで見たケイ素結晶の表面
（提供：川勝英樹）

　このように先端科学では原子や分子が「みえて」きた。本書に登場する分子やイオンの姿も，空想の産物ではなく，確かな裏づけがある。

5. 足元の闇

　小学校の算数では加減乗除の計算と推論の初歩をやり，中学高校では方程式やグラフを学ぶ。小〜中〜高の連続性がよくて，原点となる1 + 1 = 2には**一点の曇りもない**。だから，ある段階までの力は誰でもつく。

化学の宿命
　化学はそこが苦しい。原子・分子の世界に日常感覚は通用せず，高校物理もお手上げだ。なにしろ水素原子の素顔さえ，日常感覚にまるで合わない（1章）。化学反応も，色の変わる現象も，そういう**つかみどころのない原子**が起こす。つまり化学は，どうしても手さぐり前進になる宿命をもつ。
　原子の性質は電子が決め，**電子のふるまいは量子論に従う**。周期表の姿（2章）も H_2O 分子の形（5章）も，量子論の感覚なしにはわからない。
　量子論は大学の内容だから，とりあえず深い理解はあきらめよう。とはいえ，高層ビルから見下ろせば建物の位置関係がつかめるように，**量子論のサ

ワリを知れば見晴らしがよくなる話も多い。そう思って本書では，さっそく次の1章から，ときどき量子論の結果をもち出す。ちなみに**海外諸国は，量子論の初歩を高校化学の必修項目にしている**（終章）。

量子論を含め，日本の高校であまり教えない話題は❚ ❚で囲った（第1号が次ページにある）。飛ばしてもかまわないけれど，お読みいただけば霧も晴れ，手さぐりの不安が減ると思う。

6.「化ける」もと＝エネルギー

変化の向きとエネルギー

リンゴが下に落ちるのも，川が海へと流れるのも，**エネルギーを減らしたいという自然の本性**が起こす。そうした変化は，上下をエネルギー軸として，図7のように表せばわかりやすい。

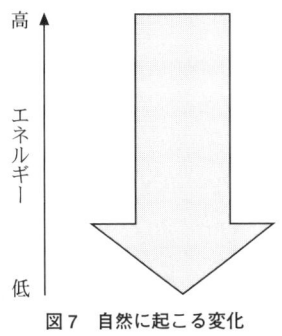

図7 自然に起こる変化

同じことは化学変化にも成り立つ。日本の高校ではおもに熱の形で出入りするエネルギーを考える。けれど**粒子の「バラバラになりたい」性質**から来るエネルギーもあって，両方を考えないかぎり変化の向きはわからない（8章）。二つの和を改めて「エネルギー」とみたとき，化学変化はこうまとめられる。

① **物質はエネルギーが高いほど不安定＝活性で，低いほど安定＝不活性。**
② **ひとりでに起こる変化は，必ずエネルギーが減る向きに進む。**

エネルギーの単位

エネルギーはJ（ジュール）単位で測る。約1 kgの物体を10 cmもち上げるのに必要なエネルギーが1 J ……というピンとこない単位だが，やむをえ

ない。むかし使った cal（カロリー）は，「1 cal = 水 1 g の温度を 1 ℃ 上げるエネルギー」というわかりやすい単位だった（1 cal = 4.18 J）。

化学では物質の量をモル単位で測るため（6章），エネルギーもモルあたりにする。ただし J だと値が大きくなるから，ふつうは 1000 倍の kJ を使って kJ/mol（キロジュール・パー・モル）と書く。たとえば酸素分子 O = O の結合を切ってバラバラの O 原子とするには，約 500 kJ/mol のエネルギーがいる。

電子ボルト（eV）という単位

値が数百になるうえ「キロ（1000）」もつく「kJ/mol」という単位は，まだ少々わかりにくい。日本の高校では使わないけれど，便利な eV（読みは「電子ボルト」か「エレクトロン・ボルト」か「イー・ヴィー」）という単位を紹介しよう。1 eV は「電圧 1 V で加速された電子 1 個のエネルギー」を表し，kJ/mol との間には次の関係が成り立つ。

$$1 \text{ eV} = 96.5 \text{ kJ/mol} \tag{1}$$

原子間の結合エネルギー（4章）は 2〜6 eV，原子のイオン化エネルギー（2章）は 3〜25 eV，可視光のエネルギー（14章）は 1.7〜3.1 eV の範囲に入り，余計な指数もつかないため，扱いやすいし覚えやすい。そのため次章から，一部の話では eV をエネルギーの単位に使う。

7. まとめ

以下の章を読み進めるときは，次の3点をいつも心に置こう。
① 原子・分子は目に見えない（が，まちがいなく実在する）。
② 原子・分子の姿や性質をつかむのに，日常感覚は役に立たない（が，私たちには想像力がある。**想像の翼をめいっぱい広げよう**）。
③ 物質が変化する話になるたび，図7のイメージを思い起こそう。

1章　安定な元素はいくつ？

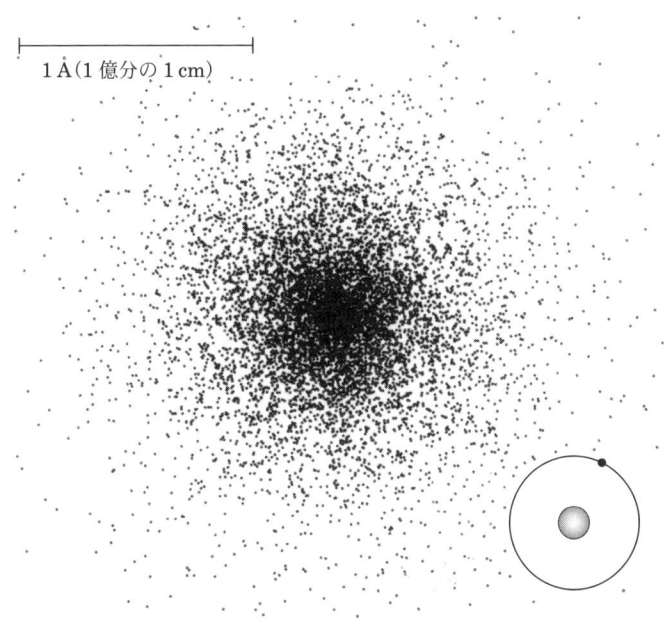

1 Å(1億分の1 cm)

3億倍に拡大した水素原子（厳密な量子力学計算の結果）
　連続写真がとれたとしたら5000ショットの重ね焼き。1個の電子は，円軌道を回るというより，雲のように原子核（陽子1個）をとり巻く。これほどの拡大率でも陽子は0.0004 mmにしかならないため，「雲」を吹き飛ばしたって見えない。陽子よりはるかに小さい電子は，ウソと知りつつ点々で描いた。ふつうは右下の姿に描くけれど，じつは何も描かないのが原子の実体に近い。化学の根元には，そういう妙な世界がある。

　宇宙の万物をつくり上げている元素は，いつ，どのようにして生まれたのか？　また，そもそも元素とは何だろう？
　たいていの教科書は，「天然には約90種類の元素がある」と書いている。なぜ「約」がつくのだろうか？

1. 元素のゆりかご

地球の元素

地球の深さ数十 km までを地殻という。地球の直径（約1万3000 km）をリンゴのサイズ（13 cm）に縮めたら，地殻は厚み 0.1～0.3 mm の「皮」でしかない。

人体も，携帯電話の部品あれこれも，地殻にある元素からできた。地殻は図1の元素がつくり，8元素で98.6%を占める。

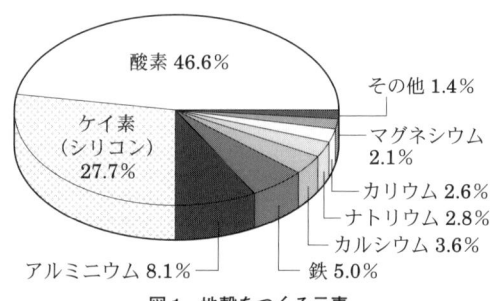

図1　地殻をつくる元素

そういう元素たちは，どこから来たのだろう？

宇宙の元素

原子も星も，時間や空間もなかった不思議な140億年ほど前，ある1点が大爆発＝ビッグバンを起こして膨張を始めた。やがて陽子と中性子ができ，水素とヘリウムの原子もできる。以後の宇宙は，質量で約77%が水素，約22%がヘリウムになった。

太陽もほぼその組成をもつ（表1）。つまり**太陽は，ビッグバン直後の宇宙をいまに伝える天体**だといってよい。

表1　太陽をつくる元素

元素	質量 (%)	原子数 (%)
水素 H	73.5	92.1
ヘリウム He	24.9	7.8
酸素 O	0.78	0.061
炭素 C	0.29	0.030
鉄 Fe	0.16	0.0037
ネオン Ne	0.12	0.0076
窒素 N	0.094	0.0084
ケイ素 Si	0.069	0.0031
マグネシウム Mg	0.047	0.0024
硫黄 S	0.038	0.0015
その他	0.036	0.0015

いろいろな元素の誕生

宇宙のあちこちで水素とヘリウムが集まり，星になった。星の中では，重水素 → ヘリウムの核融合が熱を生む。内部が1億℃に近づくと，ヘリウム3

個が核融合して炭素ができ，巨星の内部なら炭素 → ネオン → 酸素 → ケイ素 → 鉄の核融合も進んだ。なお，あらゆる元素のうち鉄がもっとも安定なため（p.20），**星の内部では鉄よりも重い元素は生まれない。**

数億〜数十億年で核融合の燃料も尽き，星は収縮を始める。やがて中心が超高温・超高密度になり，ある時点で収縮から爆発（超新星爆発）に転じた。**超新星爆発のときには鉄より重い元素も生まれ，**広い宇宙に飛び散った。

生命と元素

宇宙誕生からほぼ90億年後，そんな元素たちを含む塵が集まって地球が生まれ，太陽のまわりを回りだした。だから地球も動植物も身近なものも，いつか誕生して死んだ星々のカスからできている。地殻をつくる元素の分布（図1）は，母なる星のものだった。もし**別の星々が素材だったなら，地球はだいぶちがう姿になったはず。**

生命も，必要な元素があったからこそ生まれた。たとえばマンガンは，光合成の酸素発生反応に欠かせない。もしマンガンが海水や土にそれほどなかったら，光合成生物は誕生せず，人類も生まれていない。

人体の構成元素を表2にまとめた。**11種で体重の99.9%を占め，**ほかに10種ほどの微量元素が働く。多ければ毒になる銅やセレンやヒ素も，足りないと命にかかわる。コバルトという珍しい元素は，ビタミン B_{12} という大事な分子の成分だ。

表2 人体をつくる元素

元素	質量（%）
酸素 O [1]	61
炭素 C	23
水素 H [2]	10
窒素 N	2.6
カルシウム Ca [3]	1.4
リン P [4]	1.1
カリウム K	0.2
硫黄 S	0.2
ナトリウム Na	0.14
塩素 Cl	0.12
マグネシウム Mg	0.027
その他	約0.1

1) 全体の58%は体内の水。
2) 全体の7%は体内の水。
3) 全体の17%は骨。
4) 全体の7%は骨と歯。

2. 原子核から原子へ

さて，説明なしに使ってきた「元素」の意味を考えよう。元素は「原子の種類」を意味し，その原子は「**電子の衣を着た原子核**」とみてよい（扉の図）。だからまず原子核を眺める。

宇宙に生まれた原子核

星の中で進む核融合と，超新星爆発の巨大なエネルギーが，4000種ほどの原子核をつくった。大部分はとっくに壊れて消え（p.20），いま地球上には**約280種の原子核**がある。原子核は，正電荷をもつ陽子と，電荷ゼロの中性子からでき，**陽子と中性子の組み合わせ**が原子核の種類を決める。

原子核をつくる陽子（プロトン）の数をP，中性子（ニュートロン）の数をNとし，二つの和をAと書こう。

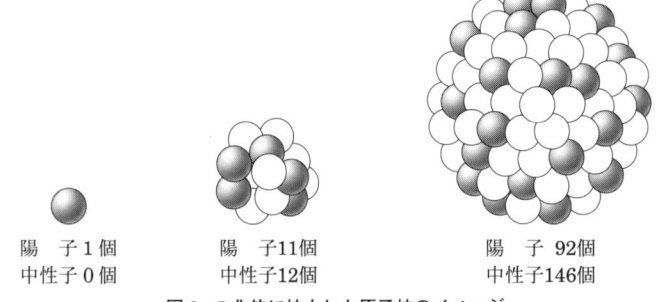

陽 子1個　　　陽 子11個　　　陽 子92個
中性子0個　　中性子12個　　中性子146個

図2　5兆倍に拡大した原子核のイメージ

いちばん小さい原子核は，ご想像のとおり$P=1, N=0$（$A=1$）のものだ。ほぼ最大に近い原子核は，$P=92, N=146$（$A=238$）だった。中間的な$P=11, N=12$（$A=23$）の原子核も合わせ，**5兆倍に拡大した原子核三つのイメージを図2に描いた**。●は陽子を，○は中性子を表す。

原子核の不思議

　原子核は奥が深い。三つの「不思議」を紹介しよう。

　●陽子と中性子の実体は？　どちらも素粒子（分割できない粒子）ではない。また、ビー玉のように中身が詰まっているわけでも、ピンポン玉のように「皮」をもつわけでもない。「大きさゼロのクォークという素粒子がエネルギーを交換しながら飛び交う真空」だという。

　●陽子と中性子はなぜ集まれる？　陽子－陽子、陽子－中性子、中性子－中性子は強く引き合う。その引力を素粒子論では文字どおり「強い力（核力）」という。陽子と中性子をまとめて「核子」と呼べば、普通サイズの原子核なら、核子1個あたりの引力は、エネルギーに換算して約 800 万 eV にのぼる（単位 eV の意味は p.10 参照）。

　●陽子の電気的反発力は原子核をバラバラにしないのか？　原子核サイズの距離だけ離れた1対の陽子間に働く反発力は数十万 eV で、上記の核力よりずっと小さいから、バラバラにはならない。しかし陽子が増えると、反発力は陽子数の2乗に比例して増え、やがて核力に迫るため、原子核は安定でなくなる（つまり核分裂しやすい。p.20）。

電子の衣をまとう：原子ができる

　星の内部にあった超高温・超高圧のもと、正電荷をもつ原子核と負電荷をもつ電子は、バラバラに存在していた。それを**プラズマ状態**という。

　超新星爆発で飛び散ったプラズマが冷えていくとき、原子核は、正電荷をちょうど中和する数の電子をとらえ、原子になった。陽子と電子は電荷の絶対値がぴったり等しいため、**とらえた電子の数は陽子の数 P に等しい**。

　つかまった電子は、決まった「軌道」に順序よく入る（2章）。原子核からいちばん遠い軌道は、そこの電子を何かに奪われたり、何かから電子を奪ったりするため、**原子の化学的性質**を決める。

3. 原子と元素

以上のことから、次の発想が生まれた。

① 化学では陽子数 P （＝電子数）で原子を分類するのがいい。P を改めて Z と書き，Z が同じ原子は同じ元素とみよう。さらに，元素の背番号ともいえる Z を，**原子番号**と呼ぶ（むしろ「**元素番号**」だ）。

② 同じ元素でも，中性子数 N の異なる（Z は同じだが $A = Z + N$ の異なる）原子がある。そんな原子を互いに**同位体＝アイソトープ**と呼ぼう（周期表で**同じ位置**にくるから。周期表は2章でじっくり眺める）。

③ 陽子と中性子は質量がほとんど等しく，電子はずっと軽いので，原子の質量は A の値にほぼ比例する。だから A を**質量数**と呼ぼう。

地球上の原子280種は，原子番号 Z で $1 \sim 92$ に分類できる。つまり元素は92種ある。元素をただ「○番」と呼んでもよいが，番号だけではそっけないから，それぞれに名前をつける。1番が水素（元素記号 H），11番がナトリウム Na，92番がウラン U という名になった。

原子の書きかた

これで原子を書き表せる。大事な情報は，元素記号と，原子番号 Z（陽子数＝電子数），質量数 A（質量の目安）の三つ。たとえば銀 Ag は Z が47で（図3），安定な原子には $A = 107$ と $A = 109$ があり，$A = 107$ の原子は図4のように書く（中性子数は $107 - 47 = 60$）。

ただし，銀なら $Z = 47$ は自動的に決まるためわざわざ書かず，二つの原子（同位体）を ^{107}Ag，^{109}Ag と表記することが多い。

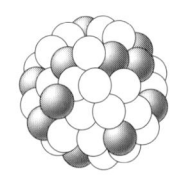

図3 銀の原子核（図2と同じ拡大率のイメージ）

質量数 $A \to 107$
原子番号 $Z \to 47$ **Ag**

図4 原子の書きかた

原子のサイズ

何も説明せず図2に描いたのは，左から水素，ナトリウム，ウランの原子核だ。原子核はたいへん小さいため，約5兆倍に拡大してあった。

では，「電子の衣を着た原子核」つまり原子のサイズは？　今度はたったの（！）5000万倍で図5になる。**原子核が図2どおりのサイズなら，水素**

原子の直径は 1 km をかるく超す。そういう巨大な球の中心に，図2の大きさをもつ原子核が鎮座しているのだ。

図5は厳密な理論計算の結果で，疑う余地はないのだけれど，なんとなく落ち着かない。電子数は，H原子に1個のところ，U原子には92個もある。なのにU原子はH原子より少し大きいくらいだし，電子11個のNa原子よりも小さい。秘密は原子核の電荷にある。U原子核がもつ92個の陽子は，強烈な電気力で電子たちを引き寄せ，「雲」をぐっと縮めているのだ。

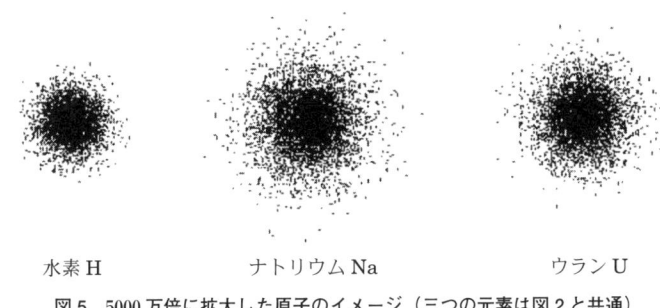

水素H　　　　　ナトリウムNa　　　　　ウランU
図5　5000万倍に拡大した原子のイメージ（三つの元素は図2と共通）

原子の不思議
●<u>原子核と電子はなぜ合体しない？</u>　正電荷と負電荷は合体（中和）する——は日常感覚や古典物理の世界。ミクロの世界は量子論に従う。粒であると同時に波でもある電子が，ぴったり1点には存在できないからだ。それ以上のくわしい理屈は大学の物理に任せよう。
●<u>陽子の電荷と電子の電荷はなぜ同じ？</u>　答えは誰も知らない。人間が勝手に決めたC（クーロン）という単位で，単位電荷の絶対値 q が約 1.6×10^{-19} C になる理由も不明（なお陽子と電子の電荷は，q 単位でそれぞれ +1，−1 と表す）。ちなみに，陽子や中性子をつくるクォークは，$+\frac{2}{3}q$ と $-\frac{1}{3}q$ の電荷をもつ（それも謎のまま）。

「原子」「元素」「単体」という言葉

原子（英語 atom）はギリシャ語の *atomos*（分割できないもの）にちなむ。19世紀の末までは，なるほど分割できないものに見えていた。

電子の命名（1891年）と確認（1897年），陽子の発見・命名（1919年），

中性子の発見（1932年）により，原子は成分をもつとわかる。つまり原子は分割でき，**atom は本来の意味を失った**のだが，いまもそのまま使う。

1940年代からは素粒子が続々と見つかり，陽子や中性子さえ「分割できる」とわかる。だから，陽子・中性子・電子を原子の究極成分とみるイメージは，第二次大戦の末ごろに消えた。

元素は古代ギリシャ時代にもあった考えで，万物をつくり上げている根源の物質，つまり具体的な「もの」を意味した。そのため海外の元素（英語 element）という言葉は，抽象的な「陽子数で分類した原子の種類」と，具体的な物質（水素 H_2，鉄 Fe など）の両方を指す。

しかし日本では，**原子の種類を元素**，**具体的な物質**（同じ元素でできたもの）を**単体**と呼んで区別する（「単体」の外国語はない）。

4. 原子の安定・不安定

安定同位体

原子核の陽子数 P と中性子数 N がいつまでも変わらないなら，原子も安定だ。そんな原子が約280種ある。

ある元素（ある原子番号 Z）の安定な原子を**安定同位体**という。$Z = 1 \sim 60$ の範囲で安定同位体の陽子数と中性子数を眺めたら（図6），次の3点に気づく。

① たいていの元素は，いくつかの安定同位体をもつ。

② $Z \leqq 20$ の（軽い）元素

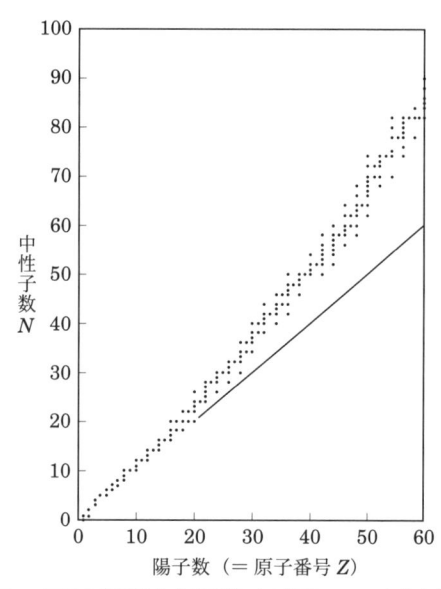

図6　原子の陽子数と中性子数（直線は $P = N$ を表す線）

は，陽子と中性子が同数（$P = N$）の安定同位体をもつものが多い。
　③ $Z > 20$ の元素では，陽子より中性子のほうが多い（$P < N$）。
　②と③はあとに回し，まず安定同位体の素性を見よう。

生い立ちの記憶

　生命の必須元素（p.13）のうち三つ，マグネシウム Mg，カリウム K，鉄 Fe の安定同位体と存在率を表3にまとめた。三つとも巨星の内部で生まれ，超新星爆発で宇宙に飛び散ったものだ。

表3　マグネシウム・カリウム・鉄の安定同位体と存在率

マグネシウム（$Z = 12$）		カリウム（$Z = 19$）		鉄（$Z = 26$）	
^{24}Mg	78.99%	^{39}K	93.26%	^{54}Fe	5.80%
^{25}Mg	10.00%	^{40}K*	0.01%	^{56}Fe	91.72%
^{26}Mg	11.01%	^{41}K	6.73%	^{57}Fe	2.20%
		*安定同位体ではない。		^{58}Fe	0.28%

　安定同位体の存在率は，**超新星爆発の直後に凍結された**。つまり化石に似て，生い立ちの記憶をとどめる。地球の素材が別の星々の産物だったなら，同位体の存在率も，いまの値とは微妙にちがっていただろう。

ほぼ安定な同位体

　表3には変わり者がひとついる。安定同位体ではない ^{40}K だ。^{40}K は放射線を出しながらアルゴン ^{40}Ar とカルシウム ^{40}Ca に変身し続けるけれど，変身がたいへん遅いため，**ほぼ安定**に存在できる。変身の速さ（じつは遅さ）を「**半減期**」という量で表す（半減期だけ時間がたつと，量が半分になる）。

　^{40}K の半減期は約13億年もある。誕生が60億年前だったとしても，当初の約4％がまだ残っているし，現在ある量は今後1万年で0.0005％しか減らない。だから表3の「0.01％」は，いま**天然に存在する**。ちなみに地球の年齢（約46億歳）は，岩石が含む ^{40}K と ^{40}Ar の比率からわかった。

体重 50 kg の人は，0.2% = 100 g のカリウムを体内にもつ（表2）。うち 0.01% = 0.01 g = 10 mg の ^{40}K が，4000 ベクレル（Bq）に近い放射線を示す（1 Bq = 毎秒1回の壊変）。だから**放射能ゼロの世界などありえない**。

原子核の台所事情

前ページの②と③は，次のような事情から生まれる。

(1) 原子核は，**陽子数 P と中性子数 N が近いほど安定**。

(2) 重い原子核は，陽子の正電荷が反発し合うので不安定になる。そのため**中性子を増やして陽子を「薄める」**。

(3) しかし，P に比べて N が多すぎると，かえって不安定さが増すから，**N は P のせいぜい1.6倍で止まる**。たとえば天然でいちばん重いウランの ^{238}U は，$N = 146$ を $P = 92$ で割った1.59倍だ。

また，**P や N が偶数の原子核は，奇数の原子核より安定性が高い**（上記(1)～(3)も含め，量子論の話になるので説明は略）。さまざまな要因が働く結果，表3中の ^{56}**Fe が，宇宙でいちばん安定な原子**になる。

放射性同位体

不安定な原子（原子核）は，アルファ線（ヘリウム原子核）やベータ線（電子），ガンマ線（電磁波）を出して壊れるため，**放射性同位体**という。

その典型は，重すぎる原子たち。**陽子の反発力が核力**（p.15）**を超し，核力が原子核を支えきれない**。84番のポロニウム Po 以降がそうなる。92番のウラン U より重い元素＝超ウラン元素はみな不安定（放射性）だ。ただしウランまでの一部は，^{40}K と同様，半減期がうんと長いから天然に存在できる（^{238}U の半減期は，地球の年齢にほぼ等しい47億年！）。

また，ラドン Rn・ラジウム Ra・アクチニウム Ac など，半減期は短いのに（寿命最長の同位体でもそれぞれ92時間・1600年・22年），**別の元素からたえず生まれている放射性元素**も，天然にある。

重すぎるわけでもないのに不安定な変わり者が，43番のテクネチウム Tc と61番のプロメチウム Pm。**陽子数と中性子数のバランスが悪いせいで，**

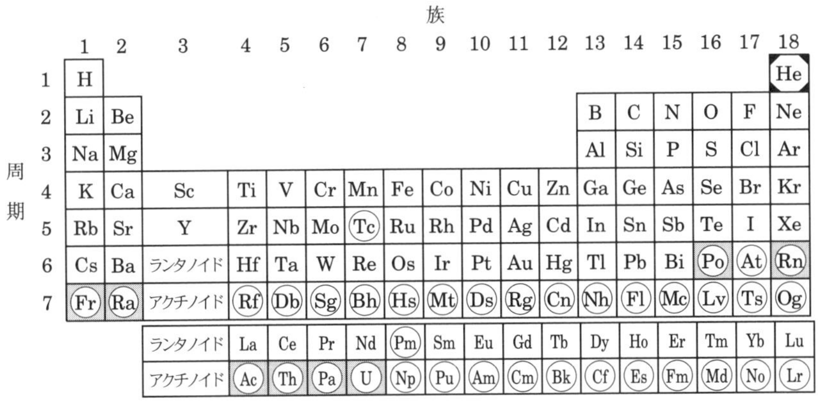

	族
	1 2 3 4 5 6 7 8 9 10 11 12 13 14 15 16 17 18

図7 周期表にみる安定な元素（無印）と不安定な元素（マークつき）

どの同位体も天然には存在できない。

以上のことを周期表（図7）の上で確かめよう。天然に存在しない放射性元素を○で囲った。また，どの同位体も放射性なのに，上記のような理由で天然に存在する8元素は灰色にしてある。

「約90種」とは？

こういうわけで，地球上の安定な元素は，1番の水素Hから83番のビスマスBiまでのうち，例外的に不安定な43番テクネチウムTcと61番プロメチウムPmを除く81種になる。

2番のヘリウムHeは微妙な元素だ。ヘリウムは放射性元素の崩壊で生まれるが，風船や飛行船に使うほど軽いため，できたそばから宇宙に逃げ（太古に存在したHeはみな逃げた），生成量と消失量がつり合っているだけ。つまり，**ほんとうに安定な元素は80種**だといえる。

ただし，変身が遅い放射性元素や，別の放射性元素から生まれ続ける放射性元素（計8種。図7で灰色）と，特殊事情をもつヘリウムも加えた**89種**が，「**天然に存在する元素**」となる。このように話はかなり複雑だから，こまかい説明を略して「**約90種**」と表現することが多い。

化学の基礎となる図 7 の周期表は，中学校から使うけれど，背後には深い理論がひそむ。「族」や「周期」の意味，「ランタノイド」や「アクチノイド」の素性も含め，次章でゆっくり眺めよう。

元素名・元素記号の由来
　名前や記号の由来がおもしろい元素を 10 個ほど紹介しよう。
- 金 Au　美しい輝きをローマ神話の「暁の女神」アウロラ Aurora にたとえ，語頭 2 文字が元素記号になった。極地の空を彩るオーロラの呼び名も由来は同じ。
- 水銀 Hg　銀のラテン語名 Argentum（輝くもの→記号 Ag）に Hydro（水）をかぶせた合成語 Hydrargyrum（水のような銀）が元素記号のもと。
- 白金 Pt　1700 年ごろ白金を見つけたスペイン人が「銀 Plata に劣るもの」Platina と命名。いま 1 グラム 5000 円の白金も，当時は価値が低かったのだ。
- タングステン W　スウェーデンのシェーレが重い石の成分 $CaWO_4$ から単体を分離し，同国語 tung sten（重い石。英語 heavy stone）より命名。また，単体はスウェーデン（やドイツ）で Wolfram と呼ぶため，元素記号が W になった。
- テルル Te　ウランを天王星 Uranus から命名していたクラプロートが約 10 年後に見つけ，今度は地球だ…とラテン語の「地球」Tellus から命名。
- セレン Se　テルル命名の約 20 年後，性質がテルルそっくりな新元素をベルセリウスが発見し，ラテン語の「月」Selene から命名。
- イットリウム Y, テルビウム Tb, エルビウム Er, イッテルビウム Yb　四つとも，単体の原石が見つかったスウェーデン・イッテルビー Ytterby 村の名にちなむ。

【章末問題】
1. 陽子と中性子を同じサイズの小玉とみよう。小玉の密集した球が原子核だとすれば，^{238}U 原子核の直径は，^1H 原子核＝陽子の何倍か（体積は直径の 3 乗に比例）。

　　　　　　　　　　　　　　　　　　　　　　　　　　　　　　　　　［約 6 倍］

2. 放射性の ^{14}C 原子は，宇宙線の中性子が起こす $^{14}N \to {}^{14}C$ の核反応で生まれ，半減期 5730 年で ^{14}N に戻る。生成と消滅の速さは等しいため，大気中の CO_2 は一定比率の ^{14}C を含む。生物は大気と CO_2 を交換しているから体内の ^{14}C 濃度は一定だが，死ねば交換も止まって $^{14}C \to {}^{14}N$ が進む（死んだ時点の量が 1 なら，t 年後の量は $2^{-t/5730}$ になる。なお 2～3 億年前の生物体からできた化石資源は，もはや ^{14}C を含まない）。2 万年前の人々が建材や道具にした木の ^{14}C は，当時の何％に減っているか（^{14}C 年代測定の原理）。

　　　　　　　　　　　　　　　　　　　　　　　　　　　　　　　　　［8.9％］

2章　周期表とはなんだろう？

1871年の周期表
　メンデレーエフ（1834～1907）がドイツの雑誌に発表した周期表。元素63個のうち5個は疑問符つきで，銅 Cu・銀 Ag・金 Au は左端と右端に置いてある（左端が正解）。ホウ素 B・アルミニウム Al・ケイ素 Si の真下にある空席（それぞれスカンジウム Sc・ガリウム Ga・ゲルマニウム Ge）は，1886年までに埋まった。1894～1900年に次々と見つかる貴ガス（希ガス）はむろん載っていない。

　万物をつくる元素は，一直線ではなく上図の姿（周期表。現代版は p.21 や p.35 参照）に整理される。どうしてだろう？

　周期表は見かけによらず奥が深い。メンデレーエフは元素を重さの順に並べたが，正しい指標は電子数だとやがて判明。なぜ電子の数が元素の性質を決めるのか？　1～18の族，1～7の周期とは？

　その背景には量子論，つまりミクロ粒子の従う法則がある。量子論を「感じ」だけでもつかめば，疑問あれこれが少しずつ晴れ，化学の見晴らしはぐっとよくなる。ややこしい箇所は読み飛ばして元素の素顔に迫り，化学結合の理解にもつながるイメージづくりをしよう。

1. ちょっと背伸びを

鶴亀算と方程式

そのむかし小学校で鶴亀算(つるかめざん)に苦しんだ。10円玉と5円玉で80円あり，枚数が合計10枚なら何枚ずつか‥‥というおなじみのやつ。中学で文字方程式を習うと，10円玉が x 枚，5円玉が y 枚とした連立方程式

$$10x + 5y = 80$$
$$x + y = 10$$

から $x = 6$, $y = 4$ がすぐに出て，「なぁんだ」ということになる。そんなふうに，**少し背伸びしたら下界の姿がくっきり見える**話は多い。

化学の「方程式」

数学はまだいい。三角関数もベクトルも，暮らしの中に実例が見つかる。しかし化学の「方程式」は，電子や原子などミクロな粒子の運動を支配する量子論だ。**日常感覚はまるで役に立たないため**，発想の転換どころの話ではない。むろん周期表の背後にも量子論がひそむ。

日本の高校化学が**暗記モノ**や**計算モノ**になりがちで，高校を出たら忘れてしまうのも，大学入学後に頭のリセットが必要になるのも（終章），量子論をまったく教えないせいだろう。少しでも伝わるように，量子論のサワリをゆっくり説明し，**周期表の解読**につなげてみたい。

主役は電子

万物は原子やイオンがつながってでき，つながりかたの変わる現象が化学変化にほかならない。そして，**原子がつながるときも，つながりかたが変わるときも，必ず電子が何かをしている。**

石が硬いのは，電子が原子やイオンをしっかり結びつけているからだ。ものが燃えるときも，何かが色を変えるときも，電子があちこち飛び移る。

序章の末尾に書いたとおり，次の2点はいつも成り立つ。

① どんな現象も，エネルギーが引き起こす。
② どんな現象も，エネルギーが減る向きに進む。

だから化学現象には，いつも「電子のエネルギー」がからむ。質量はあっても小さすぎるため，効くのは「電荷のエネルギー」だ。ただし**その先が二つに分かれる**。「異符号の電荷は引き合い，同符号の電荷は反発し合う」というおなじみの性質と，**ミクロ粒子であるがゆえに現れる量子論の性質**。高校化学の一部をそんな目で分類すれば，表1ができる。

表1　電子が生み出す化学現象：ガイドマップ

	A　やさしい話	B　むずかしい話
性質	電気的な引力・反発力	電子軌道，軌道の形とエネルギー
例	① イオン結晶ができる（3章） ② 単原子イオンと多原子イオン（3章） ③ 水素結合ができる（4章） ④ 有機分子の反応が始まる（9章） ⑤ 水中ではイオンができやすい（11章） ⑥ 水と油は混ざらない（11章）	① イオン化しやすい・しにくい（3章） ② 共有結合ができる（4章） ③ 金属結合ができる（4章） ④ 分子は決まった形をもつ（5章） ⑤ 反応は決まった向きに進む（8章） ⑥ 速い反応と遅い反応がある（9章） ⑦ 分子やイオンが光を吸収する（14章）

2章　周期表とはなんだろう？

日本の高校では，やさしいＡ④さえ説明しないから，有機化学の大半が暗記モノになる。Ｂのほうはせめてひとこと，「ホントはむずかしいんだが，いまはこんな説明で納得しよう」くらいは語りたい。

2. ミクロ世界の不思議

　本題に入ろう。本丸（電子）を攻める前に，まず城下町（量子の世界）をざっと見渡す。以下の①と②が要点になる。

① 粒子と波の二面性
　万物は粒子でもあり波でもある。とりわけ電子のふるまいには，**波の性質が大いに効く**。

　粒子は1個・2個と数えられ，決まった質量・電荷・大きさをもつ。質量がゼロとか，大きさがゼロとか，妙な粒子もあるけれど。

　波は空間に広がり，決まった性質（振動数・波長・干渉性など）をもつ。電子も波だから，たとえば干渉のありさまを実験で確かめられる。

② エネルギーは飛び飛び
　粒子や物体が運動するとき，エネルギーは飛び飛びの値をとる。これも日常感覚には合わないけれど，信じていただくしかない。**どんなエネルギーでもとれるなら，自然界の姿は説明できないのだ。**

> **電子のエネルギーが飛び飛びでないと**
> 　光の性質（14章）を考えればわかる。電子がどんなエネルギーでもとれるなら，どんな物質も，あらゆる波長の光を吸収してしまう。そうなると万物は真っ黒に見えるはず。身近な品物がきれいな色をもつのは，電子のエネルギーが飛び飛びだからこそ。

　日常世界でエネルギーが連続的に見えるのは，「飛び」が小さすぎて感じ

られないからだ。以下，量子論をもとに電子のふるまいを眺めよう。

3. 電子の住み分け

　水素（1章扉）以外の原子は，複数の電子をもつ（その数が元素の名前と性質を決めるのだった）。電子はたえず超高速で運動しているが，**ある原子1個の中に，まったく同じ運動状態の電子はない**。

不思議なホテル

　運動の状態を「部屋」とみれば，電子たちは「ナトリウム亭」とか「塩素パレス」といった名のホテルに泊まっている客のようなもの。そのホテルは，次のような特徴をもつ。

　① 1, 2, 3, 4, 5, ……階があり，それぞれを K, L, M, N, O……と呼ぶ。

　② 1階は1層，2階は2層，3階は3層，4階は4層……に分かれている（不思議なつくり）。各層は，低いほうから s, p, d, f と呼ぶ。

　③ 部屋数は，s層が1室，p層が3室，d層が5室，f層が7室となる（さらに不思議）。

　④ 3階以上になると，たとえば「3階のd層は，4階のs層より高い」といったふうに，**上下の関係がときどき狂う**（いよいよ不思議）。

　⑤ 部屋はどれもツインで，夫婦か単身者だけが泊まれる。

電子殻と軌道

　ここで頭を切り替える。電子は原子核のまわりにいるから，部屋に入るというよりは，**入れ子になった球の「皮」に乗る**とみたほうがよい（図1）。

皮は英語でシェル（殻）だから，電子が乗った**電子殻**だ。

1階を改めてK殻，2階をL殻，3階をM殻，‥‥と呼ぼう。電子は波でもあるから，実際の殻はぼやけている（図5）。

また，「層」だった s, p, d, f を，改めて**軌道**と呼ぶ。1階には 1s 軌道だけ，2階には 2s・2p 軌道，3階には 3s・3p・3d 軌道，4階には 4s・4p・4d・4f 軌道がある。3階の最上層までにある部屋（ツインルーム）を図2に描いた。

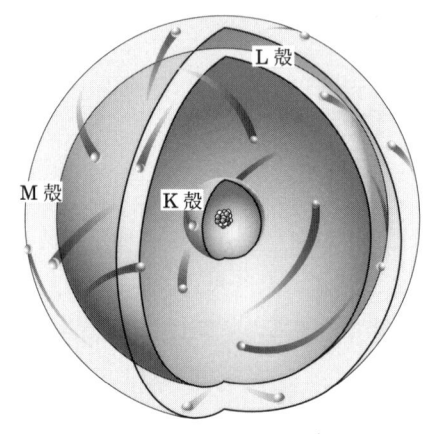

図1　電子殻のイメージ

上下の逆転が起きるせいで（前ページ），4s 軌道（4階の最下層）が 3d 軌道（3階の最上層）より低いところに注意しよう。

このように電子たちは，**1億分の1 cm 以下の空間をみごとに住み分ける**。

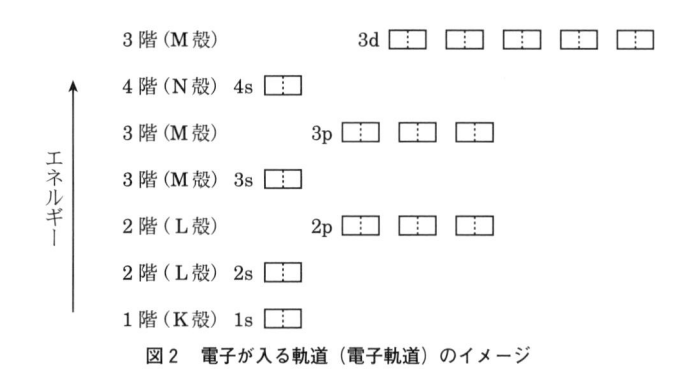

図2　電子が入る軌道（電子軌道）のイメージ

s, p, d, f とは？

s は sharp（鋭い），p は principal（おもな），d は diffuse（ぼやけた），f は

fundamental（基本的な）の頭文字。もともとは原子が出すスペクトル線の特徴を表す記号で，もはや意味を失っているものの，行きがかり上いまなお使う。f軌道の先にはg・h軌道も考えられるが，g軌道やh軌道をもつ安定な原子は存在しない。

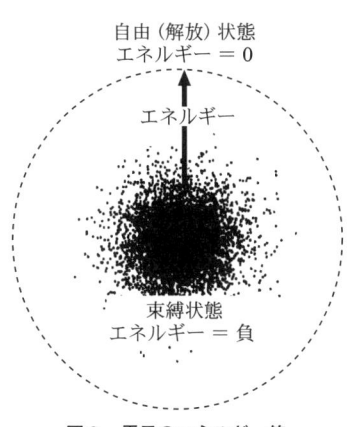

4. 電子のエネルギー

　図2の上向き矢印は，軌道のエネルギーを表す。電子たちは，**エネルギーの低い軌道から順々に入っていく**。たとえばナトリウム原子Naのもつ電子11個は，1s（2個）・2s（2個）・2p（6個）の軌道に合計10個が入ったあと，残る1個が3s軌道に入る（図2を見ながら確かめよう）。

エネルギーのゼロ点
　また頭を切り替える。ホテルのたとえでは，地面がゼロ点に思えてしまう。けれど，**原子核から引き離され，引力圏をちょうど脱した電子のエネルギーをゼロ**とみれば，いろんな点で都合がよい。地球の引力圏を逃れた宇宙ロケットの重力エネルギーを（無重力だから）ゼロとみるようなものだ。
　図3のように，原子核の引力を逃れ，破線に達した電子のエネルギーをゼロとみよう。そのとき，原子核につかまっている電子のエネルギーは負になり，**負の度合いが大きいほど安定**だといえる。

図3　電子のエネルギー値

一緒にいたいが独身も好き

　ホテルのたとえに戻ろう。夫婦を「↑↓」，単身者を「↑」と書く。夫婦はペアになりたがるが，料金が同じくらいなら，別々の部屋に泊まりたい気持ちも強い。

　電子の場合，矢印の向きを**スピン**という。文字どおり自転運動だと思えばよい。ある軌道がもつ「部屋」には，**逆向きスピンの2個が入ると安定に**なるが，**近い軌道（近いエネルギー）の部屋に空きがあれば，別れて入った**ほうが（互いに遠ざかり，電気的な反発が減るため）もっと安定になる。そのとき電子は，**スピンの向きをそろえて別々の部屋に入る**。

　電子がペアになりたがる性質を**パウリの排他律**，スピンをそろえて別れたがる性質を**フントの規則**という（どちらも海外の高校化学では必修。終章）。

実例ひとつ

　酸素原子Oは電子を8個もつ。電子は1s・2s・2p軌道に入るけれど，**2p軌道への入りかたは2種類ある**（図4）。2対をつくる(a)と，1対が別れる(b)だ。上記の理由で(b)のほうが安定だから，**電子たちは必ず（b）を選**ぶ。なお，この話は4章・5章につながっていく。

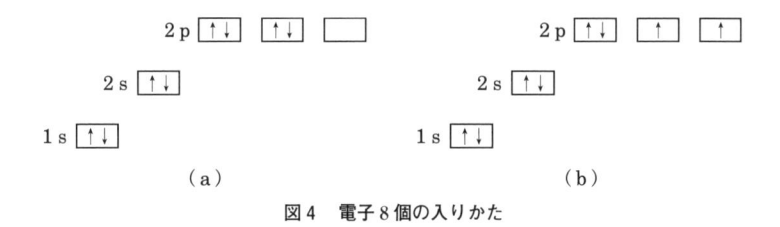

```
    2p [↑↓][↑↓][  ]        2p [↑↓][↑ ][↑ ]
    2s [↑↓]                 2s [↑↓]
1s [↑↓]                 1s [↑↓]
       (a)                     (b)
```

図4　電子8個の入りかた

電子軌道の姿とエネルギー：ナトリウム原子

　電子軌道の広がりを見よう。ナトリウム原子を量子力学で計算した結果は図5になる。1章扉の図とはちがって，原子の断面を眺めたものだ。

　四つの電子雲は同じ縮尺で描いた。いちばん安定な1s軌道はずいぶん小さい（それでも原子核より1万倍は大きい）。次に安定な2s・2p軌道も原子核にかなり引き寄せられるため，原子の大きさは，いちばん不安定な（エ

Na 原子 ＝ ●　＋　(1s 軌道)　＋　(2s 軌道)　＋　(2p 軌道)　(3s 軌道)

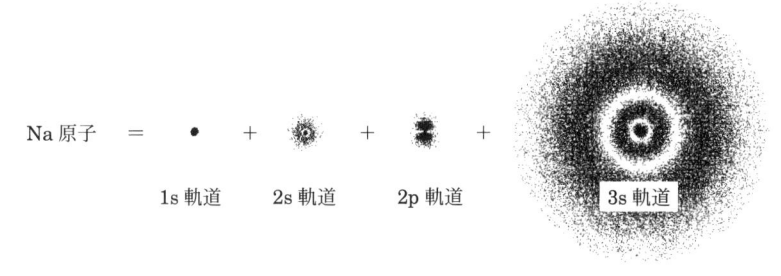

図5　ナトリウム原子のもつ電子軌道の広がり

ネルギーの高い）3s 軌道の電子雲がほぼ決める。

3s 軌道の姿に注目しよう。**たった 1 個の電子が三重の「雲」をつくり**，原子核をとり巻いている。この拡大率だと原子核はまったく見えないため，中央の黒い部分も電子がつくる。波の性質がよく現れているだろう。

エネルギーの値（計算値）はどうか？　図 2（p.28）では軌道を等間隔に並べたが，現実には次の値をもつ（3s と 2p の値は図 6 からもわかる）。

　　　3s 軌道：-4.95 eV（実測値は -5.14 eV。p.42 参照）
　　　2p 軌道：-41.31 eV
　　　2s 軌道：-76.04 eV
　　　1s 軌道：-1102 eV

1102 eV は 10 万 kJ/mol に等しい（p.10 参照）。つまり 1s 軌道の電子は，陽子 11 個に激しく引かれ，自由な電子より 10 万 kJ/mol も安定だ。

5. 周期性が見える：原子のイオン化エネルギー

話もだいぶ煮詰まってきた。水素 H からカルシウム Ca まで 20 元素の量子力学計算をした結果は図 6 になる。以下では，軌道の水平線をエネルギーの**準位**と呼ぼう。準位それぞれにいる電子を●印で描いた。

図 6 のスケールでは浅い準位しか描けない。Ca の 1s 軌道など，-4000 eV 付近に準位をもつため，描くには縦の長さを 4 m にしなければいけない。

同じ名前の軌道（たとえば2s軌道）でも，右手に行くほど深くなる。原子核の正電荷が増え，それに電子が引かれて安定化するからだ。

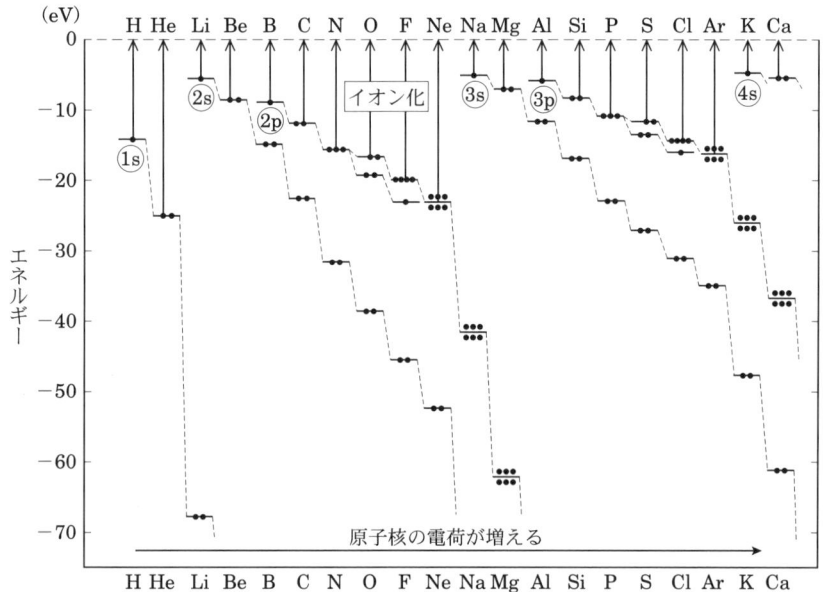

図6　水素（原子番号1）〜カルシウム（20）の電子エネルギー準位（計算値）

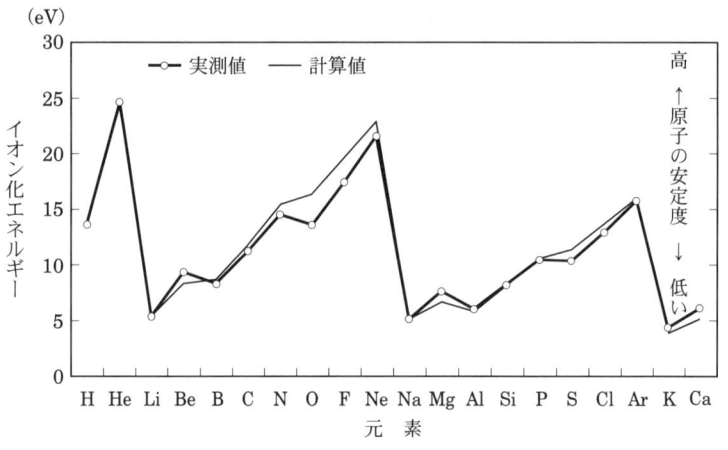

図7　原子のイオン化エネルギー：計算値と実測

図6の**イオン化**に注目しよう。イオン化とは，光エネルギー（14章）などを与えて原子から電子1個を引き離すことをいい，必要なエネルギー（イオン化エネルギー）は矢印の長さにあたる。

イオン化のときは，**いちばん浅い準位の電子が飛び出る**。いちばん浅い準位は，原子核からいちばん遠い軌道だから，**原子の化学的性質**を映し出す。

イオン化エネルギーを図7にグラフ化した。以上より図7は，**原子の化学的性質が周期的に変わる**ことを物語る。周期は8だとわかるだろう。また，**実測値と量子力学計算値のみごとな一致**も鑑賞しよう。

6. 周期表の素顔に迫る

急所のグラフ

86個までの電子が入る軌道のエネルギー準位を，次ページの図8に描いてある。準位の位置は絶対値ではなく（絶対値だと描ききれない），準位の**上下関係と間隔を現実におよそ合わせた**。

右手の箱には，そこまで**電子が詰まる元素**を書いた。たとえば塩素Clは1s～3s軌道が満杯で，3p軌道に電子を5個もつため，3p軌道を示す箱の5番目に入れてある（なお，一部の箱はわざと空欄にした）。

元素それぞれの位置は，**原子核からいちばん遠い電子**の軌道を表す。もちろんその電子は，ほかの原子（の電子）にいちばん作用しやすく，元素の化学的性質を決める。つまり**元素の位置は化学的性質**を反映する。

●印の元素は，**電子の入りかたが箱の位置どおりにはならないヘソ曲がり**。最初の●印に入るクロムCrは，1個の4s電子を出し，3d電子を（箱の位置が予想させる4個ではなく）5個もつ。**そのほうが安定になる**からだ。

図8を見ながら，次のことを確かめよう。

① p軌道（ヘリウムだけはs軌道）が満杯になるのは，ヘリウムHe，ネオンNe，アルゴンAr，クリプトンKr，キセノンXe，ラドンRnの六つ。どれも安定な元素で，英語ではnoble gas = **貴ガス**と呼ぶ。

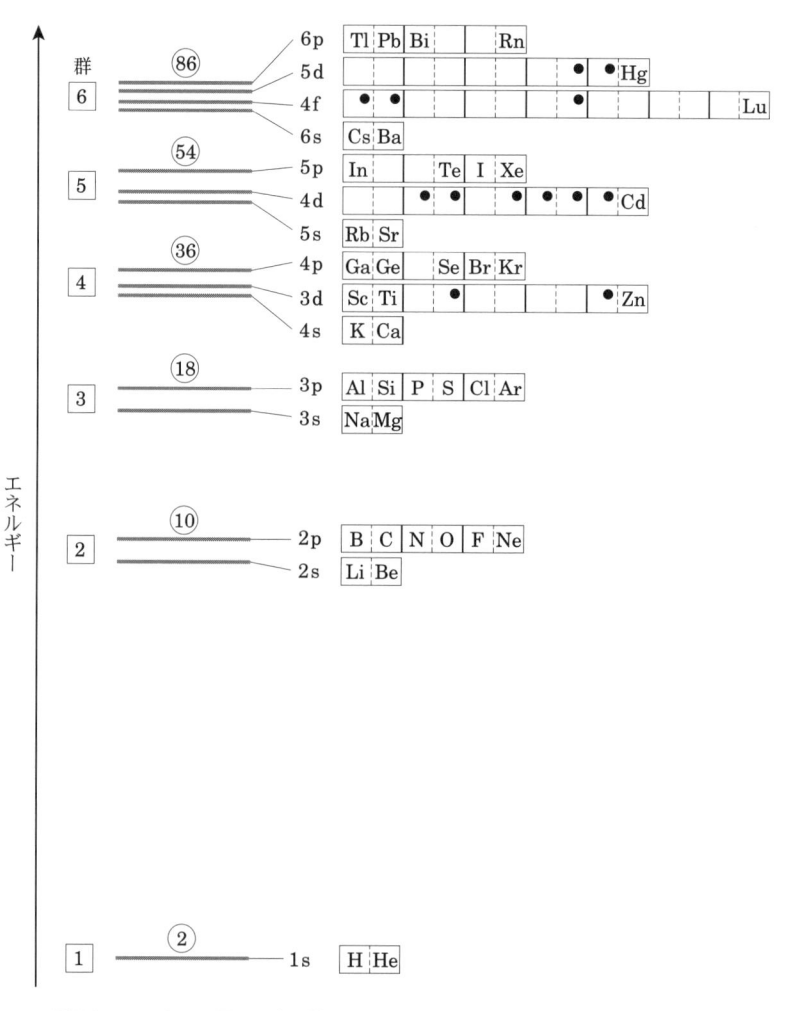

図8　86番ラドン Rn までの原子がもつ電子エネルギー準位のあらまし．●印をつけた箱13個には「ヘソ曲がり元素」が入る（本文参照）．

② 貴ガスに電子が1個入る（同時に核の陽子が1個増す）と，**エネルギーは急にジャンプし**，リチウム Li, ナトリウム Na, カリウム K, ‥‥になる．どれも電子を出しやすい（イオン化エネルギーが小さい）．

③ 貴ガスの直前には，フッ素 F と塩素 Cl, 臭素 Br, ヨウ素 I がいる．どれも1個の電子を受け入れて陰イオン（3章）になりやすい．

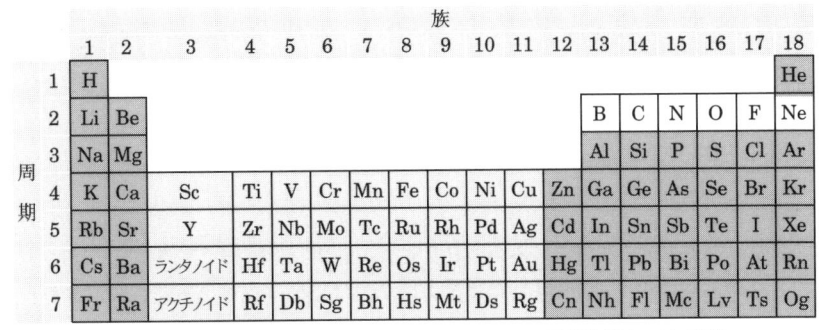

周期＼族	1	2	3	4	5	6	7	8	9	10	11	12	13	14	15	16	17	18
1	H																	He
2	Li	Be											B	C	N	O	F	Ne
3	Na	Mg											Al	Si	P	S	Cl	Ar
4	K	Ca	Sc	Ti	V	Cr	Mn	Fe	Co	Ni	Cu	Zn	Ga	Ge	As	Se	Br	Kr
5	Rb	Sr	Y	Zr	Nb	Mo	Tc	Ru	Rh	Pd	Ag	Cd	In	Sn	Sb	Te	I	Xe
6	Cs	Ba	ランタノイド	Hf	Ta	W	Re	Os	Ir	Pt	Au	Hg	Tl	Pb	Bi	Po	At	Rn
7	Fr	Ra	アクチノイド	Rf	Db	Sg	Bh	Hs	Mt	Ds	Rg	Cn	Nh	Fl	Mc	Lv	Ts	Og

図9　元素の周期表（ランタノイドとアクチノイドの元素構成は p.21 参照）

④ 元素たちは，いちばん外側にある軌道の電子エネルギーが近い 1 〜 6 群に仕分けできる。**群それぞれで，たとえば「p 軌道の 3 番目」という等価な位置**には，性質の似た元素が来る。

⑤ 1 群は s 軌道だけの 2 元素で，2 群と 3 群は s・p 軌道だけの 8 元素。4 〜 6 群には，d 軌道をもつ 10 元素が途中で割りこむ。また 6 群（と，図 8 で省略した 7 群）には，f 軌道をもつ 14 元素も割りこんでくる。

さて周期表

以上を心に置いて周期表（図 9）を眺めれば，その意味がしだいにわかってくる。まず第 1 〜第 6 の**周期**とは，図 8 に描いた 1 〜 6 群のこと。

族の意味も明らかだろう。たとえば 16 族の酸素 O と硫黄 S，セレン Se，テルル Te は，**原子核からいちばん遠い軌道が同類**（p 軌道）**になるうえ，そこに入った電子の個数**（4 個）**も同じ**だから，化学的性質が似ている（2 個の電子を受け入れ，安定な貴ガスの形に近づきたい）。

一部の族は特別な名前をもつ。たとえば 1 族（H 以外）はアルカリ金属，2 族はアルカリ土類金属，10 族は白金族，11 族は銅族，17 族はハロゲン（塩のもと）という。こうした名前は，化学的性質の近さを表す。

また，**いちばん外側の軌道**が s 軌道か p 軌道になる元素を**典型元素**，d 軌道か f 軌道になる元素を**遷移元素**と呼ぶ。遷移（transition）とは，「左側の典型元素と右側の典型元素をつなぐ」という意味。

周期表の中央に 10 元素分の谷ができる理由も，14 個のランタノイド元素とアクチノイド元素が第 6・7 周期で 3 族に割りこむ理由も，図 8 が教える（第 7 周期 89〜102 番のアクチノイドは図 8 に描いてない）。**元素の話になるたび図 8 を眺めれば，なにかしら発見があると思う。**

【章末問題】
1. 窒素原子の電子 7 個が軌道に入るありさまを，図 4 の形に描いてみよ。
2. ナトリウム原子の 2s 軌道にある電子 1 個（p.31）をたたき出すのに必要なエネルギーは，kJ/mol 単位でいくらか。1 eV = 96.5 kJ/mol として計算せよ。

[7340 kJ/mol]
3. 図 8 の箱に入る 86 元素のうち，典型元素は何個あるか。

[d 軌道が満杯の Zn・Cd・Hg を遷移元素とみたら 42 個，典型元素とみたら 45 個]
4. 電子が軌道にどう入るかを，原子の電子配置という。たとえばセシウム Cs（図 8 参照）の電子配置は，軌道記号の右肩に電子数を添えて $1s^2 2s^2 2p^6 3s^2 3p^6 4s^2 3d^{10} 4p^6 5s^2 4d^{10} 5p^6 6s^1$ と書くが，5 群（第 5 周期）の完結編といえるキセノン Xe ($1s^2 2s^2 2p^6 3s^2 3p^6 4s^2 3d^{10} 4p^6 5s^2 4d^{10} 5p^6$) の部分を [Xe] とし，[Xe] $6s^1$ と略記してもよい。図 8 と図 9 をにらみ合わせ，鉄 Fe の電子配置を書いてみよ。　[完全形 $1s^2 2s^2 2p^6 3s^2 3p^6 4s^2 3d^6$，略記形 [Ar] $4s^2 3d^6$]
5. 図 9 を見ながら，ヘソ曲がり元素（●印）も含めて図 8 の空欄を埋めよう。ヘソ曲がり元素は，適当な本で現実の電子配置を調べ，図 8 から予想される電子配置と比べてみよう。

3章 ナトリウムのイオンは Na^+ なのに，なぜ窒素のイオンは NO_3^- なのか？

黄鉄鉱（FeS_2）の結晶（提供：岡部陽二，撮影：倉科満寿夫）

　鉄イオン Fe^{2+} と硫黄イオン $[S-S]^{2-}$ がつくる鉱物。イオンの並び（右上の図）をぴたりと映す外形をもつ。きれいな黄色の金属光沢があるため，昔の人は金や真鍮とよくまちがえたという。

　鉄も硫黄も，電子を出せる形のイオンなので，電子を奪いやすい物質と反応すれば，エネルギーが出てくる（12章）。その原理を使い，黄鉄鉱を「食べて」生きる微生物が鉱山地帯の水に棲む。

　イオンはむずかしい‥‥と言う人が多い。たしかに，「なぜできるのか？」はやさしくないが，やさしい説明ですむ部分もある。たとえば，電荷の引き合いや反発を考えるだけで，なぜ炭素のイオンが C^{4+} ではなく CO_3^{2-} の形になるかもわかる。

　イオンのイメージをつかめば，食塩が水に溶ける現象も，体の中で起こる化学現象も，素顔がしだいに見えてくる。進んだ話は11章にゆずり，まずはイオンの顔つきを眺めよう。

1. おかしな話

　2002 年度の中学理科から「イオン」が消え，高校『生物』と『理科総合 B（生物・地学）』もイオンを扱わず，イオンのことを知らずに高校を卒業できた（2010 年ごろから復活の予定）。**試験の出来が悪いからと誰かがイオン**を切ったのだが，生体機能を調べる化学屋としては納得できない。

　なにしろ**生命現象はたいていイオン現象**なのだ。たとえば以下①〜④のどれかを思いつく人もいるだろう。

　① 約 100 m/s で伝わる神経信号は，ナトリウムイオン Na^+ とカリウムイオン K^+ の連携で生まれる。

　② ヒトの命は，ヘモグロビン分子の鉄イオン Fe^{2+} が酸素分子 O_2 をつかまえるからこそ維持できる。

　③ 金属イオンをコアにもつ酵素(こうそ)は多い。

　④ 生体内の反応は，水素イオン H^+ の濃度が適度だからこそスムースに進む。

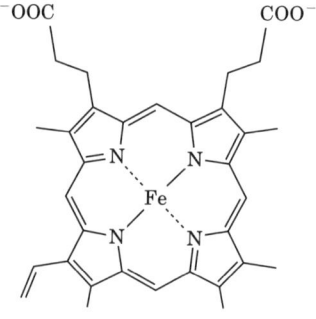

ヘモグロビンの心臓部

イオンという言葉

　1834 年にファラデー（1791 〜 1867）が，ギリシャ語の動詞 *ienai*（行く）の現在分詞 *ion* をそのまま採用。水溶液を電気分解したとき「電極のほうへ行くもの」を意味する。彼は電極の名前も考え，「*cata-*（下）＋ *hodos*（道）」で cathode（カソード）（現在名：陰極），「*ana-*（上）＋ *hodos*」で anode（アノード）（陽極）とした。それに合わせ，cathode へ向かうイオンを cation（カチオン）（陽イオン），anode へ向かうイオンを anion（アニオン）（陰イオン）と命名。こうした命名は，まずいことに，「電気分解ではイオンが電極に引かれて反応する」という誤ったイメージを広めた。「電気分解」という日本語にも問題が多い（くわしくは 13 章）。

2. ボーア模型？

2章の話はややこしかった。骨休めに本章では,「ホントのところ」は押さえながらも,ぐっとやさしいイメージで原子(とイオン)を眺めよう。惑星系に似て,原子核のまわりを電子たちが回っているイメージだ。

ボーア模型とは,電子の入った殻(2章参照)を衛星軌道に見立てたもの。原子番号1〜18の元素は図1のような姿に描く。

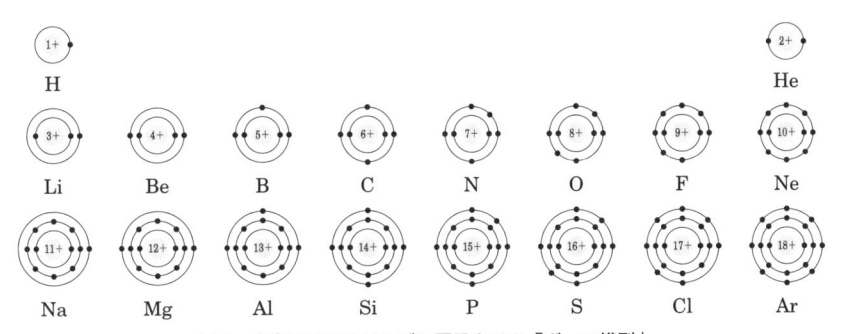

図1 水素原子からアルゴン原子までの「ボーア模型」

見た目がわかりやすくて重宝でも,以下4点は知っておきたい。

① 量子力学の確立に先立つ1913年,**ボーアは惑星モデルで水素原子を説明したが,ほかの原子は扱わなかったし,図1を発表したわけでもない。**

② 同心円は内側からK・L・M・N‥‥殻を表す。しかし**21番(スカンジウムSc)以上の元素ではM殻とN殻のエネルギーが逆転するため**(2章の図2と図8参照),**図1の形には描けない。**

③ 同じ殻は同じ半径の円で描いたが,じつは元素ごとにちがう。たとえばHとNaのK殻(1s軌道)の電子雲を同じ拡大率で描いたのが図2。Naでは核

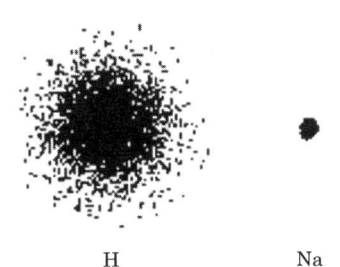

図2 H原子(電子1個)とNa原子(電子2個)のK殻 = 1s軌道

3章 ナトリウムのイオンはNa^+なのに,なぜ窒素のイオンはNO_3^-なのか？

の正電荷11単位が1s軌道をギュッと縮める（**縮んだ電子雲も，原子核よりまだ1万倍は大きい**）。

④ 同じ円上に並べた電子でも，軌道の種類によりエネルギーの値がずいぶんちがう（2章の図6参照）。

つまり図1は現実をひどく単純化したものだけれど，ごく**一部の元素ではイオン化や化学結合を考えるのに便利**だから使う。

3. イオンができる

高校化学の説明

イオンは，原子が電子を出したりもらったりして生まれる。食塩水の成分，Na^+イオンとCl^-イオンができるわけを考えよう。高校では，Na原子が電子e^-を出す変化（$Na \rightarrow Na^+ + e^-$）と，Cl原子が電子を受けとる変化（$Cl + e^- \rightarrow Cl^-$）に分け，図3を使って説明する。

Na原子が電子を失ったNa^+は，**安定な貴ガスのネオンNeと同じ電子配置**をもつ。また，Cl原子が電子をもらったCl^-は，やはり貴ガスのアルゴ

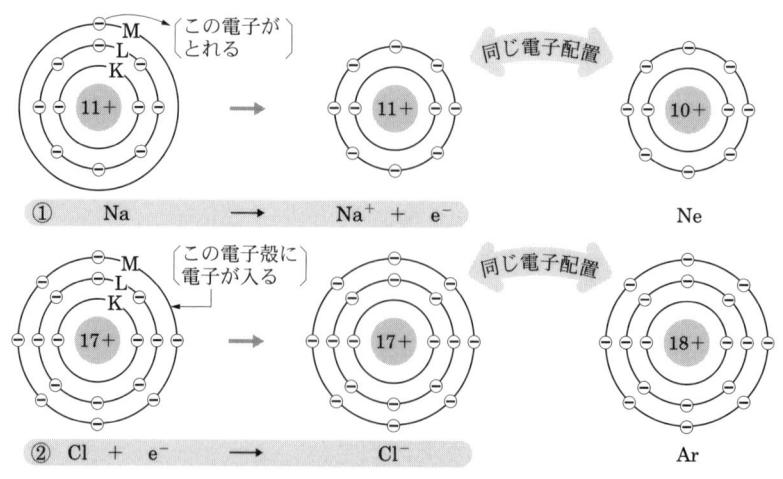

図3 Na^+イオンとCl^-イオンができる理由？

ン Ar と同じ電子配置をもつ。だから Na$^+$ イオンも Cl$^-$ イオンもできやすい……という説明だ。しかし **Na$^+$ と Ne は陽子の数がちがうため**（Na$^+$ は 11 個，Ne は 10 個），電子配置が同じでも，同じくらい安定だとはいえない。そこを調べてみよう。

ホントの説明

何度か述べたとおり，どんな現象も**エネルギーが減る向きに進む**。そこでまず，① Na → Na$^+$ + e$^-$ と② Cl + e$^-$ → Cl$^-$ のエネルギー変化を当たってみよう。さしあたり，原子もイオンも真空中にあるとみる。

①は Na 原子のイオン化だから，イオン化エネルギー（p.31）をつぎこむ必要がある。その実測値は 5.14 eV だ（ふつうの単位なら 496 kJ/mol）。

②はまだ説明していなかった。電子 1 個をもらった原子が放出するエネルギーを**電子親和力**という。**放出エネルギー**なので，電子親和力が正の元素は電子をもらえば安定になり，値が負の元素は電子をもらうと不安定になる。

水素 H（原子番号 1）〜カルシウム Ca（20）の元素で電子親和力をグラフ化したら図 4 になる（ここにも周期性が見える）。

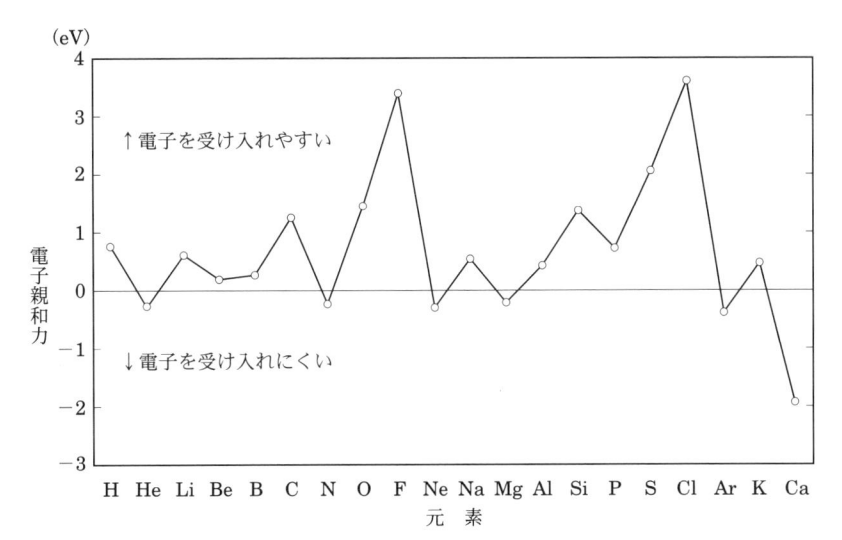

図 4　元素の電子親和力

電子親和力の値は，He と N，Ne，Mg，Ar，Ca は負（まず陰イオンにならない）だが，ほかは正（陰イオンになる傾向をもつ）。値の大きい塩素 Cl（3.62 eV）やフッ素 F，酸素 O，硫黄 S は，とりわけ陰イオンになりやすい。

電子 e^- が Na 原子から Cl 原子に移るとしよう。Na から電子を奪うには 5.14 eV のエネルギーを要するが，Cl が電子をもらって得するエネルギーは 3.62 eV しかない。差し引き 1.52 eV の「登り坂」になるため，**Na + Cl → Na^+ + Cl^-** は，ひとりでには起こらない。さあ困った。

むろん心配はいらない。**できた Na^+ と Cl^- が電気力（クーロン力）で引き合い，その分だけ安定化する**のだ（11 章 p.149 参照）。

互いの電子雲がぎりぎり近づける距離（2.9 Å = 0.29 nm）を使って計算すると，安定化エネルギーは 4.95 eV にもなる。そのため Na^+ と Cl^- の対は，最初の Na と Cl より 4.95 − 1.52 = 3.43 eV（331 kJ/mol）だけ安定になるので，イオン化もらくらく進む。以上の状況を図5に描いた。

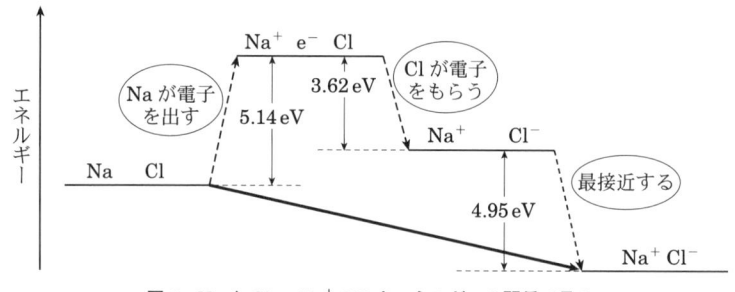

図5　Na + Cl → $Na^+ Cl^-$ をエネルギーの関係で見る

真空中と水中の大差

いままでは真空中のイオン化だった。化学現象の多くは水中で進み，そのとき話はガラリと変わる。

むろん効くのは水分子 H_2O だ。元素の電気陰性度（4章）がちがうため，H_2O 分子の O 原子は負，H 原子は正の電荷をもつ。だから陽イオンは O 原子を，陰イオンは H 原子を引きつける。**電荷の引き合いだけで説明できる部分**を以下で眺め，H_2O 分子がイオンを囲んで起こる現象は 11 章に回す。

ミクロ粒子は未来が見える？

　図5の話でNa原子とCl原子は，「Na^+とCl^-に変身したあと引き合う」未来を知っているかのようで，不思議な気がするが，じつはそれでよい。ミクロ粒子の集団内には，高エネルギーの状態も一定確率で存在する。それが低エネルギーの最終状態へ落ちて出るエネルギーを利用できるため，全体の変化もどんどん進むのだ。

　似た現象をひとつ。水中で銅Cuが電子を失うとき，1個だけ失う（Cu^+になる）よりも，2個を一気に失う（Cu^{2+}になる）ほうがずっと起こりやすい（くわしくは13章）。

4. 単原子イオンと多原子イオン

原子・イオンのサイズ

　8種類の元素につき，原子やイオンのサイズを次ページの図6にまとめた。硬い球のように描いたけれど，「**電子の衣**」の実質的な広がりを表す。原子が**電子をもらえば太り，電子を出せばぐっと縮む**ようすを，まずはゆっくり鑑賞しよう。

　図6を見て，「+4価の炭素陽イオン」や「-3価の窒素陰イオン」，「+7価の塩素陽イオン」に首をひねる読者もいよう。書けばそれぞれC^{4+}，N^{3-}，Cl^{7+}となって，安定に存在するイオンではないが，**電子をやりとりした瞬間の原子**は，そんな姿をとるとみてよい。

イオンの電気パワー

　電気作用の強さは，電荷の出す**電気力線**の密度に比例する‥‥と高校の物理で学ぶ。イオンから出る力線の数は，もちろんイオンの価数に比例する。

　電子雲の表面に近づいた電荷が感じる電気パワーは，**イオンの表面にある電気力線の密度**（電気量÷表面積）で表せる。Na^+とC^{4+}の電気力線は図7のように描ける。電荷とサイズの両方が効いて，C^{4+}の電気パワーはNa^+のじつに60倍も「強い」。

価数→	陰イオン			原子	陽イオン							
	−3	−2	−1	0	+1	+2	+3	+4	+5	+6	+7
炭素 $_6$C				●					●			
窒素 $_7$N	●		●	●				●		●		
酸素 $_8$O		●		●							
ナトリウム $_{11}$Na				●	●						
硫黄 $_{16}$S		●		●				●		●	
塩素 $_{17}$Cl			●	●					●		●
カルシウム $_{20}$Ca		2Å		●	●		●				
鉄 $_{26}$Fe			●	●		●	●				

図6 原子やイオンのサイズ（右下の絵は，同じ拡大率で描いた水分子 H_2O）

O←負電荷をもつ
H H←正電荷をもつ
水の分子

パワーの弱・中・強

Na^+ を1とした場合，ほかのイオンは表1にまとめた「強さ」をもつ。水中ではその力が H_2O 分子の負電荷（O 原子）や正電荷（H 原子）に働き，表中の「弱・中・強」に応じて次の現象が起こる。

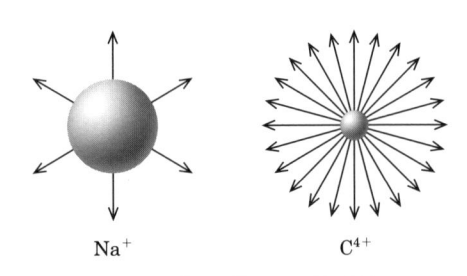

図7 Na^+ と C^{4+} が生む電気力線

① **弱いイオン**（Na^+ や Cl^-）は，H_2O 分子を何個か引き寄せるだけ。

② **中程度のイオン**（O^{2-} 〜 Fe^{3+}）は，H_2O 分子を引く力がやや大きいた

表1 Na^+ = 1 としたイオンの「強さ」

イオン	Cl^{7+}	S^{6+}	N^{5+}	C^{4+}	N^{3+}	S^{4+}	Fe^{3+}	Fe^{2+}	N^{3-}	Ca^{2+}	O^{2-}	Na^+	K^+	Cl^-
強さ	190	120	90	60	50	20	10	5	3	2	2	1	0.6	0.5
	強						中					弱		

め，陽イオンは OH^- を奪って H^+ を追い出し，陰イオンは H^+ を奪って OH^- を追い出す。だから Fe^{3+} は $Fe(OH)_3$ の沈殿になりやすい（11章）。

③ **強い陽イオン**は，強烈な力で H_2O 分子を引き寄せ，水素原子を2個とも H^+ の形で追い出し，窒素なら $N^{5+} - O^{2-}$ 結合をつくる。N^{5+} はまだ十分なパワーをもつため，O^{2-} を3個もとらえた NO_3^- になって落ち着く。

このように，水中で電子を授受した原子は，**電子雲の表面にできる電気力の強さ**に応じ，**単原子イオン**（Na^+，Cl^- など）になるか，H_2O からもぎとった O^{2-} を身にまとう**多原子イオン**（NO_3^-，SO_4^{2-}，CO_3^{2-} など）になるかの道を選ぶ。

多原子イオンの場合，O^{2-} の衣を着た N^{5+} や S^{6+} は怪力を温存しているため，ふつうの酸（次項）に溶けない銅や銀からも電子を奪う（金属を溶かす）力がある。

5. 特別なイオン：H^+ と OH^-

中学校理科と高校化学では「酸とアルカリ（塩基）」を学ぶ。ややこしい話もいろいろあるが，大ざっぱにいうと酸は水素イオン H^+，アルカリは水酸化物イオン OH^- の話にすぎない。そういう2種類のイオンを特別な単元で扱う理由は，おもに以下6点となる。

① H^+ も OH^- も，よく使う溶媒＝水 H_2O 自身が分かれて（電離して）できるため（10章 p.141），たいていの化学変化に大きな影響を及ぼす。

② H^+ は最小の陽イオン，OH^- はほぼ最小の陰イオンだから，ちょこまか動いて分子やイオンに作用しやすい。酸やアルカリの濃い溶液は，H^+ や OH^- がタンパク質の分子を寸断（加水分解）して皮膚をおかす。

> **ヘビ毒は飲んでも平気**
> マムシやコブラなどの毒には，アミノ酸がいくつもつながった分子（ペプチド）が多い。そんなペプチドが，神経細胞の膜でカリウムを通す孔（カリウムチャネ

ル）にとりついたり，酵素作用を発揮したりして毒性を示す。足や手を毒ヘビにかまれたら，毒の分子が血液にそのまま入るので命があぶない。しかしヒトの胃液は実験に使う希塩酸なみの強酸性（pH 1.2〜1.5）で，水素イオン H^+ がペプチドの鎖を切ってくれるため，口から飲んでも毒の分子は分解・無害化される。

ちなみに糖尿病の薬インスリンもペプチド分子だから，服用すると胃で加水分解されて効き目をなくすため，必ず注射で投与する。

③ H^+ が鉄や亜鉛，アルミニウムから電子を奪う（金属を溶かす）性質は，金属材料の表面加工など，産業の現場で用途が多い。

④ 化学平衡（10章）を学ぶのにぴったりの素材となる。

⑤ H^+ の濃度を15桁もの範囲で測る装置＝pH メーターがある（それほど広い範囲で測れる物質はほかにない）。科学では値が大幅に変わる量（震源のエネルギー，音圧など）を「桁の値」で表すことが多く，**桁で表したH^+濃度（pH）**はその素材にふさわしい。濃度は6章で紹介しよう。

水素イオン H^+ の姿

H^+ は，図6中の最小イオンよりさらに1万分の1も小さい裸の水素原子核（陽子）だ。水の中ではとうてい安定に存在できないため，H_2O 分子と結合して H_3O^+ や $H_5O_2^+$ の姿になる（10章）。なお IUPAC（国際純正・応用化学連合）は H_3O^+ を oxonium ion と呼ぶよう勧告し，日本の高校教科書も「オキソニウムイオン」を使うけれど，1980年ごろまでの長い間は「ヒドロニウムイオン」だった（終章）。

⑥ 酸とアルカリの**中和**は，きれいな結果が出やすいため，**量の関係をつかみ，化学実験の作法を学ぶ教材**にふさわしい。

6. イオン結晶：自然界の球遊び

1対の Na と Cl が電子をやりとりしたあと，**お互いの電子雲がぴたりと触れる** Na^+Cl^- になるのは，エネルギーの下がる自発変化だった（図5）。陽イ

オンと陰イオンが無数に集まったら固体ができる。そんな固体を**イオン結晶**という。

Na^+ イオンも Cl^- イオンも球とみてよいため，塩化ナトリウム（食塩）の固体は，**正電荷の球と負電荷の球が引き合って自然に生まれる**（図8）。

陽イオン1種と陰イオン1種からできたイオン結晶（卓上塩の成分 KCl，生石灰 CaO，フッ素系うがい薬 NaF，マグネシウムが燃えてできる MgO など）も図8の結晶構造をもつ。

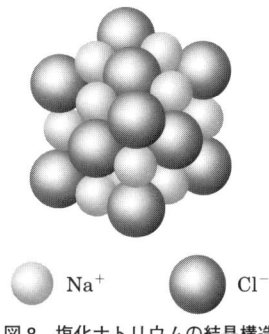

図8 塩化ナトリウムの結晶構造

イオン結晶の構造は，単純な図8以外に30種ほど知られる。どんな構造になるかは，陽イオンと陰イオンのサイズ比や，多原子イオン（NH_4^+，SO_4^{2-}，CO_3^{2-} など）を含むかどうかで変わる。

こうした話を**結晶学**という。それなりにおもしろい話題ではあるが，**幾何学の遊びになりがちだし，なぜその構造になるかを正しくつかむには高度な知識が必要だから**，この程度で切り上げたい。

ただし，大事なことをひとつだけ。**イオン結晶の構造も，エネルギーがいちばん低い姿に決まる**。陽イオンと陰イオンがバラバラでいる場合に比べ，結晶になったらどれほど安定化するのかは，11章で眺めよう。

マイナスイオン？

空気中には，大きさ 1～10 nm の（目には見えない）微粒子が漂う。そのうち，負に帯電した粒子を負（negative）イオンと呼ぶ（minus ion という英語はない！）。負イオンが鎮静作用をもつという動物実験は20世紀初頭からあって，それに目をつけた日本のメーカー各社が2000年ごろから「マイナスイオン製品」を売りだした。「マイナスイオン」の正体は，NO_3^- や CO_3^{2-} をとらえた数個～10個の H_2O 分子だという。

しかし「マイナスイオン発生器」の大半は放電を使い，そのとき「マイナスイオン」の100万倍以上も多いオゾン分子 O_3 ができる。1個あたりの反応活性は（毒性も）O_3 のほうがずっと強いため，何かが起きたら主犯は O_3 だろう。某企業

が売る「マイナスイオン水」は，もしマイナスイオンが「水和NO_3^-」なら，ありふれたNO_3^-イオンを含むだけなので，何か「ありがたい効果」があるはずもない。

【章末問題】

1. 図1で酸素原子（O）のL殻に乗っている6個の電子は，軌道エネルギーの値で何種類に分類できるか（2章の図6参照）。　　　　　　　　　　　　　　　　[3種類]
2. Kのイオン化エネルギー（4.34 eV），Clの電子親和力（p.41），K^+Cl^-の電気的安定化エネルギー（4.42 eV）から，$K + Cl \rightarrow K^+Cl^-$のエネルギー変化を計算せよ。
　　　　　　　　　　　　　　　　　　　　　　　　　　　　　　　　　　　　　[-3.70 eV]
3. 価数+6の硫黄イオン（S^{6+}）が生む電気力線を図7と同じ基準で描いたら，何本の力線を引くことになるか。　　　　　　　　　　　　　　　　　　　　　　　　[36本]
4. 図6のCl^{7+}イオンは，強烈な電気力をもち，4個のH_2O分子からO^{2-}をもぎとって安定化する。そのときできるイオンを書け。　　　　　　　　　　　　　　[ClO_4^-]
5. 図8の立方体で，中心にあるイオンはNa^+か，それともCl^-か。　　　　　[Na^+]
6. ある「マイナスイオン製品」は，空気1 cm³あたり5万個の「マイナスイオン」を出すという。きれいな空気が含んでいる「猛毒」のオゾン分子は，5万個のおよそ何倍か。序章の表1を使って計算せよ。　　　　　　　　　　　　　　　　[約1000万倍]

4章　原子はなぜつながり合う？

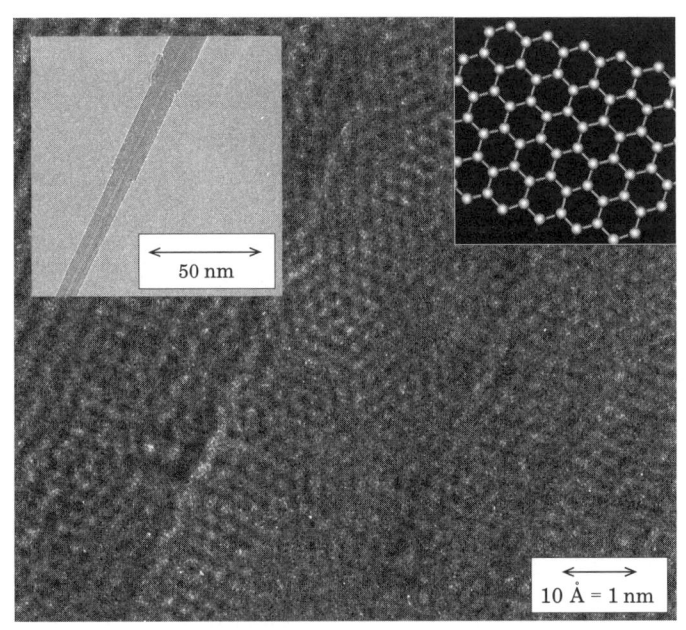

カーボンナノチューブの電子顕微鏡写真（提供：葛巻　徹）
　1991年に日本の飯島澄男が見つけたカーボンナノチューブ（左上）は，「ぐるっと巻いた金網」のように炭素原子がつながり合った円筒状の巨大分子だ。倍率ほぼ1000万倍の画面中央部に目をこらせば，六角形の網目模様が見えるだろう。中央部の拡大モデル図を右上に描いた。

　原子たちがつながり合って，無限ともいえる種類の物質ができる。それがまさしく化学の世界だ。
　原子はなぜつながり合うのか？　また，どうやってつながり合うのだろう？　結合を表す線が，1本だったり，2本や3本だったりするのはなぜなのか？　ミクロ世界のありさまを想像しつつ，そうした疑問に挑戦しよう。

1. 原子の気持ちが世界をつくる

独身主義の原子たち

2章の図8（p.34）をまた眺めよう。1〜6群（周期表は第1〜6周期）の最後尾には，ヘリウム He・ネオン Ne・アルゴン Ar・クリプトン Kr・キセノン Xe・ラドン Rn の六つが並ぶ。それぞれ 1s・2p・3p・4p・5p・6p 軌道が満杯になる元素で，総称が貴ガスだった（日本の高校で使う「希ガス」は，性質を表す呼び名ではなく，「見つけにくさ」を表す歴史的な呼び名）。

貴ガスに続くリチウム Li，ナトリウム Na，‥‥は，電子1個を捨てたがる（電子エネルギーの急上昇＝不安定化を図8で鑑賞しよう）。また，ひとつ手前のフッ素 F，塩素 Cl，‥‥は電子1個をもらいたがる（3章）。

He・Ne・Ar・Kr・Xe・Rn は欲がなく，原子のままで不満はない。なにか高貴な存在を思わせるため，**貴ガス**（noble gas）の名がついた。

特殊な環境の元素は原子のままだ。たとえば大気下層では O_2 分子の酸素も，高層では宇宙線を受けてバラバラになる。スペースシャトルの飛ぶ高度 400〜500 km には，量の順に **O 原子・He 原子・H 原子**しかない。

相手がほしい原子たち

ふつうの環境だと，貴ガス以外の原子は独身を嫌う。なぜか？

2章の話を復習しよう。電子たちは，原子核の引力圏内でそれぞれ決まった空間を動く。ミクロ世界の空間は下記の階層に分かれ，最後の「部屋」ひとつには電子が2個まで入れる。

- **殻**（K・L・M‥‥殻を数字 1・2・3‥‥で指定）
- **殻内の層**（K殻 = s，L殻 = s・p，M殻 = s・p・d など。**副殻**と呼ぶ）
- **副殻内の「部屋」**（1室の 1s・2s・3s‥‥，3室の 2p・3p・4p など）

そういう制約のもと，**電子は総エネルギーを減らしたい**。孤立原子なら，エネルギーを下げる戦略には次の二つがあった。

① 同じ副殻に空き部屋があれば，スピンの向きをそろえてなるべく多くの部屋に分散する（**フントの規則**）。

② ひとつの部屋内では逆向きスピンのペアになる（**パウリの排他律**）。

①は「散らばりたい」性質，②は「集まりたい」性質なので，逆向きに思えるけれど，負電荷の反発が減る①をまず使い，やむなく相部屋になったら②の戦略を使う。孤立原子なら話はここで終わる。

身近な原子は孤立していない。安定な貴ガス原子の姿を目指せる境遇にある。ほかの原子がそばに来たとき，その**電子を借りるか，自分の電子を貸すかして貴ガス原子の姿に迫れるなら**，行動を起こす。うまくいけば，**どちらの原子もエネルギーが減ってハッピーになるのだ**。

気性の荒い原子どうしは，電子1個か2個をそっくり手放し（相手がそれを奪い），できたイオンの引き合いで安定化する（3章）。

性格が穏やかな原子どうしは，**電子を融通し合って安定化を目指す**。見た目には，電子を「のり」にして結びつく。それを**共有結合**という。

世界をつくる化学結合

天然物も身近な品物も，原子のつながり合い（**化学結合**）が生む。

化学結合は3種類に大別でき，それぞれ次のような物質をつくる。

● **イオン結合**（3章）：石・土・コンクリート・陶磁器など

● **金属結合**（p.61）：金属

● **共有結合**：木・紙・食品・生物体・プラスチックなど

共有結合で生まれた分子は，まだ物体とはいえない。ほどほどの強さで分子どうしが引き合うからこそ，木もプラスチックもしっかりした形と硬さをもつ。そう

いう力は5章と11章で眺めよう。

2. 水素分子

わかりやすい（？）イメージ

　水素原子は1s電子を1個もつ（2章）。もう1個あれば，安定なヘリウム原子の姿に近づく。相手も水素原子なら都合がいい。原子核どうしは正電荷の反発があるため合体できないが，互いに近寄って合計2個の電子を共有したとき，ヘリウム原子の姿に**もっと近くなれる**からだ。

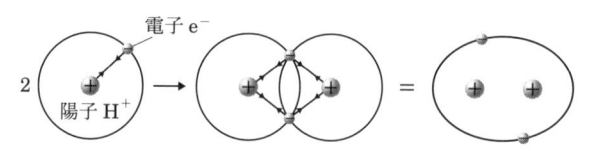

図1　水素分子の共有結合を説明する高校教科書の図

　それを高校教科書は図1のような絵で説明する。つまり，2個の原子が接近し，原子核と電子が引き合う結果，電子2個が同じ軌道を回りだす。……しかし，電子の動きを**古典物理で計算しても，ほんとうの姿を教える結果は出ない**。また，水素分子の姿（右端）はなんとなく落ちつきが悪い。

実体に近いイメージ

　電子は円軌道を回るわけではなく，雲のように原子核をとり巻く。だからH_2分子の生成も，**電子雲**を思い浮かべながら考えよう。
　もっと大事なことがある。何度か述べたとおり，**どんな現象もエネルギーが減る向きに進む**。実測によると，H原子2個がH_2分子になるとき，エネルギーは4.48 eV（432 kJ/mol）だけ減る。またH－H間の距離は0.74 Åだ。**そうした情報も考えよう**（エネルギーも結合距離も，量子力学計算なら実測に近い値が出るけれど，古典力学はまったくお手上げ）。さらに，「分子の付属物」となった2個の電子は，**逆向きスピンのペアをつくって安定化**する。

量子力学で計算した電子雲を使い，水素分子生成のイメージを図2に描いた。計算の信用度はイオン化エネルギーの値（p.31）で保証ずみだから，電子雲の姿も信用してよい。図2がH_2分子の一体感をよく伝えるだろう。

分子軌道

原子がつながって分子になれば，電子軌道の形もエネルギーもガラリと変わる。**分子の電子**が入る軌道を**分子軌道**と呼ぶ。

図2で，水素分子のエネルギー準位（p.31）は

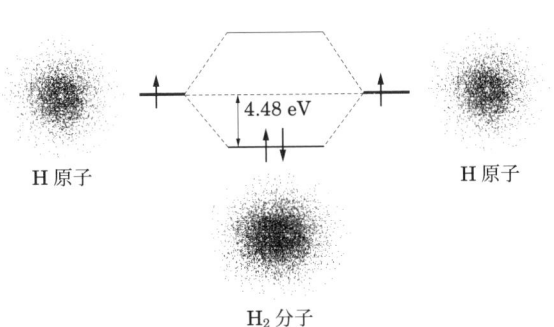

図2 水素分子の生成：実体に近いイメージ

2本ある。もともと1本ずつだった準位から，2本の準位ができた。2個の電子は，高いエネルギー準位には入らず，低いエネルギーの準位だけに入る。

図2のH_2分子は4.48 eV（432 kJ/mol）のエネルギーを受けると2個のH原子に分かれる。4.48 eVをH_2分子の**結合エネルギー**という。

3. 主軸のトリオ

せまい社会

共有結合でできた物質には生物由来のものが多い。プラスチックの原料（原油）は，太古に生きていた生物体の残骸だ。生命は，ごくわずかな種類の元素を共有結合させ，自分に必要な物質をつくる。

たとえば人体は，重さで**酸素** O（61%）・**炭素** C（23%）・**水素** H（10%）・**窒素** N（2.6%）の4元素が97%近くを占める（1章 p.13）。原子数なら，H（62%）＋O（24%）＋C（12%）＋N（1%）で99%を超す。原子番

号順に1番H，6番C，7番N，8番Oの**四人衆**だといえる。

生命はリンPと硫黄Sも共有結合に使う（リンはDNA分子の必須成分）。PはNの同族，SはOの同族だから（p.35の周期表を参照），NとOのふるまいを知れば，PとSのふるまいもおのずとわかる。

水素の話はほぼすんだので，以下，四人衆のうち，残る**トリオ**（C・N・O）の性質を調べよう。

炭素原子の電子エネルギー

共有結合は，**エネルギーを下げたい電子**がつくるから，電子エネルギー準位（2章）を考えないかぎり話は見えない。活躍の場が多いC原子の電子準位を図3に描いた。

炭素は電子を6個もつ。うち2個の1s電子はエネルギーが低くて安定なため，**われ関せずと眠りこみ**，結合には関与しない。

炭素原子の結合では，最高エネルギーの（活性な）2p電子2個が主役になる。計6個の電子が入れる2p軌道は，4個分の空きをもつ。ただし，そこにひとつヒネリが入る。

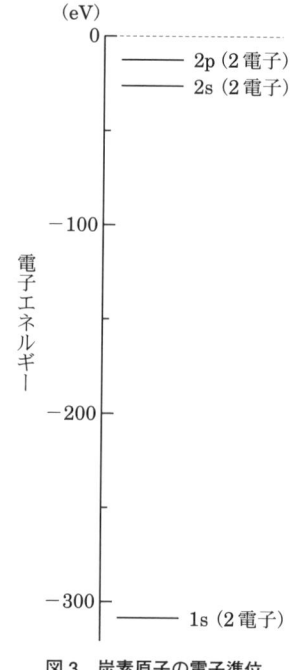

図3 炭素原子の電子準位

軌道の混成

2p軌道の電子2個と，2s軌道の電子2個は，エネルギーの値がかなり近い。電子が「散らばって安定化したがる」のを思い起こそう（p.30）。2s軌道と2p軌道が合体できたら，合わせて4個の電子たちは，**動き回れる空間が広がる**。

軌道の合体を**混成**という。いまの場合，1部屋のs軌道と3部屋のp軌道が混成するので**sp^3**（エス・ピー・スリー）**混成**と呼ぶ。

電子エネルギーの絶対値には目をつぶり，「トリオ」の1s・2s・2p軌道を大まかに描けば図4ができる。2s軌道と2p軌道の近さは共通だから，どの

原子も sp³ 混成を起こしてよさそうだ。

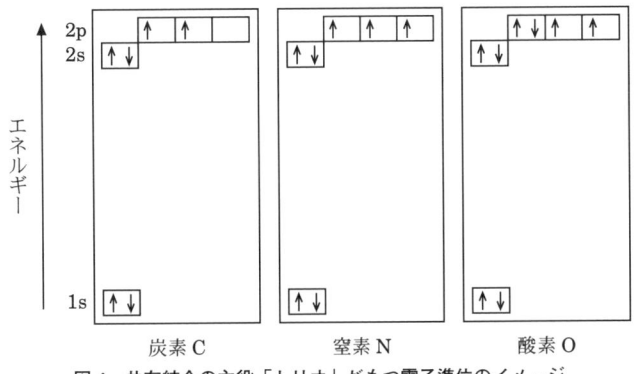

図4　共有結合の主役「トリオ」がもつ電子準位のイメージ

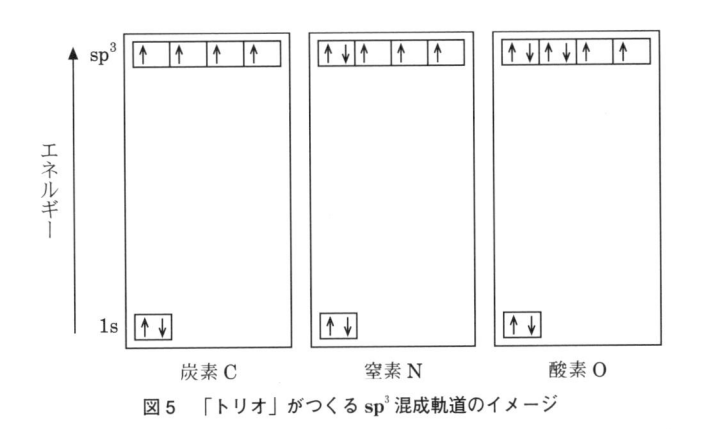

　sp³ 混成が起きると電子準位は図5のイメージになる。炭素原子ではかなり大きな変化が起き，**ペアになりたい4電子**が顔を出す。窒素と酸素は混成前と似ていても，実質はずいぶん変わった。**混成軌道をつくる4部屋はみなエネルギーが等しいため**，たとえば ↑↓|↑|　|↑ と書いた窒素の軌道は，↑|↑↓|↑|↑ とも ↑|↑|↑↓|↑ とも ↑|↑|↑|↑↓ とも書けるのだから。

図5　「トリオ」がつくる sp³ 混成軌道のイメージ

　孤立した原子の軌道は混成しない。2s−2p 間のエネルギー差は，1s−2s 間よりずっと小さいとはいえ，11 eV ≒ 1000 kJ/mol（炭素），16 eV（窒素），

4章　原子はなぜつながり合う？　｜　55

19～22 eV（酸素）もあるからだ。ほかの原子が寄ってきたとき，**共有結合すれば支払い分以上をとり戻せる**ので，混成の戦略を使う。

化学変化はエネルギーの激しいやりとりを伴い（8・9章），ミクロ世界ではどんな状態も一定の確率で生じるため，原子は一見「先が見える」かのようにふるまう。イオンの生成もそうだった（p.43）。

原子価

図5をまた眺めよう。**どの原子も，安定な貴ガスの姿に近づきたい**。直近の貴ガスは10電子のネオン Ne だ。炭素・窒素・酸素は，ほかの原子から電子をそれぞれ4個・3個・2個とりこめば，sp^3軌道の電子が8個に増え，「眠る1s軌道」の2個と合わせて10個になる。

交渉相手が水素原子なら，炭素は4個，窒素は3個，酸素は2個の水素原子と手を結べば安定化する。水素原子のほうも，孤独だった1s電子がペアを組めて安定化し，両方がハッピーになるというわけ。

この場合，炭素原子は4本，窒素原子は3本，酸素原子は2本，水素原子は1本の手をもつとみよう。手の数を**原子価**と呼ぶ。原子価は炭素が4，窒素が3，酸素が2，水素が1になる。

ルイス構造

水素 H の1s電子と，炭素・窒素・酸素のsp^3混成軌道にいる電子を点で描いたものを，原子の**ルイス構造**という（図6）。

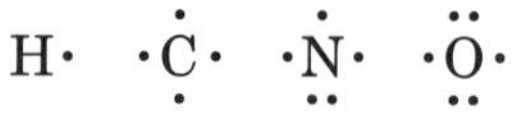

ルイス構造を使えば，「手」を1本ずつ出し合ってつくる共有結合（**単結合**）はすぐ書ける。メタン CH_4，アンモニア NH_3，水 H_2O のルイス構造を図7に描いた。白丸は水素原子が供出した1s電子を表す。

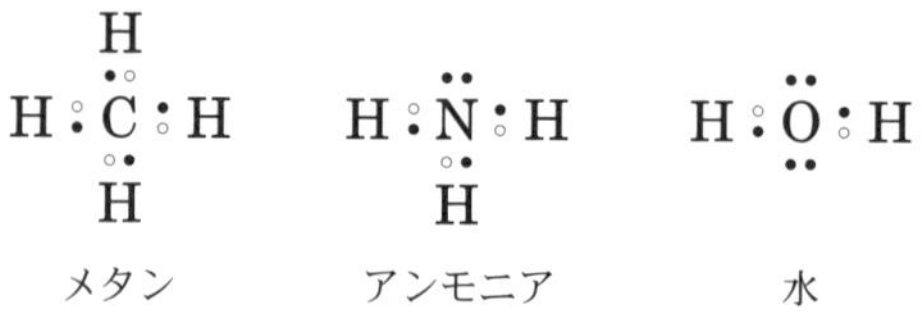

図6　原子のルイス構造

ルイス構造と図5の表現を使えば，メタン分子の生成は図8に表せる。

図7　ルイス構造で描いた3分子

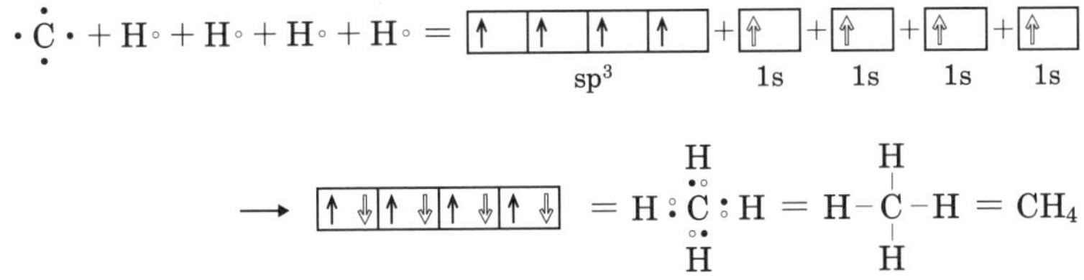

$$\cdot \overset{\cdot}{\underset{\cdot}{C}} \cdot + H\circ + H\circ + H\circ + H\circ = \boxed{\uparrow\ \uparrow\ \uparrow\ \uparrow}_{sp^3} + \boxed{\uparrow}_{1s} + \boxed{\uparrow}_{1s} + \boxed{\uparrow}_{1s} + \boxed{\uparrow}_{1s}$$

$$\longrightarrow \boxed{\uparrow\downarrow\ \uparrow\downarrow\ \uparrow\downarrow\ \uparrow\downarrow} = H\overset{..}{\underset{..}{C}}H = H-\underset{H}{\overset{H}{C}}-H = CH_4$$

図8　メタン分子 CH_4 の生成

1対の電子がつくる単結合は1本線で描く（H_2O 分子なら $H-O-H$ の姿）。図7や図8では分子を平面に描いたけれど，**現実の分子は立体的な形をもつ**。どんな形になるかは，sp^3 混成軌道の性質と，**窒素原子や酸素原子の上に余っている電子**の性質が決める（くわしくは次章）。

最外殻電子？ 閉殻？

　原子核からいちばん遠い電子を「最外殻電子」と呼び，「原子の性質は最外殻電子が決める」と説明することがあるけれど，そう言ってよい（つまり，2章の図1が当てはまる）のは20番元素のカルシウムまで。

　カルシウムの 4s 電子は N 殻に属す。しかし21番スカンジウムがいちばん外側にもつ 3d 電子は，N 殻より下位の M 殻に属している（2章の図8）。だから「最外軌道」の電子ではあっても，「最外殻」の電子ではない。

　貴ガスの安定な姿を指す用語「閉殻」も，うるさく言えば正しくはない。18番アルゴンの場合，3番目の殻（M 殻）にある 3p 軌道はたしかに「閉じて」はいても，同じ M 殻に属する 3d 軌道が，ずっと上に（空のまま）控えているのだ。

4. 二重結合・三重結合

需要と供給

　炭素原子 C と水素原子 H の集団を考えよう。空想の話ではない。ものが燃えるときは，原子がバラバラになってそんな状況ができる（8・9章）。

　H 原子がたっぷりあれば，C 原子は4個の H 原子を結合してメタンになれる。しかし **H 原子が少なく，たとえば C 原子1個あたり2個しかないと**，

メタンの原料は足りない。**あくまで4本の手を使って安定になりたいC原子**は，残る電子2個も働かせようと，仲間のC原子に触手を伸ばす。

だがC-C原子間に同種の結合は1本しかつくれない。つまり動員できる電子は1個だけ。同じ結合をもう1本つくったら，**原子間で2個の電子がぴったり重なってしまう**。つまり，同じ分子の中で，電子2個が完全に同じ状態をとることになるけれど，**量子世界のルールはそれを許さない**のだ。

苦心の戦略

そこでC原子は，まず同種の結合を3本つくる。2本の相手はH原子で，残る1本の相手がC原子。**安定化を目指して2s軌道の電子を動員するのはsp^3混成（図5）と同じでも，もと2p軌道にあった3部屋のうち2部屋だけを使う**。sp^3の呼び名にならい，それを**sp^2（エス・ピー・ツー）混成**と呼ぶ。

エネルギーがぐっと低くて安定な1s軌道は無視し，sp^2混成と結合生成のイメージを図9に描いた。混成が起きたとき軌道が少しだけ安定化するようを，エネルギーの段差で表してある。

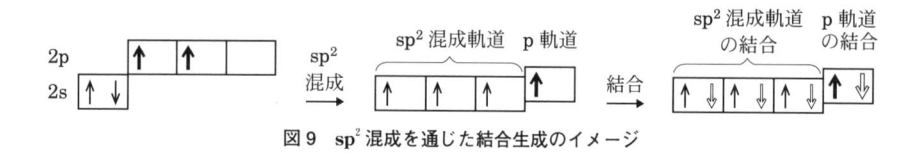

図9 sp^2混成を通じた結合生成のイメージ

sp^2混成の仲間はずれになった電子1個は，p電子の性質を残す。結合の相手になったC原子も，仲間はずれのp電子を1個もつ。すると自然な勢いで，2個のp電子が協力し合い，さっきの**単結合とはちがう種類の結合**をつくる。

こうしてC原子間にできる結合を**二重結合**という。ふつうは同じ2本の線でC＝Cと描くが，**それぞれ性格がまったく異なる**ところに注意したい。

sp^3やsp^2の混成軌道を使う結合をσ結合，余ったp電子を使う結合をπ

結合という（σとπは，sとpのギリシャ文字）。C＝Cのような二重結合を目にしたとき，**上下の線を別物と見る**…その眼力をつけるのが，**有機化学**（炭素の化学）**の理解に向けた第一歩**だといってよい。

$$H:\overset{H}{\underset{..}{C}}::\overset{H}{\underset{..}{C}}:H \qquad H:C:::C:H$$

エチレン　　　　　　アセチレン
$H_2C = CH_2$　　　　　$HC \equiv CH$

図10　エチレンとアセチレンのルイス構造

二重結合をもつエチレンは，ルイス構造で図10のように描く（次に説明するアセチレンも描いた）。σ結合やπ結合の形は5章で眺める。

三重結合

まわりに**水素原子がもっと少なく，C原子1個あたり1個だけなら，sp混成**に頼る。どんな戦略かは，もはやご想像できよう。C原子は，混成軌道の電子2個でH原子1個・C原子1個とσ結合し，残る2電子でC原子と2本のπ結合をつくる。だからC原子間の結合は3本（**三重結合**）になるが，この場合も「同じ3本」ではありえない。

2本（2種類）のπ結合をつくれる理由や，できた分子の形などの説明は，やはり5章にゆずる。

酸素・窒素・二酸化炭素

ほかの元素がない場合，原子価2の酸素原子は2個が二重結合して酸素分子 O_2 に，原子価3の窒素原子は2個が三重結合して窒素分子 N_2 になる。

また，酸素たっぷりの環境にいる炭素原子（原子価4）は，2個の酸素原子とそれぞれ二重結合して二酸化炭素 CO_2 になる。

O_2，N_2，CO_2 のルイス構造は図11に描ける。

なお O_2 の場合，分子軌道の性質により，最高エネルギーの2電子のスピンが同じ方向を向くため，酸素は磁石にくっつく性質＝**常磁性**をもつ。

$$\overset{..}{\underset{..}{O}}::\overset{..}{\underset{..}{O}} \qquad :N:::N: \qquad \overset{..}{\underset{..}{O}}:C:\overset{..}{\underset{..}{O}}$$

$O = O$　　　$N \equiv N$　　　$O = C = O$
酸素　　　　窒素　　　　二酸化炭素

図11　O_2・N_2・CO_2 分子のルイス構造

5. おんぶにだっこ

配位結合

　図7をまた眺めよう。アンモニアのN原子には1対（2個），水のO原子には2対（4個）の電子が，それぞれ共有結合せずに残っている。そんな電子の対を，文字どおり**非共有電子対（または孤立電子対）**と呼ぶ。

　非共有電子対は，**いちおう安定なペア**ではあっても，原子にへばりついているよりは，**行動範囲を広げたい**（負電荷どうしの反発が減って安定になる）。だからチャンスさえあれば行動を起こす。どういうチャンスなのか？

　水素イオンH^+のような正電荷が近づいたときだ。電子対はH^+を招き寄せ，一部がH^+に乗り移って安定化する。頼りない**裸の陽子**だったH^+も，おんぶにだっこで安定化を果たす。このように，片方の原子が，**結合1本をつくるのに必要な電子2個をまるごと出して生まれる共有結合を配位結合**という。

みんな平等

　アンモニアとH^+の配位結合を図12に描いた。H^+は「他人の電子」を使ってN原子にとりつくけれど，電子自身に顔はないため，4本の結合はどれも等しい。最初の正電荷はたちまち4個のH原子に行き渡り，どの原子に正電荷があるとは言えなくなる。だから，こうやって生まれるNH_4^+（アンモニウムイオン）は，図12の右端にある姿に描くのが正しい。

　水素イオンH^+は，水分子H_2OのO原子がもつ非共有電子対（図7）にも配位してH_3O^+イオンをつくる。

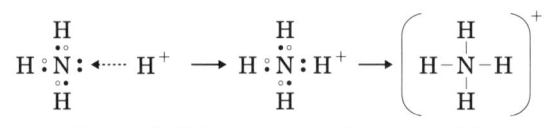

図12　配位結合によるアンモニウムイオンの生成

6. 結合の強さと長さ

　縁が近くて結びつきの強い人どうしは，穏やか（安定）につき合う。同じことは，電子を仲立ちにした原子間結合にも成り立つ。N−N 結合，O−O 結合，C−O 結合それぞれ2種類について，結合エネルギー（単位 eV。1 eV = 96.5 kJ/mol）と原子間距離（単位 Å = 0.1 nm）を表1にまとめた。**強い（安定な）結合ほど短いの**を鑑賞しよう。

表1　原子間結合の強さと長さ

結　合	H_2N-NH_2	$N\equiv N$	$HO-OH$	$O=O$	H_3C-OH	$OC=O$
エネルギー（eV）	2.84	9.78	2.14	5.12	3.92	5.45
距離（Å）	1.45	1.10	1.46	1.21	1.43	1.16

　ハロゲン（2章 p.35）の分子でも，Cl−Cl が［2.48 eV, 1.99 Å］，Br−Br が［1.97 eV, 2.28 Å］，I−I が［1.54 eV, 2.67 Å］のように，強い結合ほど短い。

7. 金属結合

　また2章の復習になる。電子雲の広がり（2章の図5）を見ると，ナトリウム原子は実質的に「Na^+ + 3s 電子」だ。それなら水素原子（H^+ + 1s 電子）と同様，**Na_2 分子**をつくりそうなもの。しかし水素とちがって常温の Na 原子は，ぎっしり集合して固体の結晶になりたがる（ただし真空中で Na 原子どうしをぶつけると，Na_2 分子，Na_3 分子，…もできる）。

　そのとき 3s 電子は，Na^+ イオンの間を渡り歩き，「のり」としてイオンどうしを結びつける（**巨大な広がりをもつ共有結合**）。さらに，やはり水素とちがって，**3s 軌道のすぐ上に空の 3p 軌道が控えている**（2章の図8）。その 3p 軌道を6個の電子がうろつけば，Na 原子は瞬間的にせよ**アルゴンと同じ電子配置になって安定化する**。

こうして 3s 電子は，金属内を気ままにうろつきたがる（図 13）。というより，そんな電子（自由電子）をもつ物質を私たちは金属と呼ぶ。

金属に光を当てたとしよう。光は「振動する電場」とみてよい（14 章）。電場を感じた自由電子はさっと動き，電場を打ち消してしまう。だから光は金属内部に入りこみにくい。行き場を失って跳ね返された光が「金属光沢」として目に映る。

可視光の一部を吸収する金属もある。金は青の波長域を吸収するため黄金色に，銅は青〜緑の波長域を吸収するため赤っぽく見える。また，橙〜赤の波長域に吸収をもつ亜鉛やカドミウムは青っぽい。色合いを含めた金属の多様な性質も，電子エネルギーのありようが決める。

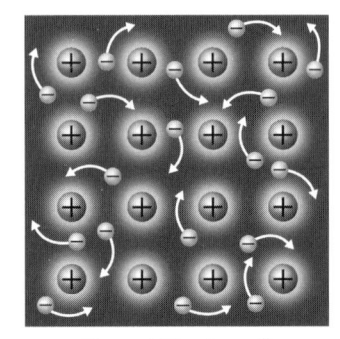

図13 金属のイメージ

【章末問題】

1. ガラスをつくり上げているのはイオン結合か共有結合か，調べてみよう。
2. 図 2 の描きかたを使い，ヘリウム分子 He_2 が安定でないことを確かめよう。
3. ナトリウム原子の電子準位（数値は p.31）を図 3 の姿に描き，1s 準位の深さを鑑賞しよう。
4. エタノール分子 CH_3-CH_2-OH の原子すべてのルイス構造を描いてみよう。
5. 水酸化物イオン OH^- のルイス構造を描いてみよう。

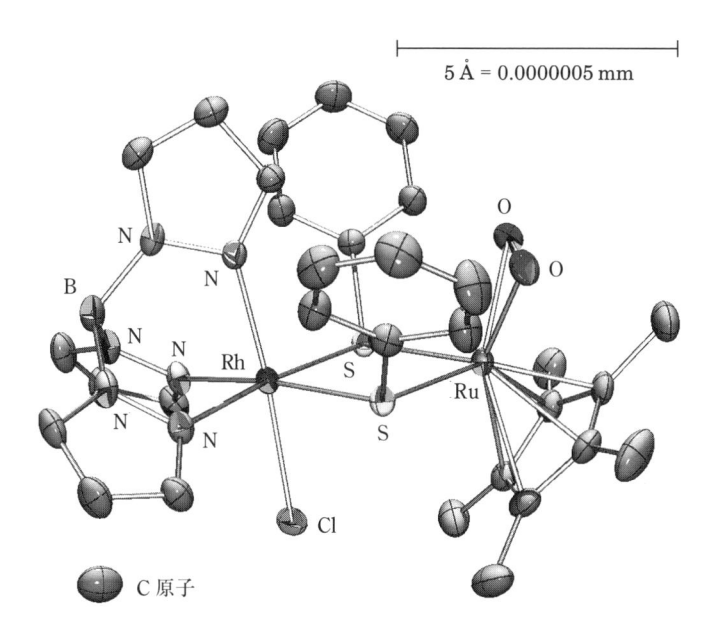

5章　H_2O分子は，なぜ「く」の字に曲がっている？

5 Å = 0.0000005 mm

複雑な分子の姿（提供：溝部裕司）
　骨組みの要所を貴金属（ロジウム Rh とルテニウム Ru）の原子が占めるやや複雑な分子の姿を，X線回折という測定法で明るみに出したもの。中央右寄りのルテニウム原子に，1個の酸素分子 O＝O が結合している。原子を表す楕円体のサイズがいろいろなのは，熱振動（7章）の激しさが原子ごとにちがうため。化学の最先端では，これほどにこまかいこともわかってきた。

　雪の結晶がきれいな六角形になるのは，素材の H_2O 分子が曲がっているからだという。体の中で大活躍する巨大な酵素分子は，1 Å（1億分の1 cm）以下の精度で決まった形をもつからこそ，しかるべき仕事をこなす。では，分子の形はいったい何が決めるのか？
　そのカギも，原子核をとり巻く電子が握る。ミクロ空間のありさまを想像しつつ，分子たちの世界に分け入ろう。

1. 雲の顔つき

電子の衣

　何度か説明したとおり，原子がまとう**電子雲の広がりが，原子の大きさをほぼ決める**。それなら，分子の大きさや形にも電子雲の広がりが効くはず。以下，原子が共有結合（4 章）してできる分子の形を眺めよう。

　扉絵のように玉と棒で分子を描く方法を，豆細工（ボール・アンド・ス

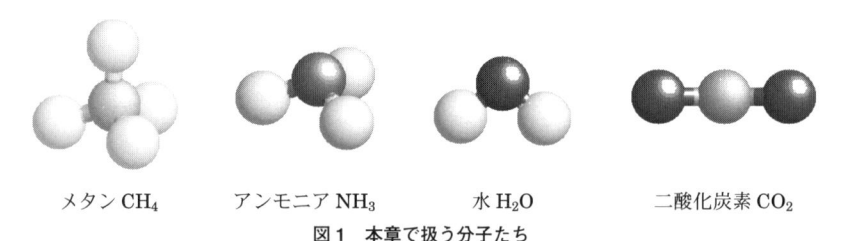

　　メタン CH_4　　　アンモニア NH_3　　　水 H_2O　　　二酸化炭素 CO_2
図 1　本章で扱う分子たち

ティック）模型（モデル）という。本章で扱う分子をその方法で図 1 に描いた。

　豆細工模型だと鉄アレイになる水素分子の電子雲は，分子をラグビーボール形にしていた（p.53）。水分子 H_2O は折れ曲がり，二酸化炭素 CO_2 は直線‥‥とさまざまでも，**電子雲は豆細工をすっぽり覆いつくすように広がっている**。そのありさまを想像しつつ，分子の形ができ上がる話を楽しもう。

　水分子が曲がっているのは，酸素原子の出す結合の「手」があちこちに向くからだろう。球形の原子が，なぜいろんな向きに手を出すのか？

　結合は電子がつくり，電子の運動は常識はずれの量子力学に従う。なんとか日常感覚に近づけて化学結合をつかむためのくふうがルイス構造だった（p.56）。だがルイス構造をいくら眺めても，分子の形は浮かび上がってこない。そこでまた量子論の世界をのぞいてみる必要がある。

電子軌道の形

　電子の軌道は殻（かく）（K, L, M, ‥‥）や副殻（ふくかく）（s, p, d, ‥‥）に分かれ，原子核を中心とした多層の殻になる。いちおうわかりやすいたとえだけれど，もう

少し真に迫った電子雲の「顔つき」を眺めよう。

● **1s 軌道**

1s 軌道（K 殻）の電子雲は球形になる。電子の出現確率を図 2(a) に点々の濃さで表した。これは紙面に投影したものにすぎず，実際はタンポポの綿毛のように立体的な広がりをもつ。

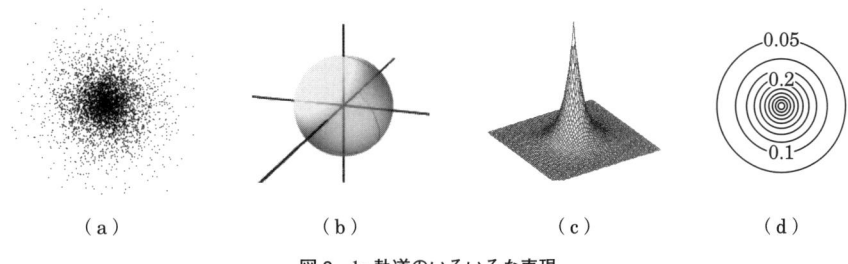

(a)　(b)　(c)　(d)
図2　1s 軌道のいろいろな表現

図 2(b) に描いたのは，**電子の出現確率の平方根**（波動関数。コラム）が一定値（図では単位体積あたり 0.05）となる面だ。確率の平方根は，**電子の動きの激しさを表す**と思えばよい。

(b) を輪切りにし，値を三次元グラフにすれば図 2(c) ができる。(d) はそれを等高線で描いたもの。空間に広がる軌道を平面に描こうとしたら，それなりにくふうしなければいけない。

> **波動関数**
>
> 電子は粒子と波の性質をもつ。波のようにふるまうときの電子は，波線の上を動くのではなく，打ち寄せる波のように運動する。海の波と同じく，電子の波も多くの山と谷をもつ。電子の波動関数は，海抜 0 m から測った山の高さや谷の深さにあたる。
>
> 上下動の大きい波ほど運動も激しい。電子の波も正の波高と負の波高で表し，正負の分布が運動の激しさを語る。

● **2s 軌道**

L 殻の 2s 軌道は 2 層構造をもち，内層と外層の間には電子の存在確率 0

のすき間がある（図3(a)）。投影図だと中心が濃いけれど，内層に電子が現れる確率は約5％なので，電子は実質的に**K殻より外側**にいる。

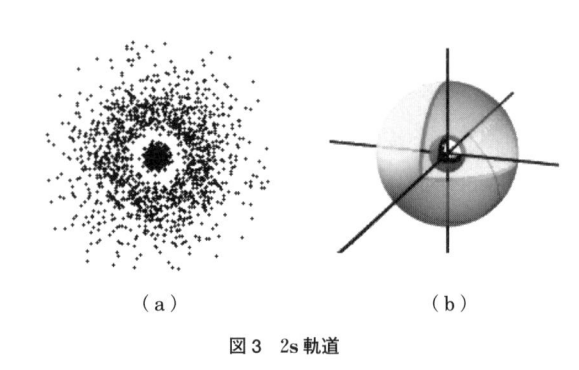

出現確率の平方根を図2(b)に等値面で描いた。平方根には正と負の値が

（a） （b）

図3　2s軌道

あり，すき間の内側が－0.05（濃いグレー），外側が＋0.05（薄いグレー）の面を表す（球の内部が見えやすいよう，一部を切り欠いた）。電子が波だからこそ正と負の層ができ，混成軌道の話（後述）でそれが大きな意味をもつ。

● **2p軌道**

2sと同じL殻の2p軌道は，三つの部屋$2p_x$, $2p_y$, $2p_z$をもつ。まず$2p_z$を眺めよう。電子の出現確率（図4(a)）は，団子二つをつなげた姿になる。

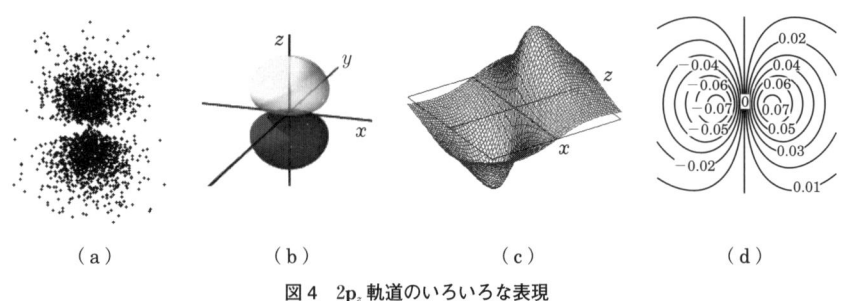

（a） （b） （c） （d）

図4　$2p_z$軌道のいろいろな表現

団子の串をz軸の向きにしたため，$2p_z$軌道と呼ぶ。出現確率の平方根（波動関数）は（b）〜（d）のようになる。（b）の団子のうち，薄いグレーで描いた部分が正の値，濃いグレーで描いた部分が負の値を表す。

残る$2p_x$軌道と$2p_y$軌道（図5）も，団子の串をx軸，y軸に向けたからそういう名前で呼ぶのだが，軌道の形は$2p_z$とまったく同じ。

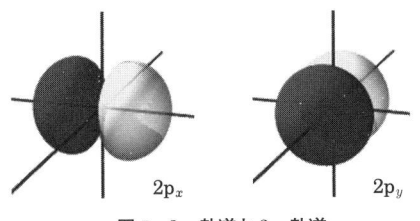

図5 $2p_x$軌道と$2p_y$軌道

2. ピラミッドとブーメラン

これで分子の形を考える準備が完了。まずはメタンを眺める。

メタン分子 CH_4

メタン分子のC原子は電子4個をもらってネオンと同じ電子配置に，H原子はそれぞれ1個の電子をもらってヘリウムと同じ電子配置になるため，安定な共有結合ができる。

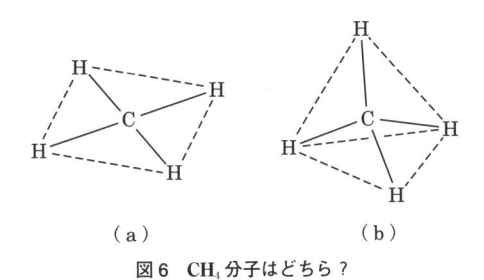

図6 CH_4分子はどちら？

4対の結合電子は電気的に反発するので，**互いになるべく遠ざかりたい**。候補には正方形（図6(a)）と正四面体（b）があるけれど，そのうち，**電子がいちばん居心地のよい（反発の小さい）構造**が選ばれる。

団子の算数

C原子の$2s$, $2p_x$, $2p_y$, $2p_z$軌道はエネルギーが近いから，電子4個が各

5章 H_2O分子は，なぜ「く」の字に曲がっている？ | 67

軌道に散らばる混成(こんせい)という戦略で4価になるのだった（4章）。むろん混成には余分なエネルギーを使うが，別の原子と結合をつくったとき安定化すれば，損失はとり返せる。そのため炭素は**先行投資をする**わけだ。

　2s，$2p_x$，$2p_y$，$2p_z$ の4軌道は立場が対等だから，**電子の運動範囲も図3・4・5の足し合わせになる**。ここで団子の正負が意味をもつ。正の部分どうしが重なる場所はさらに大きな正値になり，正と負の重なる場所は打ち消し合って小さい値になる。三次元団子の算数は想像しにくいが，コンピュータを使えばやさしい。生まれる sp^3 混成軌道の姿を図7に描いた。

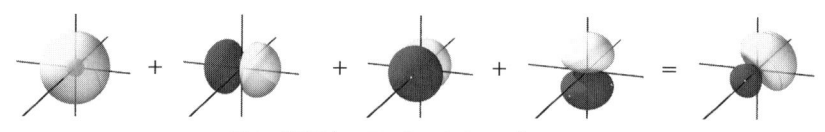

図7　「団子」の足し算。右端が sp^3 混成軌道

　四つの軌道が素材なので，四つの混成軌道ができたら勘定が合う。足し算と引き算を組み合わせると，四面体の頂点方向にふくらみ（ローブ）をもつ4軌道ができる（図8）。電子雲は四面体の頂点で濃い。ローブそれぞれとH原子の1s軌道が融合する結果，メタンはテトラポッドに似た正四面体（図6(b)）となる。

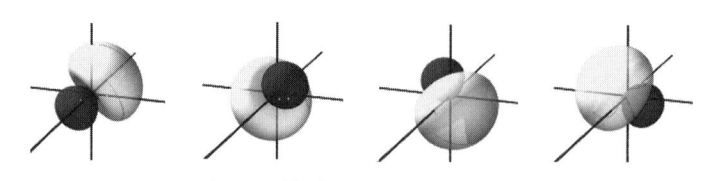

図8　sp^3 混成でできる四つの軌道

アンモニア分子 NH_3

　アンモニアのN原子がもつ2s，$2p_x$，$2p_y$，$2p_z$ 軌道は，炭素原子のときと同じく混成する（4章）。N原子のL殻は電子を5個もつから，**四つの混成軌道のひとつには電子のペアが入り，「電子を詰めこんだ袋」の姿になる**。それが非共有電子対（p.60）にほかならない。

残る三つには電子が1個ずつ入り，H原子の1s軌道と融合してN-H結合をつくる。水素原子核どうしは反発するが，N-H結合が含む電子と非共有電子対との反発のほうが大きいため，H-N-H角は，正四面体をつくったときの109.5°よりやや小さい107°になって落ちつく。

水分子 H_2O

周期表でC・Nに続く酸素Oは，水分子 H_2O をつくる。氷の結晶構造（p.73）から，水分子が曲がっていると想像できるけれど，気体の水（水蒸気）もH-O-H角が104°の「く」の字だということは，マイクロ波分光という測定でわかった。その曲がった構造こそが，水のいっぷう変った性質を生み出す（p.73）。

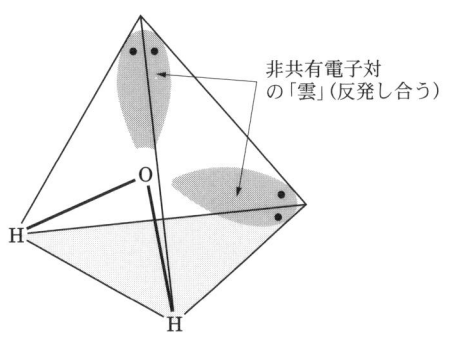

図9 水分子の形と非共有電子対

混成軌道で考える

O原子の $2s$, $2p_x$, $2p_y$, $2p_z$ 軌道が生む混成軌道四つのうち，二つには電子のペアが入って非共有電子対となり，残る二つがH原子との結合に使われる。負電荷をもつ非共有電子対のローブが反発し合い（図9），ローブどうしのつくる角度を109.5°よりも広げる。そのしわ寄せで，H-O-H角が約104°に縮まる。

水分子のブーメラン（「く」の字）形は，**分子のまわりを動く電子の居心地がよくなるように決まったといえる。**非共有電子対を描かない豆細工模型（図1）をいくら見つめても，曲がる理由はわからない。

H_3O^+ イオン

H_2O 分子の非共有電子対に水素イオン H^+ が配位してできる H_3O^+ イオンの形も考えよう。四面体の頂点のローブに H^+ が結合するので，H_3O^+ はア

ンモニアに似た三角ピラミッド形だろう。

　配位結合をしてしまえば3本のO-H結合は区別できないため、長さも、互いのなす角も等しい。分子全体の電荷+1は水素原子側にかたよっているから、少しプラスのH原子が反発し合い、H-O-H角は109.5°よりも大きいだろう。

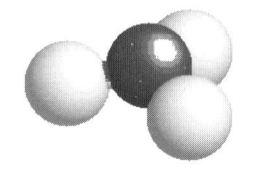

図10　H_3O^+イオン

　事実、量子力学計算をすると、O-Hの長さは0.96Å、H-O-H角は平面に近い114°となって予想に合う（図10）。アンモニアNH_3に比べると、そうとう「ひしゃげて」はいても、三角ピラミッドは三角ピラミッドだ。ただし計算結果は真空中に孤立したH_3O^+の姿だから、溶液中や結晶中でも図10の姿そのままとはかぎらない。

3. 電子のかたより

結合の分極

豆細工模型には描かれない電子雲が、互いの領地を主張してせめぎ合う——そんな電子の性質が、分子の形をも左右する。

　電子は居心地のいい（エネルギーの低い）場所を目指す。陽子の数はO原子が8個、H原子が1個だから、O・H・H原子に電子が8:1:1の比率で分布すれば、分子内のどこにも電気的なアンバランスはない。

　H_2O分子の量子力学計算結果（図11）をくわしく解析すれば、電子はO原子の側に少しかたより、8.6:0.7:0.7の比率になるとわかる。素電荷（電子の電荷の絶対値）をqとして、O原子のそばには正味で$-0.6q$、H原子1個のそばには正味で$+0.3q$の電荷があるのだ。

　このように、共有結合した原子間で正

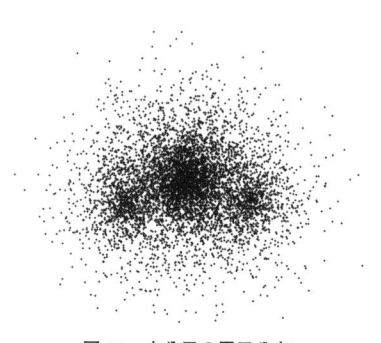

図11　水分子の電子分布

味の電荷がかたよることを**分極**という。

分極が起きるわけ

O原子核は正電荷がH原子核の8倍もあるから、電子を引きつける力がずっと強い。しかしそれにもまして、**O原子が電子にとって居心地のいい場所だからこそ分極は起きる**。H原子がヘリウムと同じ電子配置になるよりも、O原子がネオンと同じ電子配置になるほうが優先されるのだ。

共有結合の分極をくわしく調べると、原子それぞれが相対的に電子をどれほど引きつけやすいかがわかる。ポーリングは1932年、その序列を**電気陰性度**という数値で表した（図12）。イオン化エネルギー（2章）や電子親和力（3章）と同じく、ここにもきれいな周期性が見てとれる。

電気陰性度の大きい元素ほど電子を引きつけやすい。図12から、周期表の右に行くほど値が大きくなるとわかる。空いた軌道に電子が入れば、もともとあった電子と反発し合ってエネルギーが高まる（不安定になる）から、**少ない電子を追加して貴ガスの電子配置になれる右側の元素のほうが有利**だと考えればよい。

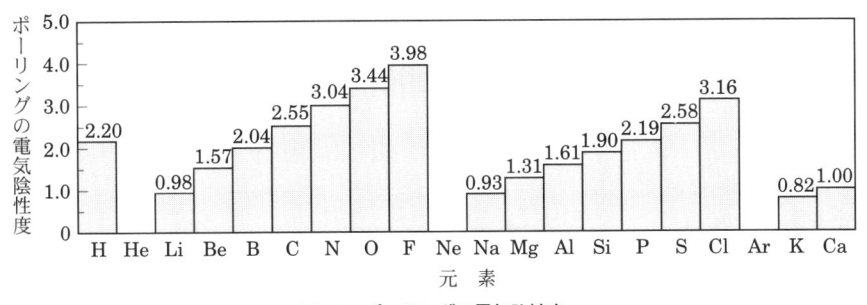

図12 ポーリングの電気陰性度

共有結合とイオン結合

水素（2.20）と酸素（3.44）で電気陰性度の差は1.24となり、O−H結合をつくる電子は酸素に引き寄せられている。原子がもつ正味の電荷は電気力で引き合うから、分極した共有結合にはイオン結合の性質もある。

共有結合とイオン結合を別物と考えてはいけない。**電気陰性度の差 1.7 あたりをおよその境目にして，結合の性質は連続的に変わる。**ほぼ純粋なイオン結合とみてよい Na‑Cl 対だと電気陰性度の差は 3.16 − 0.93 = 2.23 もあるため，電気力が結合のおもな駆動力となる。

結合の分極（電荷のかたより）は，化学のさまざまな場面で働く。分子が引き合う現象は次項で，化学反応との関係は 9 章で眺めよう。

4. 水の不思議

液体の水ができるには

H_2O 分子 1 個 1 個は目に見えなくても，液体の水は見えるしコップにも注げる。コップ 1 杯の水（約 180 mL）は H_2O 分子 6×10^{24} 個を含む。水が液体の姿を保つのは分子を密集させる力が働くからで，そんな力を**分子間力**という。

水を 100 ℃に熱すると沸騰して水蒸気になる。大きな運動エネルギーを得た H_2O 分子が，分子間力を振り切って空気中に飛び出すのだ。100 ℃の分子の運動エネルギーは 5 〜 10 kJ mol^{-1} なので（7 章），分子間力を振り切るのに必要なエネルギーもその程度だが，共有結合に比べたら 100 分の 1 でしかない。

分子間力の起源

分子全体の電荷が 0 でも分子内には分極があり，各原子は正か負の電荷をもつ。分子間力は，そんな電荷どうしの引き合いが生む。

分子間力の大きさには，分子の形が効く。水分子は「く」の字に曲がっているため，電荷のかたよりが効きやすい（図 13）。もしも水が直線分子なら分子間力もずっと小さく，常温で液体にはならない。私たちが水を飲めるのもブーメラン形のおかげ，もとをたどれば電子の運動のおかげだということになる。

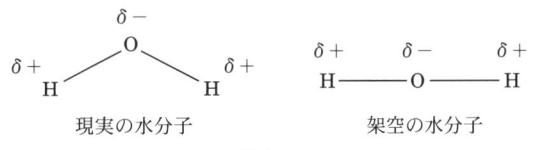

図13 電荷のかたより

水素結合：破格に強い分子間力

窒素 N, 酸素 O, フッ素 F などは電気陰性度が大きく（図12），N−H，O−H，F−H 結合の電子をぐっと引き寄せるため，H 原子はむきだしの陽子に近くなる。かたや N, O, F の非共有電子対は「電子を詰めこんだ袋」だから，N−H⋯N のように引き合いやすい。そうやって生まれる分子間力を**水素結合**という。

共有結合が電子を共有するのに対し，**水素結合は陽子を共有する**ようなもの。非共有電子対は（豆細工ではわからないけれど）決まった向きに張り出すため，**水素結合も決まった方向にできる**。

ふつう分子間力はエネルギーにして 1 kJ/mol 程度だが，水素結合は 10～30 kJ/mol にもなり，破格の強さだといえる。水素結合は水の性質（融点・沸点・粘性）を決めるほか，生命活動でもめざましい働きをする。

氷の結晶

固体の水（氷）を調べると，水素結合のようすがわかる。ふだん私たちが目にする氷は六角柱の対称性をもつ。雪の結晶がきれいな六角形になるのも，水分子が六角形に並ぶからだ（図14）。

ある H_2O 分子に注目すれば，H 原子 2 個はそれぞれ別

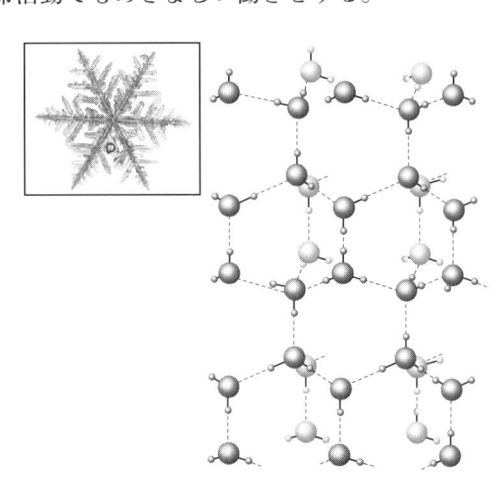

図14 雪と氷の結晶構造

の H_2O 分子の O 原子に向き，O 原子は別の H_2O 分子 2 個の H 原子を受け入れる。つまり O 原子を中心とする正四面体の頂点に O 原子があり，O−O の線上に H 原子が乗る。そんな形に並ぶのも，O 原子の非共有電子対が正四面体の頂点に向かって張り出しているからにほかならない。

水のクラスター

氷の中では水素結合が水分子を強く結びつける。それをバラバラにするには大きなエネルギーを要するため，水の融点は，ほぼ同サイズの分子（H_2S，NH_3，CH_4 など）に比べてずっと高い。

液体の水も水素結合をもち，常温では，氷の中にあった水素結合の 50 〜 60% が残っている。1 個の水分子は平均 2.3 個の水分子と結合し，5 〜 10 分子がクラスター（集団）をつくっているらしい（集団のメンバーはほぼ 1 兆分の 1 秒ごとに入れ替わる）。そんなクラスターが水の沸点を大きく上げる。また水は，表面張力（分子が集まろうとする力）や粘性(ねんせい)（外力に抵抗する力）もきわ立って大きい。

5. まっすぐな二酸化炭素

水やメタンとのちがい

二酸化炭素 CO_2 は O−C−O の直線構造をもつ。同じ 3 原子の分子でも，水は「く」の字をしているのに，なぜ CO_2 はまっすぐなのか？

C 原子が 4 価，O 原子が 2 価だというところは，メタンや水のときと同じ。C 原子が O 原子 2 個と結合すれば，それぞれがネオンと同じ電子配置になって安定化する。ただし C−O 結合は，4 個の電子を共有する二重結合（p.58）だというところが，水分子とは大きくちがう。

一直線になるわけ

メタンの C 原子が sp^3 混成軌道をつくるのは，C−H 結合を 4 本つくった

とき，混成につぎこんだエネルギーをとり返せるからだった。**結合の相手が変われば，炭素の戦略も変わる。**

図7のCH$_4$では2s，2p$_x$，2p$_y$，2p$_z$軌道をみな使って混成軌道をつくった。CO$_2$ができるときは，まず2sと2p$_x$だけを使う。団子の足し算から，図15に描いた軌道と，これとは逆向きの軌道が生まれ，sp混成軌道（p.59）になる。

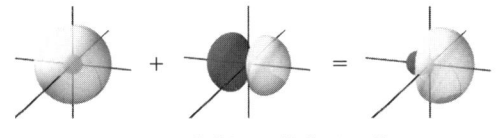

図15 2s軌道と2p$_x$軌道の足し算

sp混成軌道のローブはx軸上の左右に張り出し，炭素，酸素それぞれのsp混成軌道が合体して直線になる。

π結合

残る2p$_y$と2p$_z$の軌道も，電子を1個ずつもつ。そこで炭素原子Cは，自分の2p$_y$電子と，片側のO原子がもつ2p$_y$電子とを共有して結合をつくる。また，自分の2p$_z$電子は，逆側のO原子がもつ2p$_z$電子と共有する。こうしてできる2本の新しい結合がπ結合だ。**sp混成軌道の電子に比べ，π軌道の電子は結合が弱い（軌道を離れやすい）**ところに注意しよう。

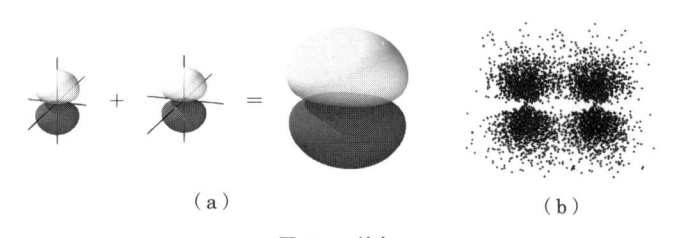

（a）　　　　　　　　（b）

図16　π結合

π結合ができるとき，串の方向と結合の方向がちがうところにも注意したい。いまの場合は，正値の団子と負値の団子がそれぞれ合体し合う（図16(a)）。また，電子の出現確率は(b)のように描ける。

π結合は，xy平面の上下にできるのではなく，軌道全体で電子2個を抱える。**分子をすっぽり包む巨大なp軌道**ができたと考えればよい。

型破りの一酸化炭素

　一酸化炭素COの見た目は単純だけれど，結合はだいぶ変わっている。直線分子だから，まずCとOがそれぞれsp混成軌道をつくる。しかし電子を均等に割り振ったら，Cの手は4本，Oは2本になるため，数が合わない。だから炭素は，2価になるよう，**sp混成軌道2本のうち1本に電子を2個，もう1本に電子を1個入れる**という型破りをする（図17）。

　混成軌道に入った電子2個は非共有電子対になる。残るsp混成軌道どうしがσ結合をつくり，$2p_y$軌道どうしがπ結合をつくってC＝Oの二重結合ができる‥‥と考えればよさそうに思える。

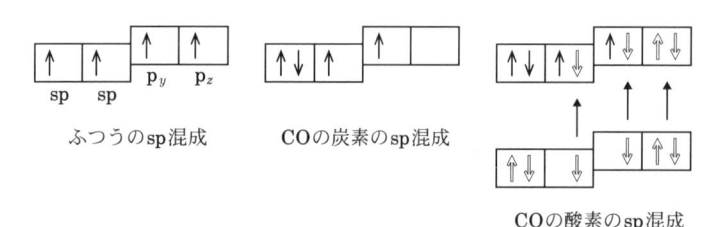

図17　COの結合ができるしくみ

　しかしC原子の$2p_z$が空のままでは，どうにも「すわり」が悪い。相手の酸素Oが，$2p_z$軌道に満々と電子（非共有電子対）をたたえているからだ。そこで両者は**配位結合（3本目の結合）をつくる**という戦略に出る。そのとき酸素は電子を1個出してO^+に，炭素は電子を1個もらってC^-になる。できた構造は図18のように描けばよい。p.60で眺めた配位結合と同じく，2本のπ結合はもはや互いに区別できない。

　実際，p.61の表1と見比べてみれば，**C－O間の結合距離1.13Å，結合エネルギー11.1 eVは，三重結合をもつ窒素分子N_2に近い**とわかる（COとN_2は，陽子の総数も等しい）。

$:\text{C}\overset{\delta -}{\equiv}\overset{\delta +}{\text{O}}:$

図18　CO分子の姿

　窒素N_2は非極性分子だが，一酸化炭素COの結合は分極している。電気陰性度の高いO原子は電子を引き寄せる。かたやC原子は非共有電子対をもつ。両者で電子をとり合う結果，わずかな差で**炭素Cの側に負電荷**がか

たよるという事実が，実験や計算でわかった。

非共有電子対をもつ CO 分子は酸素分子 O_2 に似ているので，ヘモグロビン（3 章 p.38）の Fe^{2+} イオンに（C 原子のほうから）結合する。そのとき，肝心な O_2 分子が結合できなくなるから，CO を大量に吸うと体中に酸素が運べなくなって命があぶない（CO 中毒）。

酸素たっぷりの環境でものを燃やした場合は，C 原子の非共有電子対が酸素原子をとらえて CO_2 になるため，一酸化炭素は生まれない。

エチレン C_2H_4 とアセチレン C_2H_2

エチレンやアセチレンも π 結合をもつ。アセチレンの炭素は CO_2 と同じ sp 混成軌道をつくる。sp 混成軌道どうしの結合で直線状の骨格ができ（図 19），残る $2p_y$，$2p_z$ 軌道がそれぞれ結合をつくるため，三重結合になる。

エチレン分子は sp^2 混成でできる（p.58）。2s，$2p_x$，$2p_y$ の 3 軌道を使って 3 本の等価な結合をつくり，ある C 原子につながった C・H・H 原子が互いにもっとも遠ざかるから，分子は平面構造をもつ。混成軌道三つの形を図 20 に描いた。C 原子 2 個のそれぞれに残った $2p_z$ 軌道は，図 16 のような π 結合をつくるため，C−C 間は二重結合（C＝C）になる。

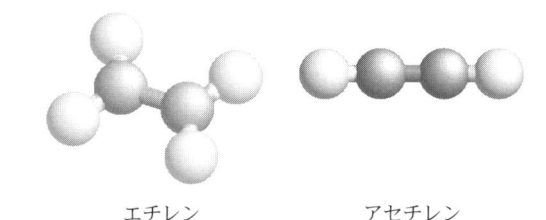

図 19　π 結合をもつ分子

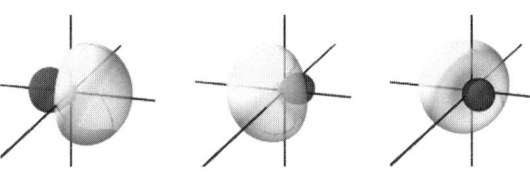

図 20　sp^2 混成軌道

【章末問題】

1. 図6でC-H結合の長さが1のとき，構造(b)をとったときのH-H間距離(1.633)は，構造(a)をとったときの何倍か。$\sqrt{2} = 1.414$とする。　　　　［1.155倍］
2. 図12の電気陰性度は，Li～F群よりもNa～Cl群のほうが小さい。なぜだろうか？
3. 図12を見ながら，純粋なイオン結合をしそうな元素の組と，純粋な共有結合をしそうな元素の組をそれぞれいくつか書いてみよう。
4. 1気圧で硫化水素，アンモニア，メタンの沸点はそれぞれ $-60.2\,°C$，$-33.5\,°C$，$-161.5\,°C$となる。水の沸点と比べ，水素結合の威力を鑑賞しよう。

6章　モルとは何か？

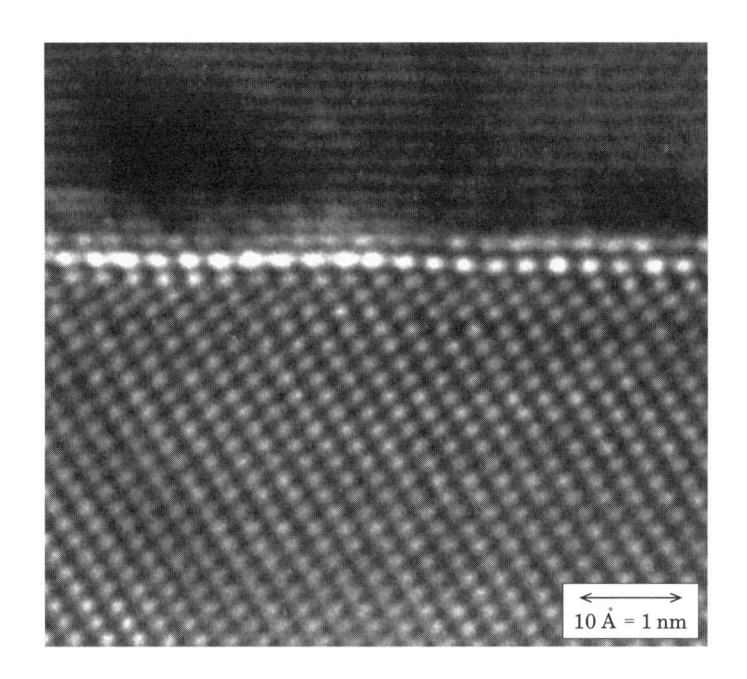

酸化アルミニウム Al_2O_3 の電子顕微鏡写真（提供：葛巻　徹）
　コバルト Co の原子層（上部のおぼろな横線群）と Al_2O_3（下部）の接合面。下部の黒い部分ひとつひとつに Al_2O_3 の1単位がひそむ。接合面で白く輝いている点の列は，Co 原子と酸素原子の電子軌道が混成（p.54）した証拠らしい。下部のパターンを縦・横・奥に 300 km（！）ずつ延長してできる巨大な立方体が，1 mol ＝ 102 g の Al_2O_3 になる。

　「モルがさっぱりわからなくて化学を投げ，ついでに理系も投げました」と告白する文系の学生がいる。たしかにモルは高級・難解そうな用語だけれど，ごくあたりまえの発想にすぎない。
　いままで何度も使ったエネルギーの単位（kJ/mol）に見える「mol」の意味を，改めて考えよう。生徒に「わかりにくい」と言わせる原因も探ってみたい。

1. 化学は個数だ

重さでみる化学変化

　車の排ガスに出る一酸化窒素 NO は，空気中の酸素 O_2 と反応して二酸化窒素 NO_2（光化学スモッグの原因物質）に変わる。日本の年間量なら，約 130 万トンの NO が約 70 万トンの O_2 と反応し，約 200 万トンの NO_2 になる。実験室スケールだと，60 g の NO と 32 g の O_2 から 92 g の NO_2 ができる。

　中学校でもやるとおり，塩化物イオン Cl^- を含む水に硝酸銀を混ぜたら，銀イオン Ag^+ と Cl^- がたちまち結合して白い塩化銀 AgCl が沈殿する。水道水 1 L は Cl^- を 20 mg = 0.02 g ほど含むので，60 mg 以上の Ag^+ を加えると約 80 mg の AgCl が沈殿するだろう。実験室スケールにすれば，107.87 g の Ag^+ と 35.45 g の Cl^- から 143.32 g の AgCl ができる。

　このように化学変化は，物質の重さ（質量）で表せる。しかし，重さだけで話をするのは面倒だ。読者もいやな気分になっただろう（実のところは，**いやな気分になりそうな書きかたをわざとした**）。

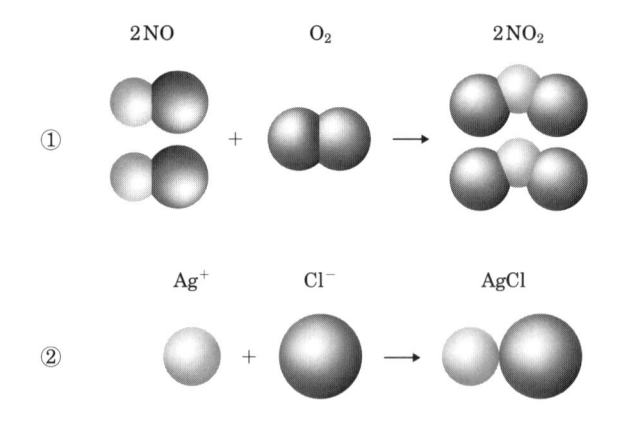

①　$2NO + O_2 \rightarrow 2NO_2$

②　$Ag^+ + Cl^- \rightarrow AgCl$

個数でみる化学変化

　いまの反応二つは，上のように図解できる（AgCl は，無数の Ag^+ と Cl^-

が集合して，p.47 の塩化ナトリウムと同じ構造をつくるイオン結晶。また，矢印が右向きになる理由は 8 章と 10 章でじっくり考えよう）。

①では 2 個の NO 分子と 1 個の O_2 分子から 2 個の NO_2 分子ができ，②では 1 個の Ag^+ と 1 個の Cl^- から 1 個の AgCl 単位ができる。つまり量の関係は，**分子やイオンの個数でスカッと表せる**。

2. モルは簡単

だから化学では，**要素粒子**（原子・イオン・分子）**の個数が同じ物質を，同じ量とみる**。ただし，粒子が見えるなら 1 個，2 個，‥‥と数えればすむが，あいにく原子もイオンも目には見えない。さてどうするか？

ポイント二つ

次のように考えればいいだろう。
　　　A. 要素粒子の個数でみた物質の量を，**mol という単位で測る**。
　　　B. **ある重さの何か**（純物質）**を 1 mol と約束する**。
モルの話は以上で終わる。あとは B をどう決めるかだけ。
B はまったく自由でも，「5 万トンの食塩 NaCl」や「2×10^{-10} g の白金 Pt」など，ピンとこないものは困る。**重さは 1 〜 500 g なら実感しやすい**。
たとえば「銀の 1 mol = 100 g」でもよかった。銀は塩素 Cl のほか臭素 Br や硫黄 S，酸素 O と結合し，酸素はほぼすべての元素と結合するから，あらゆる物質 1 mol の重さが芋づる式に決まる。そのとき **1 mol の粒子数はどれも等しい**。ただし現実に「銀の 1 mol = 100 g」とはならなかった。

これに決定

若干のいきさつ（p.86）を経て 1960 年，科学界はモルをこう約束した。
　　　　^{12}C の **1 mol = 12 g**　　　　　　　　　　　　　　　　　　③
^{12}C は，炭素の安定同位体（p.18）のうち 98.93％を占める原子（残りは

1.07％の ^{13}C）。重さ（質量）を 10 g や 100 g ではなく 12 g としたのは，^{12}C の左肩に書かれた**質量数** A（p.16）に合わせたからだ。復習すると質量数は「陽子数 + 中性子数」を表し，陽子と中性子は質量がほぼ等しいため，式③は，「**陽子や中性子の 1 mol をほぼ 1 g とみる**」発想だといってよい。

実のところ，ほとんどの原子について，質量数に g（グラム）をつけた量は誤差 0.1％程度で原子 1 mol の質量になる。たとえば，宇宙でいちばん安定な原子 ^{56}Fe（p.20）の場合，質量数に g をつけた 56 g と，1 mol のくわしい質量 55.93494 g との誤差は 0.12％しかない。

なお式③は，やや筋の悪い約束だった。なにしろ ^{12}C は，**身近にある炭素**ではなく，**特殊な場所にしかない人工物質**なのだから。いまさら後戻りできないとはいえ，それもモル嫌いを生む一因ではないか？

モルの誕生

いちばん軽い原子は水素 H らしいと 19 世紀の中期にわかる。そこでドイツのオストヴァルトは 1901 年，いまなら「H 原子の 1 mol = 1 g」と書けるモル（ドイツ語 Mol，英語 mole）の考えを提案した。語源はラテン語 *moles*（集まり・かたまり）で，1794 年のフランスに生まれた用語 molécule（分子。接尾語 -cule は「小さいもの」）も語源は同じ。

以後，陽子の発見・命名（1919 年），中性子の発見（1932 年）により，原子の重さは原子核の「陽子数 + 中性子数」でほぼ決まるとわかったため，陽子 1 個だけの水素原子 1 mol を 1 g とみる着想は，筋がたいへんよかったといえる。

なお，本文の話からわかるとおり，オストヴァルトの定義「H 原子の 1 mol = 1 g」をそのまま使ったとしても，さまざまな物質 1 mol の質量は精度よく計算できる。

アボガドロ数は偶然の産物

^{12}C 原子 1 個の質量は 1.992646×10^{-23} g だとわかっている。^{12}C の 1 mol を 12 g と定義したから，1 mol をつくり上げる原子の個数はこうなる。

$$12 \text{ g} \div 1.992646 \times 10^{-23} \text{ g} = 6.022142 \times 10^{23} \text{（個）} \quad ④$$

これで出る数（6.022142×10^{23}）を**アボガドロ数**と呼ぶ。大まかな計算には 6×10^{23} を，精度のやや高い計算には 6.022×10^{23} を使う。

何か計算するときは，1 mol あたりを意味する記号（/mol）をつけた**アボガドロ定数** N_A = 6.022 × 10^{23} /mol の形にする。IUPAC（国際純正・応用化学連合）は 1969 年，それまで広く使われていた「アボガドロ数」をやめて「アボガドロ定数」にするのだと宣言したが，数値部分（6.022 × 10^{23}）は「アボガドロ数」としか呼びようがない。

　モルは「アボガドロ数ありき」の話ではなかった。値が 6.022 × 10^{23} になるのは，たまたま「^{12}C の 1 mol = 12 g」と約束したからだ。**別の定義をしていれば「アボガドロ数」も別の値になっていた**。そこを押さえず，恐ろしい 6.022 × 10^{23} をいきなりもち出す先生が，モル嫌いの生徒を増やしているのではないか？

気体 1 mol は 22.4 L？

　高校教科書のモル単元には，「気体 1 mol の体積は，気体の種類によらず 22.4 L」と書いてある。だがこれはいろいろな意味でおかしい。

　まずは話が唐突にすぎる。たとえば水素 2 g と酸素 32 g が**同じ体積になる理由**を何も言わないから，生徒は絶対にとまどう（筆者もそうだった）。背景にはかなり込み入った事情があり，それを次章でゆっくり説明したい（**温度**と**熱**のちがいも浮き彫りになる）。また，22.4 L は「0 ℃・1 気圧」という**筋の悪い条件**にかぎった話。たいていの話題で使う条件（25 ℃・1 気圧）に合わせ，高校（大学入試まで）なら「約 25 L」と教えたほうがずっとよい（終章を参照）。

3. 原子量

生身の物質

　いままでは**特定の原子だけが集まった物質**を考えた。つまり生身の物質ではなかった。原子の重さは 99.5 ％ 以上を原子核が占め，多くの元素は中性子数のちがう安定同位体をもつ（2 章）。そのため天然の原子だと，安定同位

体（寿命の長い放射性同位体も含む）の存在も考えなければいけない。

マグネシウム Mg とカリウム K，鉄 Fe の安定同位体は 1 章に紹介した（p.19）。ほか 5 種のデータを表 1 に示す。

天然の元素 1 mol の重さ（モル質量） は，表中で g/mol をつけた値の平均になる。塩素なら，電卓をたたいて 35.453 g/mol だ。同位体の混合物だから，半端な値になってしまう。

モル質量から単位を外した数値（^{12}C = 12 とみた相対的な重さ）を，元素の**原子量**という。つまり塩素の原子量は 35.453 となり，概数なら 35.5 でよい。

なお，金は安定同位体がひとつしかない。同類にはフッ素 F やナトリウム Na，アルミニウム Al，リン P，マンガン Mn，ヒ素 As など 21 元素がある。

表1　元素の安定同位体と存在率（例）

酸素（$Z = 8$）		
^{16}O	(15.994915 g/mol)	99.757%
^{17}O	(16.999132 g/mol)	0.038%
^{18}O	(17.999161 g/mol)	0.205%
塩素（$Z = 17$）		
^{35}Cl	(34.968853 g/mol)	75.76%
^{37}Cl	(36.965903 g/mol)	24.24%
銀（$Z = 47$）		
^{107}Ag	(106.905097 g/mol)	51.84%
^{109}Ag	(108.905153 g/mol)	48.16%
金（$Z = 79$）		
^{197}Au	(196.966569 g/mol)	100%
ウラン（$Z = 92$）		
^{234}U	(234.040952 g/mol)	0.0054%
^{235}U	(235.043930 g/mol)	0.7204%
^{238}U	(238.050788 g/mol)	99.2742%

原子量の概算

原子それぞれの質量数だけ使っても，かなり正確な原子量が出る。たとえば銀の概算値 107 × 0.5184 + 109 × 0.4816 = 107.96 は，正しい原子量 107.87 と誤差 0.08% で合う（塩素の原子量を 35.5 とみるときよりも精度は高い）。

ついでにひとつ。モル質量のくわしい値は，陽子が 1.007276 g/mol で，中性子が 1.008665 g/mol だ。表 1 にある金の原子核は，陽子が 79 個，中性子が 197 − 79 = 118 個だから，単純計算で 198.597274 g/mol になるところ，現実の値 196.966569 g/mol は 1.63 ポイントも小さい（確かめよう）。それは，エネルギーを E，質量を m，光速を c としたアインシュタインの式 $E = mc^2$ を通じて，**質量が核子**（p.15）**の結合エネルギーに変わり，減っている**からだ（ほかの原子も当たってみよう）。

分子量・式量

原子量が決まれば，分子でできた物質（酸素 O_2 とか，酢酸，アミノ酸などほとんどの有機物質）の**分子量**も，分子をもたない物質（金属，塩類、酸化物など）の**式量**もたちまちわかる。

たとえば植物を緑にし，金属錯体という物質群のうち地球上で最大量を占めるクロロフィル a（14章 p.200）は $C_{55}H_{72}MgN_4O_5$ と書け，原子量（C = 12.011，H = 1.008，Mg = 24.305，N = 14.007，O = 15.999）から，分子量が 893.509 だとわかる。

原子量というコトバ

原語（英語 atomic weight）を「原子量」と和訳したのは，たぶん誰かの失策だった。筆者は40年近く化学畑にいながら，まだ違和感を覚える。素直な日本語は「原子重」だろう。生徒を化学から遠ざけるものの一部は，こうした難解なコトバではないか？

IUPAC は近年，atomic weight（原子の重さ）という用語そのものの不正確さを心配したか，「相対原子質量」（relative atomic mass）を提案。正確さは上がっても，長い用語は言いにくいから普及しそうにない。

---

4. つまずきのもと

先ほども話に出した IUPAC は，モルをこう定義している（1999年に工業技術院計量研究所と日本規格協会の訳・監修で発表された文書から）。

モル：① モルは，0.012 キログラムの炭素 12 の中に存在する原子の量に等しい数の要素粒子（elementary entities）を含む系の物質量であり，単位の記号は **mol** である。

② モルを用いるとき，要素粒子が指定されなければならないが，それは原子，分子，イオン，電子，その他の粒子またはこの種の粒子の特定の集合体であってよい。

厳密さを尊べばそうなるのだろうが，**日本語のひどさは目に余る**。また，

原語 amount of substance（物質の量）を「**物質量**」という学術用語にしたのもいただけない（終章も参照）。ともあれ，プロ研究者向けの IUPAC 勧告を尊ぶ人たちが，高校教科書にも次のような記述をもちこんだ。

「**原子，分子，イオンなどは，6.02×10^{23} 個をひとまとめにして，1 モル（記号 mol）**と表される。これを単位として表された量を物質量といい，6.02×10^{23}/mol をアボガドロ定数という。」

炭素 12（^{12}C）がたまたま選ばれ，だから 6.02×10^{23} もたまたまその値になったことの説明がない。化学の入り口でそんな話を押しつけられたら，いやになる生徒が続々と出ても不思議はなかろう。

5. 原子量の定義：合意までの道のり

モルと表裏一体にある原子の相対質量（＝原子量）を知る営みは，18 世紀に始まり，精密天秤を使うラヴォアジエ（1743 ～ 94 年）の実験により大きく前に進んだ。19 世紀に入ってからの流れを年表ふうにまとめれば次のようになる。

1815 年　あらゆる元素の相対質量は**水素の整数倍**だとプラウトが指摘
1840 年　**酸素 = 16** とする相対質量をスタスが提案
1898 年　スタスの提案を国際的に採用
1901 年以降　酸素の同位体 ^{16}O・^{17}O・^{18}O が発見されるも，化学界はスタスの提案どおり**天然の酸素 = 16** とする**化学原子量**を採用
1920 年ごろ　物理学界は **^{16}O = 16** とする**物理原子量**を採用 → **統一が必要**
1960 年　IUPAC と IUPAP（国際純粋・応用物理連合）が **^{12}C = 12 を合意**

1840 年ごろはまだ元素の相対質量があやふやで，1857 年の教科書は水分子を HO と書いていた（9 章扉）。1860 年にドイツのカールスルーエで開かれた会議が，混乱をついに決着させる。また，化学原子量も物理原子量も，原子核のつくりがわかっていない時代の発想だった事実に注目したい。

1960年の合意（^{12}C = 12）は，**化学原子量や物理原子量の補正が少なくてすんだというだけの話**。つまり，**必然の選択ではなかった**。わずか0.0043％の補正ですむ化学原子量を使い続けたほうが，なにしろ基準は天然物質だし，ずっとわかりやすかっただろう。

6. モルを使って表す量

化学に登場する量は，当然ながら，モルあたりで表せばわかりやすい。**エネルギーも何度かkJ/mol単位で書いてきた**。kJ/mol（読みはキロジュール・パー・モル）は，同数の原子やイオン，分子，イオン結晶単位，さらには結合がもつエネルギーや，同数の粒子が反応するときのエネルギー変化などを表す。

溶液中の反応を考えるには，**モル濃度**（1 L中に何mol溶けているかを表す量。単位mol/L。読みはモル・パー・リットル）を使うのがよい。モル濃度から「何個と何個を衝突させる」のかがわかり，結果の考察もやさしい。

要するにモルの発想は，p.80の**式①と②**をじっくり見たら**自然にわかる**。

「リットル」の単位記号

いままで「リットル」を文字Lで書いてきた。物理量（濃度，体積，圧力など）の記号はイタリック体（pHだけは例外），単位の記号はローマン体（例外なし）で書く国際合意が1960年にできている。だからリットルはlかLだが，ふつうは数の1と混同しにくい大文字Lを使う。大学以上の教科書も論文も，ほとんどがその流儀だ。

しかし日本の小中高校には，ℓやlを使う教科書が目白押し。手書き文字ならかまわない。たとえば鳥という漢字の「灬」も，ふつうは波線か直線で書く。黒板やノートもℓでよい。けれど，改まった印刷物では作法を守ろう（終章も参照）。

【章末問題】

1. もし「金の 1 mol = 1 オンス (31.1 g)」と約束していたら,「アボガドロ数」はいくらになっていたか(現行の定義で金は 197 g/mol)。　　　　　　　　　　[9.5×10^{22}]

2. 表1のデータから,酸素Oの原子量を6桁の精度で計算せよ。　　　　　　[15.9994]

3. 海水はモル濃度ほぼ 10^{-11} mol/L の金を含む。1 滴 (0.05 mL) の海水には金の原子が何個ほど入っているか (1 mL = 0.001 L)。また,1 g の金を含む海水は,一辺の長さが何 m の立方体か。　　　　　　　　　　　　　　　　　[約3億個,約 80 m]

7章　熱と温度はどうちがう？

Formule dei composti	Pesi delle loro molecole $= p$	Calorici specifici dell'unità di peso $= c$	Calorici specifici delle molecole $= p \times c$	Numeri di atomi nelle molecole $= n$	Calorici specifici di ciascun atomo $= \dfrac{p \times c}{n}$
HgCl²	271	0,06889	18,66919	3	6,22306
ZnCl²	134	0,13618	18,65666	3	6,21888
SnCl²	188,6	0,10161	19,163646	3	6,387882
MnCl²	126	0,14255	17,96130	3	5,98710
PbCl²	278	0,06641	18,46198	3	6,15399
MgCl²	95	0,1946	18,4870	3	6,1623
CaCl²	111	0,1642	18,2262	3	6,0754
BaCl²	208	0,08957	18,63056	3	6,21048
HgI²	454	0,04197	19,05438	3	6,35146
PbI²	461	0,04267	19,67087	3	6,55695

原子は平等
　1860年のカールスルーエ会議（p.86）にイタリアのカニッツァロが提出したデータ。いまでいう原子1 molの熱容量（右端）は，どんな固体もほぼ同じ［理論値は5.96 cal/(K・mol) = 24.94 J/(K・mol)］。どの原子も熱エネルギーを等分に受けとるからだ。当時HgCl²などと書いていた組成式の右欄に見える式量（原文Pesi delle loro molecole = 分子の重さ）は，現在の値に近い。このデータは，あやふやだった原子量（9章扉）の確定に大きな力を発揮した。

　高校で学ぶ理想気体1 molの状態方程式 $pV = RT$ は，見た目よりずっと奥が深い。1枚か2枚の衣を脱げば，秒速500 m以上で飛ぶ窒素分子N_2の姿とか，毎秒1〜10兆回も仲間とぶつかり合うH_2O分子の姿を明るみに出すし，さらには熱と温度のちがいも，水が熱しにくくて冷めにくい理由も教えてくれるのだから。
　だいぶ理屈っぽい話になるが，ミクロ世界のイメージ完成を目指し，**ほぼ最後の一歩**を踏み出そう。

1. むずかしい（？）式

ご存じ「ボイル-シャルル」

 温度が一定のとき，圧力 p が2倍になると気体の体積 V は半分になる。つまり V は p に反比例する（**ボイルの法則**。図1(a)）。

 かたや圧力が一定のとき，体積 V は高温ほど大きい。逆にどんどん冷やしていくと，$-273\,℃$ で $V=0$ となる直線に乗る。つまり，$-273\,℃$ から始まる絶対温度 T（単位 K = ケルビン）を使えば，比例記号 $\propto$ で $V \propto T$ と書ける（**シャルルの法則**。図1(b)）。

 以上から自然に出る関係「$pV \propto T$」を，**ボイル-シャルルの法則**という。

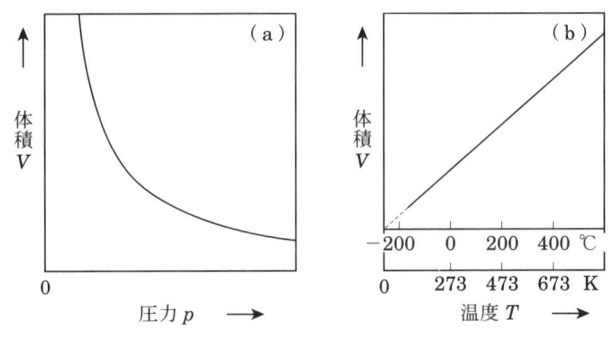

図1 ボイルの法則（a）とシャルルの法則（b）を表すグラフ

理想気体の状態方程式

 気体の量が n mol のとき，上記の比例係数（**気体定数**）を R として書ける次式を，**理想気体の状態方程式**と呼ぶ。

$$pV = nRT \quad 1\,\text{mol なら} \quad pV = RT \qquad ①$$

理想気体とは，大きさのない分子が飛び回るだけの仮想的な気体をいう。とはいえ現実の気体も，**常温で10気圧以下なら理想気体に近い**。

 式①はどの物質にも成り立つ。右辺の温度を決めたとき，体積が共通なら圧力は同じだし，圧力が共通なら体積は同じ。$25\,℃$（$T=298\,\text{K}$）・1気圧での体積 24.5 L は，誤差2%で 25 L に等しい（**$1\,\text{m}^3$ の気体は約 40 mol**）。

式①は 2003 年度に高校『化学Ⅰ』から受験用の『化学Ⅱ』に回された。イオン（3 章）と同様，誰かが「**生徒にはむずかしい**」と思ったのだ。

それぞれ 1 mol の**水素 2 g と酸素 32 g がなぜ同じ体積なのか**。式①で**つり合う pV と RT はどういう量なのか**‥‥を心に置いて前に進もう。

単位の確認
- 圧力 p：面積 1 m^2 にかかる力（単位 N ＝ ニュートン）だから単位は N/m^2。それをとくに Pa ＝ パスカルと呼ぶ。N/m^2 の分子と分母に m をかけた N×m/m^3 は，N×m がエネルギー（単位 J ＝ ジュール）なので，J/m^3 に等しい。そのため圧力には，「単位体積あたりのエネルギー」という顔もある。
- 体積 V の単位は m^3。すると pV の単位は J（エネルギー）になる。
- 気体定数 R は 8.3144 J/(K・mol) という値・単位をもつ。温度 T をかけた RT の単位は J/mol だが，あらわには書いてない 1 mol をかけて J（エネルギー）になる。

つまり式①は，両辺で「何かのエネルギー」が等しいことを語る。

2. 分子の動きと圧力

万物をつくる「原子」は**静止することなく動き回っている**‥‥という意味のことを，古代ローマのルクレティウス（前 94 ～前 55 頃）が書き残す。偶然ながら，その表現は本物の原子・分子にも当てはまる。

運動エネルギー

速さ v（単位 m/s）で動いている質量 m（単位 kg）の粒子や物体を静止させるには，式②のエネルギー ε（単位 J）を要する（式①と②を納得したら，本章の話は追える）。すると，**その粒子は大きさ ε のエネルギーをもつ**。

$$\varepsilon = \frac{1}{2} mv^2 \quad \text{（1 個の粒子）} \tag{②}$$

1 mol の粒子集団なら，kg/mol 単位のモル質量 M を使って式③となる。

$$E = \frac{1}{2} Mv^2 \quad \text{（1 mol の粒子集団）} \tag{③}$$

分子はなぜ飛び続ける？

次項の話を先取りすれば，室温の窒素分子は秒速 500 m 以上で飛び交う。そう教わった大学 1 年のころ，次の疑問が浮かんだのを思い出す。

A 分子はなぜ地球の重力に引かれて落ちないのか？

B そもそも分子の「動力」は何なのか？

いまなら次のように答えられる。

A 窒素分子は地球に引かれているが，上下 1 m の重力エネルギー差は**運動エネルギー（式②）の 0.01 ％未満**だから，低空を好む理由はない。

B 分子の運動エネルギーは，ほとんどが**太陽**から来る（p.100 参照）。

圧力は何が生む？

次のコラムで，分子の動きと圧力の関係を調べよう。

気体の圧力を生むもの

サイズ $a \times b \times c$（それぞれ m 単位）の容器に入れた球状の単原子分子（He や Ar）を考えよう（図 2）。分子の質量は m（単位 kg），速さは v（単位 m/s）とする。容器の壁にぶつかった分子は，鏡で反射する光のように撥ね返される（壁に弾性衝突する）。

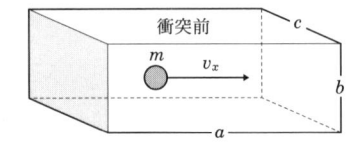

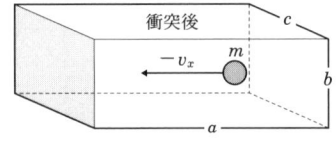

図 2 速さ v_x で壁にぶつかる分子

速さ v の x 成分を v_x と書く。球が右の壁に衝突したとき，「質量×速さ」（＝運動量）は mv_x から $-mv_x$ に変わり，変化量 Δmv_x は $mv_x - (-mv_x) = 2mv_x$ となる。次回の衝突は，往復の距離 $2a$ を速さ v_x で割った $\Delta t = 2a/v_x$（単位 s）後に起きる。

力 F は質量 m と加速度 α で $F = m\alpha$ と書ける。α は速さ v_x の時間変化率（＝$\Delta v_x / \Delta t$）だから，$F = 2mv_x/(2a/v_x) = mv_x^2/a$ が成り立つ。

壁の受ける圧力 p は，力 F を壁の面積 bc で割った値だ。$V = abc$ も使えば次式ができる。

$$p = \frac{mv_x^2}{a \times bc} = \frac{mv_x^2}{V} \quad \text{つまり} \quad pV = mv_x^2 \tag{1}$$

同じ球が N 個あって，v_x^2 の平均値が $<v_x^2>$ なら，$pV = Nm<v_x^2>$ となる。
また，$x \cdot y \cdot z$ 方向に区別はないので，$<v_x^2> = <v_y^2> = <v_z^2>$ とみてよい。そのとき速さは $<v^2> = <v_x^2> + <v_y^2> + <v_z^2> = 3<v_x^2>$ と書けるため，次の関係が成り立つ。

$$pV = \frac{1}{3}Nm<v^2> = \frac{2}{3} \times \frac{1}{2}Nm<v^2> \tag{2}$$

右辺の $\frac{1}{2}Nm<v^2>$ は，球 N 個の平均運動エネルギーの和に等しい。

　コラムの式（2）は，たいへん大きな意味をもつ。容器内の分子数 N がアボガドロ数 N_A なら気体の量は 1 mol となり，そのとき $Nm = N_A m = M$（kg/mol 単位のモル質量）だから，式（2）はこうなる。

$$pV = \frac{1}{3}M<v^2> = \frac{2}{3} \times \frac{1}{2}M<v^2> \quad ④$$

　式③も考えると，状態方程式（p.90）に顔を出す $\boldsymbol{pV}$ は，**分子の全運動エネルギーの $\frac{2}{3}$ 倍**だったとわかる。言い換えると，pV 値の $\frac{3}{2}$ 倍 = 1.5 倍が，分子の全運動エネルギー $\frac{1}{2}M<v^2>$ に等しい。

$$\boldsymbol{pV \times 1.5 = \frac{1}{2}M<v^2>} = \text{分子の全運動エネルギー} \quad ⑤$$

圧力の性質

　圧力の素顔を復習しよう。コラムからわかるとおり，圧力は気体分子がぶつかったときの衝撃が生む。そして，「1 回あたりの衝撃」×「毎秒の衝突回数」と書ける**圧力の大きさは，分子の全運動エネルギーに比例する**。

　圧力は気体の量によらない。なぜか？　図3の容器を板で仕切り，左手に 3 分の 1 サイズの小部屋をつくる。式⑤を見よう。小部屋内の**全運動エネル**

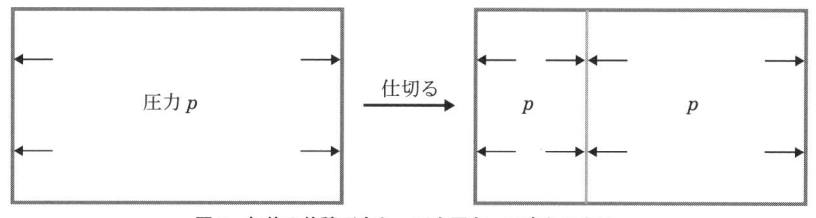

図3　気体の体積が変わっても圧力 p は変わらない

ギーが $\frac{1}{3}$ に減るけれど，体積 V も $\frac{1}{3}$ に減るため，圧力は「大部屋」と変わらない。小部屋が大部屋の 100 分の 1 でも話は同じ。

大気圧も，ぶつかってくる気体分子の衝撃が生む。1 気圧（1013 hPa）のもとで体表の 1 cm² には約 1 kg の力がかかる。成人の体表面積は約 1.6 m² = 16000 cm² だから**力の合計は 16 トン**にもなるが，気道や肺，食道にある空気が同じ力で押し返すため，苦しさは感じない。

図 3 の容器から気体を吸い出し，真空に近づけたら，**10 cm 四方で 100 kg にもなる大気圧**が，容器をグシャッと押しつぶす。

3. 温度が決める分子の速さ

猛スピードの気体分子

式①と④を合体させると次式ができる。

$$\frac{1}{3}M\langle v^2 \rangle = RT \quad \rightarrow \quad \sqrt{\langle v^2 \rangle} = \sqrt{\frac{3RT}{M}} \tag{⑥}$$

v^2 の平均値の平方根（≒**平均速さ**）は絶対温度 T の平方根に比例し，モル質量 M の平方根に反比例するため，分子の動きは高温ほど速く，重い分子ほど遅い。

室温（T = 300 K）の分子を考える。窒素なら，R = 8.314 J/(K・mol) と M = 0.028 kg/mol を式⑥に入れ，**平均速さは新幹線の 6 倍を超す約 520 m/s**。ずっと軽い水素（M = 0.002 kg/mol）は，ライフル弾丸の 2 倍に近い 1930 m/s で飛ぶ（確かめよう）。

「平均」の意味

いままで何度か「平均速さ」という言葉を使った。アボガドロ数の分子集団ともなれば，分子の速さはひとつに決まらず，速い分子も遅い分子もある。つまり**分子の速さは分布をもつ**。

分布のようすは理論が教える。300 K（27 ℃）と 1000 K（727 ℃）で窒素

分子の速さを図4に描いた。温度が同じ300 Kのときも，速さは10 m/sから1000 m/sあたりまで分布し，平均値が520 m/sになる。高温では速い分子が増え，1000 Kでの平均速さは940 m/sだ。

なお，図4のような分布を1950年代に絶妙な実験で確かめたクーシェが，1955年のノーベル物理学賞を受賞している。

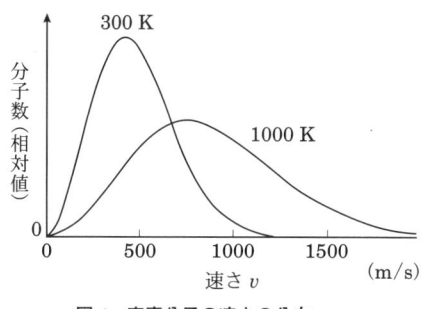

図4　窒素分子の速さの分布

真夏の空気と真冬の空気

暑い真夏（35 ℃）の空気と，寒い真冬（5 ℃）の空気で，分子の動きはどれほどちがうのだろう？　空気の平均モル質量を$M = 0.029$ kg/molとして式⑥を使うと，平均速さは**真夏**（$T = 308$ K）が515 m/s，**真冬**（$T = 278$ K）が489 m/sだから，**差はたった5％**しかない。皮膚にある優秀な温度センサーが，そのわずかな差を大きな体感差に変えるのだ。

液体分子

式⑥は，気体ばかりか液体の分子にも当てはまる。気体も液体も，**真空中を動き回る分子の集団**だ。気体の姿をとるか液体の姿をとるかは，**運動エネルギーと，分子どうしが引き合うエネルギーの大小で決まる**。

引き合いのエネルギーは物質の種類が決まれば決まり，温度に関係しない。かたや**運動エネルギーは，物質の種類に関係なく，温度だけで決まる**（低温ほど小さく，高温ほど大きい）。

だからほとんどの物質は，温度が十分に低いと引力だけが効き，粒子がきれいに並んだ固体になる。温度が上がれば，真空中で**互いに引き合う粒子の集団が動き回る液体**に変わる。さらに高温では，引き合いの力を振り切った粒子が真空中を飛び交うだけの気体になってしまう（**三態変化**）。

分子サイズ（電子雲の広がり）からみて，**液体の水は体積の6割ほどが真**

空だから，H_2O 分子も動き回れる。分子の引き合いが強いため自由な分子ばかりではないが，自由に動ける分子（M = 0.018 kg/mol）の平均速さは式⑥で見積もってよい。25 ℃で 640 m/s になることや，**10 ℃の冷水と 42 ℃の湯で平均速さの差が 6%もない**ことを確かめよう。

4. 分子どうしのぶつかり合い

ぶつかる回数

物質の種類と温度・圧力を決めたら，次の三つの値が決まる。

A　分子のサイズ

B　分子の密度（1 m^3 中の個数）

C　分子の平均速さ

飛び回る分子どうしは，電子雲が接触（衝突）したら反発し合う。衝突しない間はまっすぐに飛び，衝突ごとに向きを変える（図5）。

A×B×Cの値は，ある分子が1秒間に衝突する回数になる。サイズの近い窒素 N_2 と酸素 O_2 を区別せずに計算すれば，**常温常圧の空気中で 1 個の分子は毎秒 60 億回ほど仲間にぶつかる**とわかる。なお，温度が変わったときに衝突回数は，平均速さ（式⑥）と同じく $\sqrt{T}$ に比例して変わる。

同じことは液体の水にも成り立つ。分子の密度が気体の 1400 倍だから，ぶつかりやすさもぐっと増す。ある H_2O 分子が仲間に毎秒ぶつかる回数は，どの分子も自由なら**約 10 兆回**だ。

水に溶けた物質の粒子（分子・イオン）も衝突を繰り返し，たとえば濃度 1 mol/L の粒子なら，室温で**毎秒 1500 億回**ほど仲間にぶつ

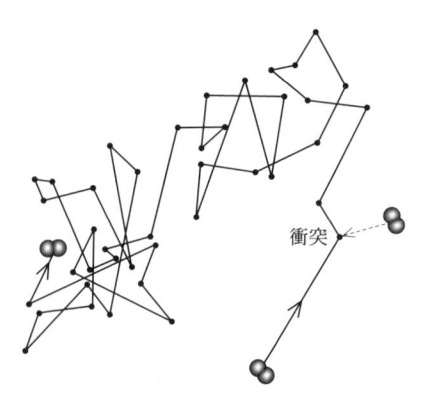

図5　分子運動のイメージ

かる。見た目は静かな水溶液も，ずいぶん騒がしい世界だといえる。

1 時間後に分子はどこへ？

　分子は図 5 のような動きをするから，平均速さ 500 m/s の分子も，まばたき 1 回（約 0.1 秒）のうちに 50 m 進むわけではない。静かな気体や液体の中で，1 個の分子が一定時間内に最初の場所からどれだけ遠くへ動くかは，理論で見積もれるし，実測もできている。

　びんに水を半分ほど入れ，栓をして室温のもとに置いたとしよう。コラムの式で計算すると，びんの中の**酸素分子は 1 秒間に 1 cm** ほど居場所を変える。引き合いが強くて動きにくい **H_2O 分子も 1 時間で 7 mm**，1 日なら 3.5 cm は動く。目に見えない分子の動きが，香り分子を部屋のすみずみに運び，1 滴のインクを混ざり合わせる。そうした分子の動きを**拡散**という。

粒子の拡散距離

　拡散理論によると，初め原点にあった粒子が図 5 のように動いたとき，時間が t（単位 s）だけたったあとの平均位置（原点からの距離 l）は次のように書ける。

$$l = \sqrt{6Dt} \tag{1}$$

　D（単位 m^2/s）を拡散係数と呼び，その値は粒子の種類や環境・温度で決まる。25 ℃ の D 値は，空気中の O_2 分子が $0.21 \times 10^{-4}\ m^2/s$，液体の H_2O 分子が $2.3 \times 10^{-9}\ m^2/s$。ナトリウム中の Na 原子では $6.0 \times 10^{-13}\ m^2/s$ だから，室温の金属ナトリウム中で，Na 原子は 1 年 $= 3.15 \times 10^7$ s に 1 cm ほど動く（確かめよう）。

---

5. 熱と温度のからみ合い

ちょっとしたウソ

　いままで次のような表現をしてきた。
- どの原子も熱エネルギーを等分に受けとる（p.89）
- 分子の動きは高温ほど速い（p.94）

つまり，鉛筆や机に似た「**熱エネルギーというもの**」や「**温度というもの**」

があるかのような書きかたをした。だが気体はひたすら飛び回る分子の集団だし，液体や固体は，引き合いながら運動する粒子の集団だ。**粒子のすき間は真空で，「熱エネルギー」も「温度」もひそんでいない。**

ただし，それがわかったのは最近のこと。18世紀後半のラヴォアジエも，熱を元素とみなし，カロリック＝熱素と呼んでいた。

分子運動でみる温度と熱

式⑥（p.94）に少し手入れして逆向きに書けばこうなる。

$$\frac{3}{2}RT = \frac{1}{2}M<v^2> \qquad ⑦$$

頭の中で等号を矢印（←）に変え，式⑦を「結果←原因」とみよう。右辺は**分子の全運動エネルギーだから，実体をもつ**（p.93）。かたや左辺の温度には実体がない。つまり**温度とは，分子運動の激しさの現れ**だといえる。

式⑦の両辺をアボガドロ定数N_Aで割ると次式になる。左辺のk_B（$R/N_A = 1.38 \times 10^{-23}$ J/K）を**ボルツマン定数**といい，右辺のm（単位kg）は分子の質量を表す。

$$\frac{3}{2}k_B T = \frac{1}{2}m<v^2> \qquad ⑧$$

「低温の」気体（分子の質量m_1）と「高温の」気体（m_2）が出合えばどう

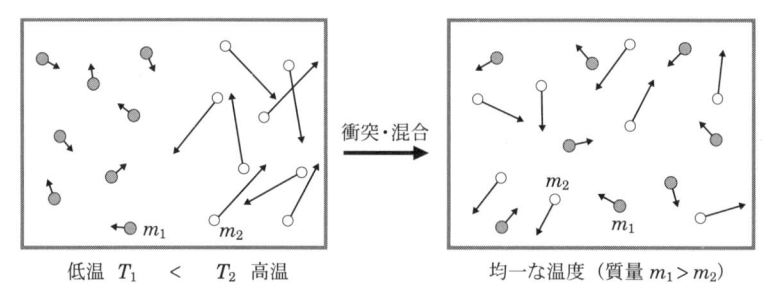

低温 T_1 ＜ T_2 高温　　　　　均一な温度（質量$m_1 > m_2$）

図6　温度のちがう粒子集団がぶつかり，均一な温度になっていくイメージ

なるかを眺めよう（図6）。質量が$m_1 > m_2$でも温度は$T_1 < T_2$だから，式⑧より，分子の平均運動エネルギーは高温の気体のほうが大きい。

異種分子がぶつかり合うと，「高温」の分子がもっていたエネルギーの一部が，「低温」の分子に移る。ぶつかり合いを十分にくり返したら，どの分

子も平均運動エネルギーが等しくなる（図6右）。式⑧をまた見れば、それがまさしく「同じ温度」の状況だ。そのとき、分子の**平均速さは等しくない**ため、軽い分子（〇）は重い分子（●）より動きが速い。

　図6左→右の変化は、「熱エネルギーが高温部から低温部に移った」と表現できる。以上より、温度や熱の素顔は次のようなものだとわかる。

●　**高温とは粒子の平均運動エネルギーが大きい状態をいい、低温とは粒子の平均運動エネルギーが小さい状態をいう。**

●　**熱エネルギーの移動とは、動きの激しい粒子から、穏やかな粒子に運動エネルギーが移る現象をいう。**

　そうしたことをわきまえたうえ、以下では、「熱エネルギーをやりとりする」とか、「ある温度の物質」といった表現を使う。

液体と固体

　いまは気体の話だったが、**液体**も、「互いに引き合いつつ真空中を動き回る分子の集団」だから、気体と同じように扱える。

　固定点に原子（やイオン）がある**固体**は、話がずいぶんちがうように見えるけれど、本質は変わらない。固体の原子はバネでつながっているようなもの。バネが伸び縮みする勢いが変われば、原子の「ふるえ具合」が変わる。

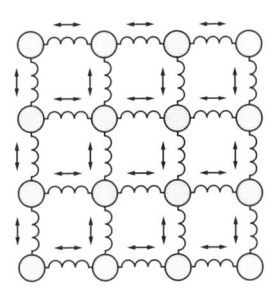

図7　固体結晶のイメージ

　原子のふるえ具合は、運動エネルギーの形に表せる。そして温度が T のとき、原子の**運動エネルギー**は、気体とまったく同じ式⑦や⑧に従う。

温度計の読みとは？

　温度を測るアルコール温度計を考えよう（あの赤い液体は本物のアルコールではなく、赤い色素を灯油に溶かしたもの）。

　いままでの話から想像できるとおり、熱湯に温度計を浸したときは、ミクロ世界で次のようなドラマが進む。

1．浸す前，温度計の先端をつくっているガラスの原子の運動エネルギーは，水分子の運動エネルギーよりも小さい。

　2．浸した瞬間，激しく動く H_2O 分子がガラスの原子にぶつかり，エネルギーを渡す結果，ガラスの原子は「ふるえ」の激しさを増す。

　3．「ふるえ」の激しさは，バネ（図7）を通してガラス内部から内壁へと伝わり，内壁をつくる原子のふるえも激しくなる。

　4．内壁ではガラスの原子が灯油の分子にエネルギーを渡す。灯油の分子は運動の激しさを増し，広い天地を求めるので灯油の体積が増える。そのとき温度計の液柱がスルスルと上がっていく。

　以上を心に置きながら図4（p.95）をまた眺め，「温度が分子運動の勢いを決める」のではなく，「**まず分子運動があって，その勢いが温度（温度計の読み）を決める**」事実を再確認しよう。

6. エネルギーというもの

エネルギーの根元

　原子や分子の運動エネルギーは，ほとんどが太陽から来る。ガスの火で熱した水は，メタン分子 CH_4 にひそんでいた結合エネルギーをもらって分子運動が活発になる。その結合エネルギーは，太古の植物が光合成（14章）でとらえた太陽エネルギーにほかならない。

　日中なら，戸外や部屋の気温は「いまの太陽」が恵む。かりに太陽が冷たい天体だったなら，地球表面の平均温度は，ローカルな地熱があるため宇宙の平均温度（-270℃）までは下がらなくても，月面の日陰部分（-170℃）や，液体窒素（-196℃）よりは低いはず。

エネルギーの変換・保存

　エネルギーはさまざまな姿をもち，条件を整えてやれば互いに移り変わる。それをエネルギーの変換という（図8）。

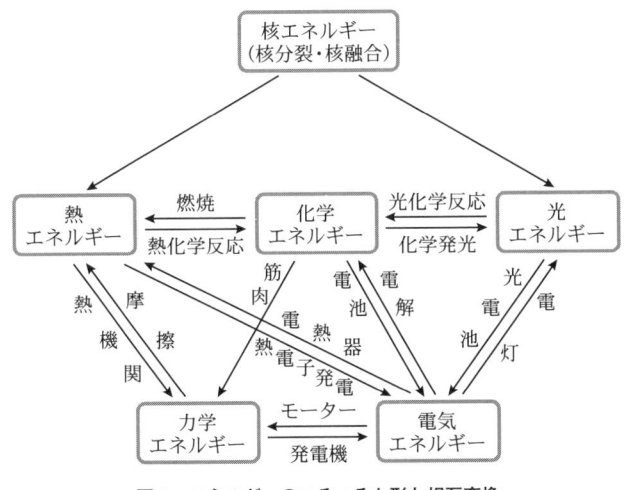

図8 エネルギーのいろいろな形と相互変換

　図8に書いたエネルギー6種類のうち，**熱エネルギー**と**力学エネルギー**は，原子運動や分子運動の激しさを表す。**電気エネルギー**は電子の運動エネルギー，**核エネルギー**は核子（陽子・中性子）の運動エネルギーだといえる。また**化学エネルギー**は，いちばん外側の軌道にいる電子の運動エネルギーにほかならない。

　つまり以上の5種類は，どれも「粒子運動の激しさ」を表す。残る**光**だけは，大きさも質量もない不思議な粒子＝光子が運ぶ「**エネルギーそのもの**」だといってよい（14章）。

　エネルギーが「粒子運動の激しさ」だと知れば，「保存性」もたちまちわかる。**摩擦など存在しない真空中で粒子がぶつかり合い**，エネルギーをやりとりするだけだから，エネルギーは消滅しない。

7. 熱しにくくて冷めにくい水

運動の自由度

　式⑧を逆向きに書こう。

7章　熱と温度はどうちがう？　　101

$$\frac{1}{2}m\langle v^2\rangle = \frac{3}{2}k_\mathrm{B}T \qquad ⑨$$

分子の速さ v は $\langle v^2\rangle = \langle v_x^2\rangle + \langle v_y^2\rangle + \langle v_z^2\rangle$ と表され，$x\cdot y\cdot z$ 方向に区別はないので（p.93 のコラム），次式が成り立つ．

$$\frac{1}{2}m\langle v_x^2\rangle = \frac{1}{2}m\langle v_y^2\rangle = \frac{1}{2}m\langle v_z^2\rangle = \frac{1}{2}k_\mathrm{B}T \qquad ⑩$$

すると，分子運動（いまの場合は並進運動）を3方向に分けて考えたら，「**方向それぞれに $\frac{1}{2}k_\mathrm{B}T$ のエネルギーが分配される**」といえる．そうした「運動の向きの数」を，**運動の自由度**という．

球形の単原子分子（Ne, Ar など）には並進運動の3自由度しかないが，N_2 や CO などの二原子分子，H_2O などの三原子分子は，**回転運動**もしている．また，複数の原子からなる分子では原子間が伸び縮みし，そういう振動（**原子間振動**）も，原子数に応じて決まる自由度をもつ．固体中の原子がするバネ振動（図7）にも，一定数の自由度がある．

エネルギーの等分配則

物質が熱エネルギーをもらった（動きの激しい粒子から運動エネルギーを得た）とき，**そのエネルギーは，運動の自由度に同じ量ずつ分配される**．そして，温度が T の場合，どの自由度にも $\frac{1}{2}k_\mathrm{B}T$（1 mol あたりで $\frac{1}{2}RT$）単位のエネルギーが分配される（**エネルギーの等分配則**）．

熱容量

自由度3の単原子分子1 mol が熱エネルギー Q（単位 J）をもらい，温度が ΔT だけ上がったら，量の関係は次のように書ける．

$$Q = 3\times\frac{1}{2}R\Delta T = \frac{3}{2}R\Delta T \qquad ⑪$$

温度を1 K 上げる（$\Delta T = 1$ K とする）のに必要な Q を**熱容量**といい，記号 C（単位 J/(K・mol)）で表す．理論値の $C = \frac{3}{2}R$ = 12.47 J/(K・mol) は，ヘリウムの実測値 12.47 J/(K・mol) にぴたりと合う．なお記号 Δ（デルタ）は，英語 difference（差）の頭文字のギリシャ文字で，**変化量**を表す（Δ は必ず立体文字 = ローマン体で書く）．

運動の自由度が多い物質は，熱エネルギーが自由度それぞれに等分されるため，同じ $\Delta T = 1$ K とするにも，多くの熱エネルギー Q を与えなければいけない（熱しにくい。逆にみれば冷めにくい）。たとえば液体の水は，H_2O 分子が並進運動も回転運動もするし，分子集合体が示す複雑な振動もあるから，熱容量 C は $9R$（自由度でいうと 18）に近い 75.3 J/(K·mol) という大きな値をもつ。

　こうした話には，原子・分子の質量 m（や物質のモル質量 M）そのものが顔を出さないところに注目しよう。m や M はいつも平均運動エネルギー $\frac{1}{2} m <v^2>$（や $\frac{1}{2} M <v^2>$）の形で顔を出し，**原子 1 個や物質 1 mol の運動エネルギーが絶対温度に比例する**（式⑨など）。

　だから原子 1 個や物質 1 mol の熱容量も，**物質の種類**ではなく，物質の最小単位をつくる**原子の個数**や，運動の**自由度の数**で決まる。本章の扉にあげた 1860 年のデータも，そのことをよく語っている。

わかった「なぜ？」と，むずかしい「なぜ？」

　状態方程式 $pV = RT$ から出発し，ずいぶん遠くまで来た。気体や液体を「**平均運動エネルギー $\varepsilon = \frac{1}{2} m <v^2>$ をもつ粒子たちが飛び交う真空**」とみるだけで，圧力の素顔も，熱と温度のイメージも浮き彫りになっただろう。

　ただし，熱エネルギー（じつは運動エネルギー）が運動の自由度それぞれに同じ量ずつ分配される理由を説明するには，**統計力学**という理論が必要になる。また，19 世紀までは測定結果にすぎなかった関係 $pV = RT$ も，統計力学から導き出せる。そのへんの「なぜ？」は大学の勉強にゆずり，「厳密な理論の裏打ちがある」と思うだけでよしとしよう。

【章末問題】

1. ボイルの法則を表す曲線は，温度が上がるとどうなるか。また，シャルルの法則を表す直線は，圧力が下がるとどうなるか。それぞれ図1（p.90）に描きこんでみよう。

2. 東京ドーム（124万 m^3）の空気は，常温常圧で何 mol か。また，空気のモル質量を 29 g/mol としたら何トンか。気体 1 mol は 25 L とする。　　〔4960万 mol，1440トン〕

3. 東京ドームに入っている空気の分子がもつ全運動エネルギーは何 J か。またそれは，人間ひとりが 1 日に体内で消費するエネルギー（約 1 万 kJ）のおよそ何倍か。圧力は 1 気圧（1 atm = 1.013×10^5 Pa）とする。　　〔1884億 J，1.9万倍〕

4. 水を満たしたコップに厚紙を当てて逆さにしても，大気圧が押すため水はこぼれない。コップの口径（直径）が 6 cm なら，大気圧の押す力は何 kg か。　　〔約 28 kg〕

5. 液体窒素（－196 ℃）に接した空気の中で，分子の平均速さは何 m/s か。空気のモル質量は 29 g/mol = 0.029 kg/mol とする。　　〔260 m/s〕

6. 常温の水中で Na^+ イオンの拡散係数 D は 1.3×10^{-9} m^2/s となる。Na^+ イオンが平均 10 cm だけ動くには何時間かかるか。　　〔360時間 = 15日〕

7. 窒素分子 N_2 の自由度には，並進運動の 3 と，回転運動の 2 がある（N≡N 振動の自由度 2 は，常温なら熱容量に効かない）。窒素の熱容量を J/(K・mol) 単位で計算せよ。なお実測値は 20.81 J/(K・mol)。　　〔20.79 J/(K・mol)〕

8章　$2H_2+O_2 \rightarrow 2H_2O$ の矢印は，なぜ右を向く？

ナイアガラの滝（撮影：佐々木　亨）
　轟音をあげて流れ落ちる水は毎秒3000トンに迫り，1時間あたりの水量を立方体にしたら一辺が200 mを超す。水の流れも滝の落下も，できるだけ安定になろうとする H_2O 分子の動きが生む。化学変化にも当てはまる自然の摂理だ。

　ものごとが自然体で進むさまを「水の低きに就くごとし」という。化学反応も自然な向きに進むのだけれど，「なぜそうなのか？」の説明はやさしくないため，中学や高校の先生は「そうなのだ」としか語らない。生徒は考える手がかりがないから，消化不良や欲求不満を抱えて卒業する。そしてすっかり忘れてしまう。

　いま日本の高校で教える話から半歩だけ踏み出すと，矢印がなぜその向きなのかを納得できる。納得すれば目の前の霧が晴れ，どんな反応式に出合おうと，あわてずにすむ。

1. 自然な向きは？

問答無用の「こうなのだ」

　ある出版社の『中学校理科』は，1967 年には 53 種の化学反応式を扱っていた。以後は削減がどんどん進み，1972 年は 25 種，2002 年以降はたったの 6 種（下記①〜⑥）しか扱わない。イオンのからむ反応は，学習指導要領をつくる方々が高校に追いやった（今後は復活の予定）。

$$2H_2O \rightarrow 2H_2 + O_2 \text{（水が水素と酸素に分かれる）} \quad ①$$
$$2H_2 + O_2 \rightarrow 2H_2O \text{（水素が酸素と反応する）} \quad ②$$
$$2Cu + O_2 \rightarrow 2CuO \text{（銅が酸素と反応する）} \quad ③$$
$$2CuO + C \rightarrow 2Cu + CO_2 \text{（酸化銅が炭素と反応する）} \quad ④$$
$$Cu + Cl_2 \rightarrow CuCl_2 \text{（銅が塩素と反応する）} \quad ⑤$$
$$Fe + S \rightarrow FeS \text{（鉄が硫黄と反応する）} \quad ⑥$$

　さすがに高校は反応を 200 種くらい扱うが，問題は数ではない。どれか 1 種でも，**なぜその向きに進むのか**を知りたい生徒は多いだろう。少なくとも①と②は逆向きなので，「なぜ？」の説明が欠かせない。そこを何ひとつ教えないため，「問答無用」の世界になっている。

どちら向きが自然？

　たとえば上の反応④を考えよう。両辺はとりあえず等号で結んだ。

$$2CuO + C = 2Cu + CO_2 \quad ⑦$$

原子は消えないから，両辺では原子の数がつり合っている（確かめよう）。
　さて反応④は，なぜ右に進むといえるのか？　右に進むなら「炭素 C が酸化銅 CuO を還元する（CuO が C を酸化する）反応」，左に進むなら「銅 Cu が二酸化炭素 CO_2 を還元する（CO_2 が Cu を酸化する）反応」だ。どちらもありそうな気がしてしまう。
　原理を知っている人なら，**ある量の値**をデータ集で調べ，矢印の向きをたちまちつかむ（答えは p.116）。本章でそのやりかたを身につけよう。

2. 要因①――涼しくなりたい

発熱反応：静のイメージ

空気中で水素 2 mol に**火をつけたら**，たちまち酸素と反応して 572 kJ の熱が出る。そのことを日本の高校では次の「**熱化学方程式**」に表す。

$$2H_2 + O_2 = 2H_2O + 572 \text{ kJ} \tag{⑧}$$

式⑧は，反応物のもっていたエネルギーが生成物より 572 kJ だけ多い，と解釈できる。右に進めば物質群が「よけいなエネルギーを捨てる」わけで，そうした反応＝**発熱反応は自然に進みやすい**。

> **反応熱の書きかた**
>
> 式⑧のような「熱化学方程式」は，日本だけにある奇習のひとつ（終章）。海外では，大学の教科書も高校の教科書も，次のように書く。
>
> $$2H_2 + O_2 \rightarrow 2H_2O \qquad \Delta H = -572 \text{ kJ} \tag{1}$$
>
> つまり，「向きを明示した反応式」と「出入りする熱量」を別々に書く。H はエンタルピーといい，「物質群のもつ熱量」とみてよい。また記号 Δ は「行き先の値から出発点の値を引く」を意味する。式(1)の場合，行き先（$2H_2O$）の熱量＝エンタルピー H が出発点（$2H_2 + O_2$）の H より少ない（発熱になる）ため，マイナスの符号がつく。

節のテーマは以上に尽きるが，7 章の復習も兼ね，反応⑧の素顔を少しのぞいておこう。**なぜ「火をつける」のか，結合の切断・組み替えはどう進むのか**は，9 章の話題にする。

動のイメージ

前章で述べたとおり，「**熱やエネルギーというもの**」はない。あるのは原子や分子の動きだけ。粒子の動きが激しいことを，「（熱）エネルギーが大きい」とか「温度が高い」と言い表すのだった。

反応前は水素 H_2 も酸素 O_2 も 25 ℃ だったとしよう。7 章の式⑥（p.94）

から，平均速さは水素が約 1900 m/s で，酸素が約 480 m/s。分子が衝突し，条件がよければ結合の組み替えが進み（9章），2分子の H_2O ができる。

　結合の組み替えで**余るエネルギーは，分子・原子の動きを活発化させる**。572 kJ は莫大なエネルギーだから，並進・回転のほか，室温では手の届かない原子間振動にも分配される（7章）。そればかりか電子も分け前をもらい，高い軌道（2章）に上がっていく。上がった電子が元の軌道に落ちるとき，エネルギーは光に変わる（**炎の正体**。14章）。

　ドラマの核心場面に「？」をつけ，H_2O **分子が生まれた瞬間**までのイメージを図1に描いた。矢印の長さは分子の平均速さをおよそ表す。**誕生直後の H_2O 分子は数千℃もの高温にあり，速さは3000 m/s を超す。**

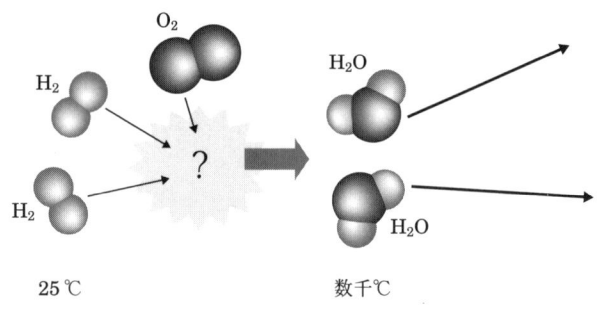

図1　反応 $2H_2 + O_2 \rightarrow 2H_2O$ の「動」を表すイメージ図

エネルギーのゆくえ

　図1の時点で発生エネルギーは，生まれたばかりの H_2O を含め，そばの**分子・原子・電子の運動エネルギーに変身**している。粒子は1秒間に数十億回も衝突し合う（7章）。周囲には動きの遅い N_2 分子や O_2 分子がいるから，超高速だった H_2O 分子も，衝突をくり返しながら減速していく。

　式⑧の $2H_2O$ は，**図1に描いた分子ではなく，冷えて25℃の液体になった $2H_2O$ を表す**。そのとき発生エネルギーは，周囲の分子や原子に移っているため，**物質群は「涼しくなった」**といえる。

エネルギー図で見る

いまの反応を図2に表す。$2H_2 + O_2$ が結合を組み替え，結合にひそんでいたエネルギー（潜熱）を解き放つ。エネルギーは衝突を通じて周囲の分子・原子に移る。生成物 $2H_2O$ が 25 ℃ に冷えたとき，反応系は酸素 1 mol あたり 572 kJ のエネルギーを失った。

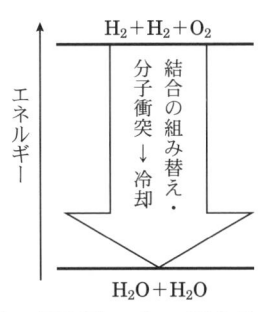

結合の切断・生成（図1の「？」部分）とエネルギー出入りの関係は9章で眺めよう。

図2　反応 $2H_2 + O_2 \rightarrow 2H_2O$ のエネルギー図

---

3. 要因②——散らばりたい

熱こそすべて？

19世紀中期までの科学者は，**熱の出入りだけが化学変化の向きを決める**とみて，熱測定を積み重ねた。そのひとり，スイスのヘスが1840年，**最初と最後の状態さえ決まれば出入りする熱量は途中のルートに関係しない**と確かめる。いまも役立つ事実だけれど，やがて生まれる熱力学が，**もうひとつの要因も考えないかぎり変化の向きは言えない**，と宣告をくだす。

熱を吸う変化

次のような変化は，まわりから熱を吸収しながら進む。

① 水はゆっくり蒸発する。蒸発は吸熱なので，打ち水は周囲を冷やし，肌にアルコールをつけたらヒヤっとする。

② 食塩を溶かしたとき，水が少し冷えるのに気づいた読者もいるだろう。別の塩を溶かせば，ときに水が凍るほど冷える（p.111）。

③ 日常の現象ではないが，高温の炭素に水蒸気が触れると，熱を吸いながら反応が進み，水素 H_2 と一酸化炭素 CO ができる。

蒸発のときは液体分子が広い空間に飛び出す。食塩が溶けたら，緻密な格

子をつくっていた NaCl 単位が Na^+ イオンと Cl^- イオンに分かれ，水中に散らばっていく。炭素（固体）と水蒸気の反応では，できる H_2 と CO はどちらも気体だから，空間を自由に飛び交う分子が増える。

そうした事実から，**物質の粒子がバラバラ（乱雑）になる度合い**も，変化を促す大事な要因だとわかってきた（次のコラム参照）。

エントロピー

1900年ごろ，集合状態の乱雑さをエントロピー（記号 S）という量で表す理論ができた。要点を三つにまとめよう。

① エントロピー S は，「粒子の行動範囲を表す数の桁（けた）」とみてよい。粒子の行動範囲は，体積 V などで表せる。また，ある数の桁は，その数の対数で表せる。そこで自然対数を使い，比例関係を $S \propto \ln V$ と書いたとき，比例定数は気体定数 R に等しくなる（実のところ，そうなるように S を定義した）。つまり $S = R \ln V$ と書けて，V がたとえば2倍になるたび，エントロピー S は同じ値（$R \ln 2$）ずつ増える。

② S は R と同じ $J/(K \cdot mol)$ という単位をもつ。そのため，S に絶対温度 T をかけた TS がエネルギー（単位 J/mol）になる。

③ 変化は $\Delta S > 0$ となる（S が増える）向きに進みやすい。だから $T\Delta S$ は，「右向き変化を促すエネルギー」という意味をもつ。

粒子の集合状態とエントロピー変化 ΔS の関係を図3に描いた。ほかの条件が同じなら，変化は $\Delta S > 0$ の右向きに進みやすい。そのとき $T\Delta S > 0$ となるが，次項の話に合わせるため，符号を逆転させて $-T\Delta S < 0$ と書いた。

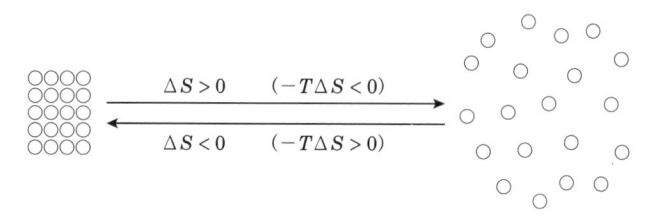

図3　粒子の集合状態とエントロピー変化 ΔS の関係

4. 肝心なのは合わせ技

ギブズエネルギー

これでようやく準備完了。2項と3項の話は次のようにまとめられる。

① エンタルピー（熱量）**H**はエネルギーの単位をもち，変化はHが減る（$\Delta H < 0$となる）向きに進みやすい。

② エントロピーに絶対温度をかけた**TS**もエネルギーの単位をもち，変化はTSが増える（$T\Delta S > 0$となる）向きに進みやすい。

②は「$-T\Delta S < 0$となる向きに進みやすい」といえる。**H**と**TS**は同格のエネルギーだから，ΔHと$-T\Delta S$を足した量（$\Delta H - T\Delta S$）を考えると話が早い。$H - TS$をギブズエネルギーと呼び，記号Gで表すと，変化はGが減る（$\Delta G < 0$となる）向きに進むだろう。

$$\text{自発変化の条件：}\Delta G = \Delta H - T\Delta S < 0 \qquad ⑨$$

らくらく進む吸熱変化

ΔHが大きな負の値をもつ発熱変化なら，$T\Delta S$の効果は隠れてしまい，反応熱が変化の向きを左右する。

かたや$\Delta H > 0$の吸熱変化は，**坂を無理やり登るイメージ**になって，「自発変化」の感じがしない。しかし吸熱変化でも，ΔH（> 0）を帳消しにするほどエントロピー増加ΔSが大きいなら，$\Delta G < 0$となって自然に進む。例をひとつ眺めよう。

硝酸アンモニウムNH_4NO_3は水によく溶け，そのとき大きな吸熱が起こる。水入りビーカーをベニヤ板の上に置き，十分な量の硝酸アンモニウムを溶かしたら，ビーカーの底がベニヤ板に凍りつく（空気中の水分が凍る）。

熱を激しく吸う変化がなぜ簡単に進むのだろう？　絶対値は小さいにせよ，ΔGがはっきり負の値になるからだ（図4）。

反応は式⑩で表され（sは固体，aqは溶解物），図には左辺を**原系**，右辺を**生成系**と書いてある（ΔHなどの右肩につけた「°」の意味は後述）。

$$NH_4NO_3(s) \rightarrow NH_4^+(aq) + NO_3^-(aq) \qquad ⑩$$

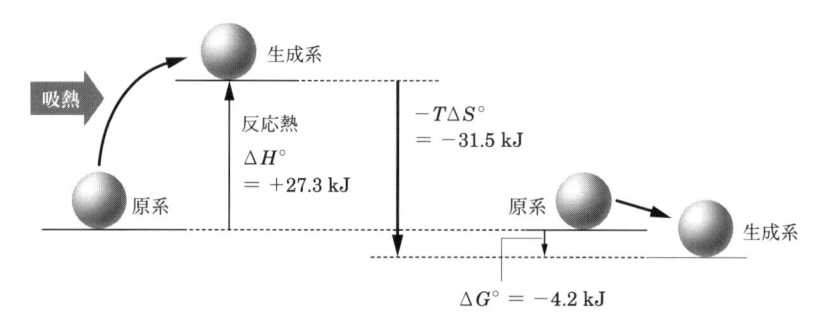

（a）$\Delta H°$（反応熱）だけでみたとき　　　　（b）$\Delta G°$でみたとき

図4　ΔHとΔGでみた硝酸アンモニウムNH_4NO_3の溶解

反応熱ΔHだけでみた(a)は「行くはずのない」感じだが，ギブズエネルギー変化ΔGでみた(b)は，「なるほど右に行く」感じになるだろう。

エントロピー項の意味

式⑨のΔH項は，高校化学の反応熱と同じだった。結合の組み替えから生まれるため，**物質そのものがもつエネルギーの出入り**だといってよい。では，エントロピー変化から来るエネルギー（$-T\Delta S$項）とは何か？

水素の燃焼（式②や⑧）は，水1 molあたりで次式に書ける。

$$H_2 + \frac{1}{2} O_2 \rightarrow H_2O \qquad ⑪$$

水1 molにつきΔHは-286 kJ/mol（発熱），ΔSは-163 J/(K·mol)だとわかっている。温度は反応物も生成物も25℃とみるので，広い空間にいた気体（H_2とO_2）が，体積のぐっと小さい液体（H_2O）に変わる。そのため乱雑度が減り，エントロピー低下が大きいのだ。ΔS値と$T = 298$ Kから，$-T\Delta S$は$+49$ kJとなる。以上のことを図5に描いた。

部屋の整頓や混合物の分離が手間とエネルギーを食うように，粒子の乱雑度を下げるにもエネルギーがいる。それが$-T\Delta S$だというわけ。反応の進行中に，**$-T\Delta S$だけのエネルギーが使われてしまう**といってよい。

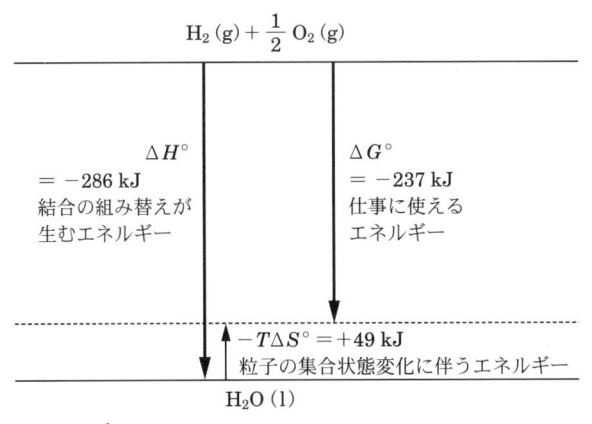

図5　$H_2 + \frac{1}{2}O_2 \rightarrow H_2O$ のエネルギー関係（gは気体，lは液体を表す）

　反応から $-\Delta H = 286$ kJ のエネルギーが出るはずのところ，$-T\Delta S = 49$ kJ が**内部で消費され**，とり出せるのは $-\Delta G = 237$ kJ になる。**$-\Delta G$ は電気エネルギー**（12章）**や光エネルギー**（14章）**と直接換算でき，仕事に使えるため，化学変化からとり出せる最大仕事**という。

　ともかく変化の向きは ΔG の符号が，勢いは ΔG の絶対値が決める。では，ある反応式を書いたとき，その ΔG 値はどうやって知るのだろう？　まさか，星の数ほどある反応それぞれのデータを探すような話ではないはず。

5. これが切り札

物質の安定・不安定

　式⑦をまた書く。**ひとりでに進む向き**を知りたいのだった。

　　　　$2CuO + C = 2Cu + CO_2$ 　　　　　　　　　　　　　　⑦

　式⑦に顔を出す**物質それぞれの不安定さ（活性）を数値で表せれば**，左辺と右辺のどちらが安定かを判断できる。変化は，より安定な物質群ができる向きに進むだろう。では，どうしたら数値で表せる？

　式⑦の酸化銅 CuO も，水と激しく反応するナトリウム Na も，真空中に

孤立しているかぎりは安定だ。つまり**物質の安定・不安定は，相手しだいの話**だといえる。

標準生成ギブズエネルギー

そこで，こう考えよう。**化合物 1 mol を単体からつくるのに必要なギブズエネルギー**を，安定・不安定の目安にする。**つぎこむエネルギー**なので，値が正の物質は活性が高く（不安定），負の物質は安定とみてよい。その量を物質の**標準生成ギブズエネルギー**といい，記号 $\Delta_f G°$（単位 kJ/mol）で表す。$\Delta_f G°$ は「デルタ・エフ・ジー・まる」とでも読む。

たとえば酸化銅 CuO の場合，生成反応と $\Delta_f G°$ 値は次式に書ける。

$$\text{Cu} + \frac{1}{2}\text{O}_2 \rightarrow \text{CuO} \quad \Delta_f G° = -130 \text{ kJ/mol} \qquad ⑫$$

CuO をつくるには「負のエネルギー」をつぎこむ。言い替えると，エネルギーが余る。つまり単体が CuO になるとき**エネルギーが放出される**ため，CuO は単体群より安定だとみてよい。

光化学スモッグを生む二酸化窒素 NO_2 の生成反応はこうなる。

$$\frac{1}{2}\text{N}_2 + \text{O}_2 \rightarrow \text{NO}_2 \quad \Delta_f G° = +51 \text{ kJ/mol} \qquad ⑬$$

NO_2 は「エネルギーをつぎこんで生じる物質」だから，単体たちより不安定な（分解して N_2 と O_2 に戻りやすい）物質だといえる。

記号の解剖

記号 Δ は「行き先の値から出発点の値を引いた差」だった（p.102）。式⑬でわかるとおり，行き先は「その物質」，出発点は「原料の単体」にほかならない。文字 f は formation（生成 = つくること）の頭文字。

最後の上つき記号「°」は，物質が**基準状態**（活量 1）にあることを表す（活量の説明は 10 章）。気体なら圧力 **1 気圧**，溶質なら濃度 **1 mol/L** だと考えてよい。固体や液体は，**純物質**が基準状態にあたる。

化合物の $\Delta_f G°$ 値は，いろいろな反応で出入りする**熱量**（$\Delta H°$）の値と，実測＋理論から出る物質の**絶対エントロピー** $S°$ を組み合わせて求める。

イオンの $\Delta_f G°$

あるイオンだけを含む溶液はつくれないから，イオンの $\Delta_f G°$ 値は必ず相対値になる。たとえば NaCl 水溶液と KCl 水溶液の測定データから Na^+ と K^+ の $\Delta_f G°$ 差がわかっても，イオンそれぞれの $\Delta_f G°$ はわからない。

そのため，**水溶液中の水素イオン H^+**（活量 1 ≒ 濃度 1 mol/L）の $\Delta_f G°$ を **0 と約束**し，ほかのイオンの $\Delta_f G°$ は相対値で表す。

$\Delta_f G°$ 値の例

以上のように決めた標準生成ギブズエネルギー $\Delta_f G°$ の例を**付録 1** にまとめ，一部を図 6 に示す。右側に中性の化合物を，左側にイオンを置いた。$\Delta_f G° = 0$ の線には，上記の約束に従い，単体（約 90 種の一部）と水素イオン H^+ が並ぶ。

$\Delta_f G° > 0$ の物質（一酸化窒素 NO など）やイオンは，どちらかといえば不安定だといえる。また $\Delta_f G° < 0$ の物質・イオンは，どちらかといえば安定で，絶対値が大きいほど安定な物質だと思ってよい（典型が CO_2）。

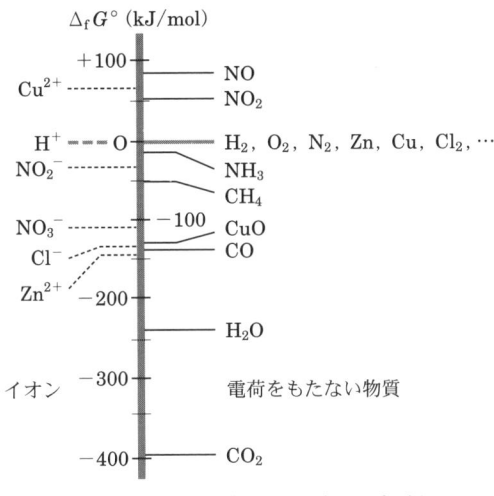

図 6 標準生成ギブズエネルギー $\Delta_f G°$ の例

ひと目でわかる変化の向き

これで準備は完了。ある化学変化を書いたとき，それが自然に進む向きは，次の手順でたちまちわかる。

(1) 反応式中の物質それぞれに，付録1の$\Delta_f G°$値を当てはめる。
(2) 係数を考え，左辺と右辺それぞれの$\Delta_f G°$値を足し合わせる。
(3) 変化は，$\Delta_f G°$の和が大きいほうから小さいほうへ進む。

懸案の反応⑦をまた書こう。

$$2CuO + C = 2Cu + CO_2 \qquad ⑦$$

$\Delta_f G°$値は，CuOが（図6から）-130 kJ/mol，CとCuが（約束により）0，CO_2が（図6から）-395 kJ/mol。すると左辺の和は$2 \times (-130) + 0 = -260$ kJ，右辺の和は$2 \times 0 + (-395) = -395$ kJになって，「**左辺のエネルギー＞右辺のエネルギー**」が成り立つため，**右向きに進む**。

反応$2NO + O_2 \to 2NO_2$と$Ag^+ + Cl^- \to AgCl$が右向きに進むことをいずれ説明する，と6章で約束した（p.81）。2番目の反応は10章に回し，最初の反応だけ調べよう。図6でNOはNO_2より上にあり，O_2は0レベルにあるから，反応は**エネルギーが減る右向きに進む**。

次の反応が右に進むことも，図6を使う目算でわかる（確かめよう）。

$$Cl_2 + NO_2^- + H_2O \to 2Cl^- + NO_3^- + 2H^+ \qquad ⑭$$

また，Fe，O_2，Alが0（約束），Fe_2O_3が-742 kJ/mol，Al_2O_3が-1582 kJ/molという$\Delta_f G°$値から，次の2反応も右に進むとわかるだろう。

$$2Fe + \frac{3}{2}O_2 \to Fe_2O_3 \text{（使い捨てカイロの基本反応）} \qquad ⑮$$

$$2Al + \frac{3}{2}O_2 \to Al_2O_3 \text{（Al表面に保護層を生む反応）} \qquad ⑯$$

反応を逆に進める（酸化物を還元する）ためのエネルギーは，⑮より⑯のほうがずっと大きい。だからこそ，鉄は古代から知られるのに，鉱石からアルミニウムをとり出せたのはようやく19世紀の中期だった（12章 p.170）。

金属を2 molに統一し，還元しやすい（金属の利用史が古い）CuOも入れて，酸化物の還元に必要なエネルギーを図7にまとめた。

$\Delta_f G°$ の威力

物質の不安定さ（活性）を表す $\Delta_f G°$ は，変化の自然な向きをただちに教える。そればかりか $\Delta_f G°$ は，物質が酸化剤になりやすいか還元剤になりやすいかも，数値（勢い）とともに教えてくれる（12章）。

それほどに重要な量だから，『化学便覧』（丸善，2004年）は，無機物質800種以上，イオン200種以上の $\Delta_f G°$ データを載せている。

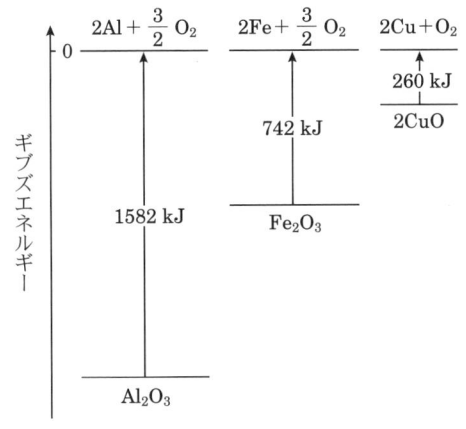

図7 酸化物の安定度合い

むろん **$\Delta_f G°$ 値を覚える必要はない**。意味をわきまえ，付録1の数値を上記のように使えれば，どんな変化だろうと確信をもって向きが予言できる。

6.「向く」と「進む」は別のこと

物質の $\Delta_f G°$ 値からわかる**反応のギブズエネルギー変化を $\Delta G°$** と書こう。反応は **$\Delta G° > 0$ となる向きには進まない**と考えてよい。

ただし，$\Delta G° < 0$ となる向きは，**進むならその向き**だとはいえても，実際に進むかどうかは別の話。たとえば水素の燃焼

$$H_2 + \frac{1}{2}O_2 \rightarrow H_2O \qquad \Delta G° = -237 \,\text{kJ} \tag{⑪}$$

も，$\Delta G°$ は大きな負の値だけれど，気体の水素と酸素をただ混ぜただけでは何も起きない。反応を進めるには「きっかけ」が必要で，たとえば火をつける。火をつける意味は9章の話題にしたい。

本章の冒頭に次の反応をあげた。

$$2H_2O \rightarrow 2H_2 + O_2 \tag{①}$$

反応①は自発変化ではないため，いくら待とうが進まない。ただしギブズエネルギーは，電気や光のエネルギーと同格なので（p.113），一定値より大きい電圧をかけるか，一定値より短い波長の光を使えば，反応①も起こせる。それぞれ，13章と14章の話題にしよう。

【章末問題】

1. 高校化学教科書にある「熱化学方程式」$C + CO_2 = 2CO - 172$ kJ は，式（1）（p.107）の形に書けばどうなるか。また，図6の数値を大まかに読みとり，この変化が常温常圧で右向きに進むかどうかを判定せよ。

   [$C + CO_2 \to 2CO$, $\Delta H = +172$ kJ。進まない]

2. 572 kJ（p.107）の3割が水分子 H_2O（$M = 0.018$ kg/mol）の運動エネルギー $\frac{1}{2}M<v^2>$ に変わったら，分子の平均速度（≒ $<v^2>$ の平方根）はいくらか。 [4400 m/s]

3. 図6を見ながら，冒頭の反応③が自発変化であることを確かめよ。

4. 図6から，ダニエル電池の反応 $Zn + Cu^{2+} \to Zn^{2+} + Cu$ が自発的に進むのを確かめよ。

5. 図6と塩化銀 $AgCl$ の $\Delta_f G°$ 値（-110 kJ/mol）より，下記①が右に進むのを確かめよう。①の $AgCl$ を「$Ag^+ + Cl^-$」と考え，両辺で共通となる $2Cl^-$ を消せば②ができる。

   $2Ag + 2Cl^- + Cu^{2+} \to 2AgCl + Cu$ ①
   $2Ag + Cu^{2+} \to 2Ag^+ + Cu$ ②

   しかし銅 Cu より銀 Ag のほうが安定だから，②は右向きには進まない。Ag^+ の $\Delta_f G°$ 値（$+77$ kJ/mol）を使ってそれを確かめ，$AgCl$ と「$Ag^+ + Cl^-$」のちがいを鑑賞しよう。

6. 付録1のデータから，セメント製造で行う石灰石の分解（$CaCO_3 \to CaO + CO_2$）にはエネルギーの投入が必要なことを確かめよう。

9章 化学反応は,どのように進むのだろう?

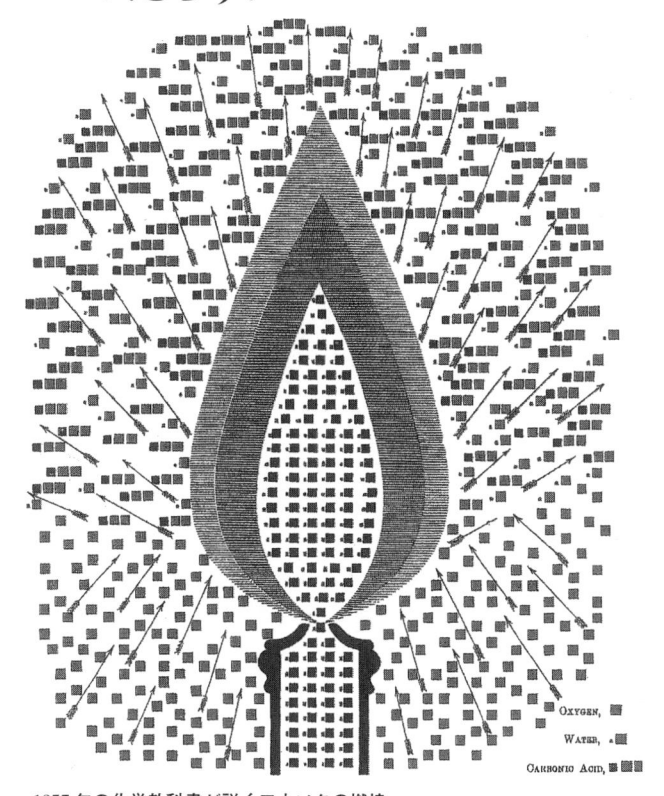

1857年の化学教科書が説くロウソクの燃焼
　燃えるもの(■■)が酸素 OXYGEN(■)と結合して水 WATER(■■)と炭酸 CARBONIC ACID(■■■)になる。原子量の統一前夜といってよい当時は,酸素分子を O,水分子を HO とみる科学者も多かった(炭酸 = 二酸化炭素 CO_2 だけは現在と同じ)。燃えるものの組成(■■ = HC)も少々おかしい。

　何かに火をつけて燃やしたら,やがて本体の大部分が消えうせ,わずかな灰が残る。そういう破壊的な出来事も,ただ原子たちが結合を組み替える現象にすぎない。
　炎の中ではどんな変化が進むのか? また,火をつける理由は? 化学反応がどのようにして始まり,進むのかを,ミクロの目で解剖しよう。

1. 一度バラして組み直す

化学変化はレゴ遊び

組み立てブロック「レゴ」で遊ぶ子どもは，家をこしらえ，飽きたらバラして車をつくる。ブロックを原子とみれば，化学変化もそんなものだ。

水素の燃焼

中学校で学ぶとおり水素の燃焼は $2H_2 + O_2 \rightarrow 2H_2O$ と書くけれど，その途中では $H_2 \cdot O_2$ 分子と $H \cdot O$ 原子のからみ合う複雑な出来事が進む。しかし，どんな道をたどろうとも，$O=O$ 結合と $H-H$ 結合が切れ，$H-O$ 結合が生まれるのはまちがいない。そこで思いきり単純に，バラバラになった O 原子と H 原子から H_2O 分子ができるとみよう（図1）。

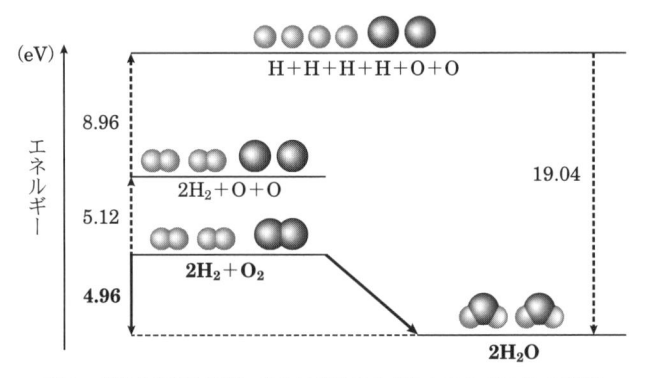

図1　「結合の完全切断→新しい結合の生成」とみた水素 H_2 の燃焼

結合を切るにはエネルギーを使い，新しい結合ができるときは余分なエネルギーが出る。それぞれの大きさは，4章で見た結合エネルギー（$O=O$：5.12 eV，$H-H$：4.48 eV，$H-O$：4.76 eV）からわかる。

投入エネルギーは（$O=O$ 結合1本と $H-H$ 結合2本を切るから）5.12 +

$2 \times 4.48 = 14.08$ eV，発生エネルギーは（H－O結合が4本できるから）$4 \times 4.76 = 19.04$ eVなので，酸素1 molあたり4.96 eV = 479 kJが余る。水素1 molあたりの239 kJは，水素の実測燃焼熱（242 kJ/mol）に近い。

ほかの変化は起こらない？

バラバラのH原子4個とO原子2個からは，$2H_2 + O_2$（最初のまま）や，$H_2 + H_2O_2$（過酸化水素）ができてもよい。できるのだろうか？

$2H_2O$の生成（図1）も合わせ，それぞれのエンタルピー変化$\Delta H°$（反応熱）をeV単位で書けばこうなる（以下しばらくは，どの生成物も気体と考え，エンタルピーを「エネルギー」とみる）。

$4H + 2O \rightarrow 2H_2 + O_2 \quad \Delta H° = -14.08$ eV　　①
$4H + 2O \rightarrow H_2 + H_2O_2 \quad \Delta H° = -15.46$ eV　　②
$4H + 2O \rightarrow 2H_2O \quad \Delta H° = -19.04$ eV　　③

③のルートをとればエネルギーがいちばん減る（**安定化する**）。だから**H原子とO原子は，$2H_2O$になる道を必ず選ぶ**。

さて，図1の反応は，常温の水素と酸素をただ混ぜても進まないのに，火をつけると爆発的に進む。そのわけをじっくり考えよう。

2. バネを切る

バネというもの

バネを伸ばすには力がいる（図2）。力と伸びΔxの関係から出るエネルギーは，Δxが小さい範囲なら$(\Delta x)^2$に比例する（Δxだけ縮めるときも同じ）。つまり，伸びや縮みを横軸，エネルギーを縦軸として描いたグラフは放物線（二次曲線）になる（図3）。

鉛直に吊るしたバネは，少し引っ張ってから手を離すと，自然な長さ（$\Delta x = 0$）を中心に振動を始める（図3の両向き矢印）。また，強い力でバネを引き伸ばせば，どこかで切れる（図3の×印）。

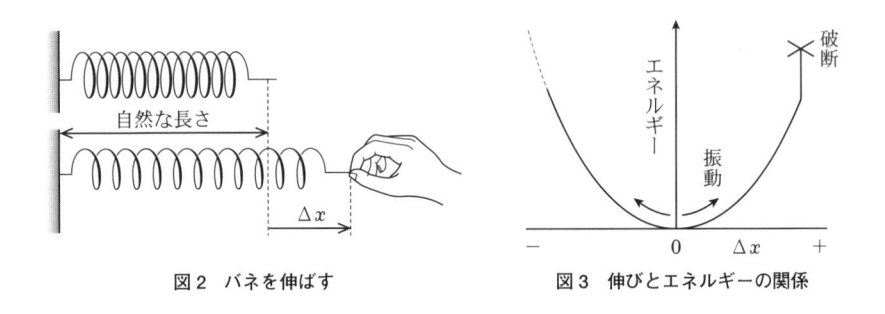

図2 バネを伸ばす　　　　図3 伸びとエネルギーの関係

分子もバネ

H_2 分子の H−H 結合や，O_2 分子の O=O 結合，H_2O 分子の H−O 結合は，毎秒10兆～100兆回も振動をくり返すバネとみてよい。結合の伸びとエネルギーの関係も図3のような放物線になり，**結合が十分に伸びて限界を越えると切れてしまう。**

結合の伸びと「反応座標」

反応 $2H_2 + O_2 \rightarrow 2H_2O$ が進むには，H−H 結合と O=O 結合が切れなければいけない。**切れる前に結合は必ず伸びる。**そこで，結合の伸びを「反応の進む向き」とみなし，**反応座標**と呼ぼう（図4）。

座標の縦軸はエネルギー（エンタルピー H）とした。簡単のため，H−H 結合と O=O 結合の放物線は共通としたうえ，頂点の位置だけちがう同じ放物線が H−O 結合を表すとみる。生成物 $2H_2O$ は反応熱 $\Delta H°$ 分だけ安定だから，H−O 結合の放物線は，反応物（$2H_2 + O_2$）の放物線より低い位置に来る。

反応が右に進むと，反応物と生成物のエネルギー曲線がどこかで交わる。そのとき2本の曲線は混じり合い，壁に穴が開く（高度な話になるため，こまかい理屈は省く）。曲線の交差部分にできる峠は，H−H 結合と O=O 結合が弱まって切れかかり，H−O 結合が生まれかかった状態だ。それを**活性化状態**とか**遷移状態**という。

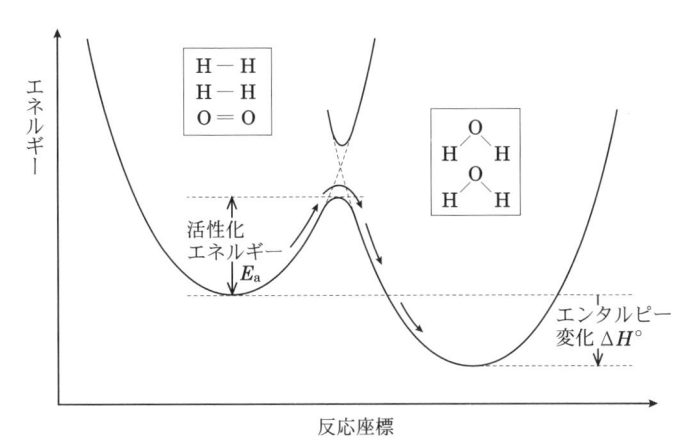

図4 反応 $2H_2 + O_2 \rightarrow 2H_2O$ の進行を表すエネルギー図

3. なぜ火をつける？

図4のエネルギーとは？

分子の場合，縦軸の「エネルギー」とは何だろう？ 7章で見たように分子は，平均値と分布の決まった速さで飛び回り，同類の分子や別種の分子とたえずぶつかっている。

速い（運動エネルギーの大きい）分子とぶつかって十分なエネルギーをもらえば，原子間振動も活発化する。そうやって受けとるエネルギーが，図3の縦軸だと思えばよい。

峠に着けば話は終わり

動きの激しい分子にぶつかり，**強く揺さぶられた原子間振動だけが，図4の中央にある壁（坂）をよじ登る**。いったん峠に達した反応物は，坂を転げ落ちるようにして生成物になると考えよう。

要するに水素と酸素は，**峠に達しさえすれば結合をひとりでに組み替え**，H_2O 分子に変わっていく。峠に達する確率は，峠の高さ（**活性化エネルギー E_a**）と絶対温度 T の指数関数（コラム）で表せる。

9章 化学反応は，どのように進むのだろう？ | 123

ボルツマン因子

分子も電子も高エネルギー状態を嫌う。エネルギーが E_a 以上の値となる確率 p（ボルツマン因子）が式 (1) に書けることを，1900 年ごろボルツマンが提唱した。

$$p = e^{-E_a/RT} \quad (1)$$

$E_a = 0$ なら温度 T に関係なく $p = 1$ だが，化学変化でよく出合う E_a 値（数十〜数百 kJ/mol）の場合，p は温度で激しく変わり，T の逆数を横軸にして描けば図5ができる。

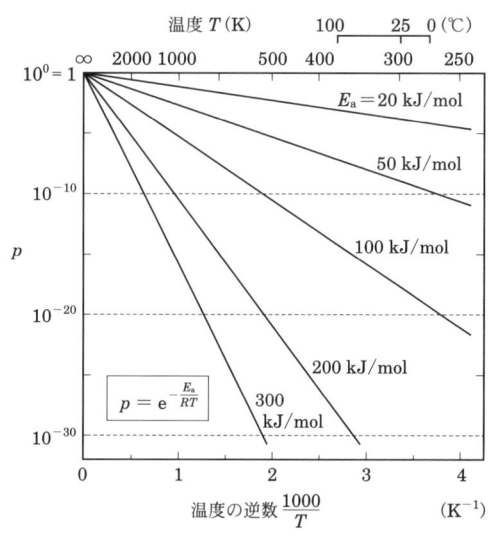

図5 温度 T と活性化エネルギー E_a で激しく変わるボルツマン因子 $p = e^{-E_a/RT}$ の値

反応に関係する粒子数 N を確率 p にかけたら，「E_a の峠に届く粒子数」が出る。N はアボガドロ数くらい（$10^{20} \sim 10^{23}$ 個）なので，p が 10^{-20} よりずっと小さければ，反応はまず進まない。室温（$T = 300$ K）付近なら，$E_a > 150$ kJ/mol（$E_a > 1.5$ eV）でそうなる。

火をつける意味

$2H_2 + O_2 \rightarrow 2H_2O$ に話を戻す。図1から，H–H 結合を切るには 4.48 eV，O=O 結合を切るには 5.12 eV のエネルギーが必要だった。

だがそれは純粋な気体の話。現実の空気は浮遊粒子をあれこれ含む。粒子に触れた H_2 や O_2 は，粒子表面の原子と作用し合う結果，真空中より結合が切れやすくなる（活性化エネルギーが減る）。活性化エネルギーが 2 eV（約 200 kJ/mol）に減るとみたとき，次のような予想が成り立つ。

常温（27 ℃ = 300 K）だとボルツマン因子は 10^{-35} でしかない（関数電卓で確かめよう）。**峠に登れる分子がゼロなので，反応は進みようがない。**

さて，H_2 と O_2 の混合ガスに**火をつける**。炎の温度

（約 1300 K）なら，**ボルツマン因子は 25 桁も上がって 10^{-10} に迫る**。確率 10^{-10}（100 億分の 1）は小さいが，分子はおびただしい。高温部が 1 cm^3 でも分子は 10^{19} 個ほどいて，$10^{19} \times 10^{-10} = 10^9$（10 億）個が峠を越す。

つまり火は原子間振動を活発化させ，**一部の分子に峠を越させる**のだ。

水素が爆発的に燃えるわけ

水素 2 分子が燃えると 4.96 eV のエネルギー（図 4 の $\Delta H°$）が出る。この値は，H–H 結合や O=O 結合を切る実質的な活性化エネルギー（約 2 eV）よりずっと大きい。だから放出エネルギーをもらった反応物は図 4 の峠を次々と越え（連鎖反応），私たちの目に「爆発」と映る現象が進む。

4. 反応の速さ

速さを決める要因二つ

化学反応は分子がぶつかるから進む。そのため，A + B → X という反応の速さ（1 秒間に変身する分子の数）は，次の二つをかけた値になる。

① 1 秒間に A と B がぶつかる回数
② ぶつかったときに A と B が峠を越える確率

①は 7 章で眺めた。復習すると，1 気圧の気体中なら数十億回（ほぼ 10^{10} 回）で，1 mol/L の溶液中ならほぼ 1000 億回（10^{11} 回）。圧力が高いほど，また濃度が高いほど，衝突回数も増えて反応も速い。

温度を上げても分子のスピードが上がって衝突回数は増すけれど，室温付近で 10 ℃ 上がっても，せいぜい 2% しか増えない。つまり衝突回数は $\sqrt{T}$ に比例するため（7 章 p.94），**温度の効きかたは②に比べてぐっと弱いから**，以下では①を無視しよう。

再びボルツマン因子

②はコラムのボルツマン因子を表す。ただし対数表示の図 5 はややわかり

にくいので，**峠越え確率に比例する反応速度**を縦軸，温度や活性化エネルギーを横軸とした2枚のグラフで表そう。

まず**温度の効果**はおおよそ図6の姿になる。温度とともに峠越えの確率が増え，反応速度が上がるのだ。反応速度を v として書ける関係

$$v \propto e^{-E_a/RT} \tag{④}$$

を**アレニウスの式**という。

活性化エネルギー E_a が 100 kJ/mol なら，室温付近で10℃上がるごとに速度が3〜4倍になるのを，式④で確かめよう。

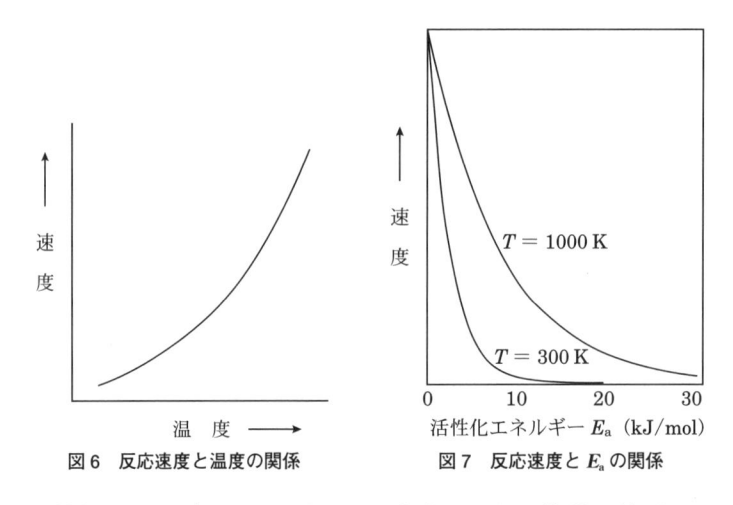

図6　反応速度と温度の関係

図7　反応速度と E_a の関係

次に**活性化エネルギー E_a の効果**は，文字どおりの指数関数だから，E_a が増えるほどに確率は激減する。室温と1000 Kについて図7に描いた。右端が 100 kJ/mol だと，広い範囲で速度（つまり峠越え確率）がほぼ0になって見にくいため，$E_a = 0 〜 30$ kJ/mol の範囲にかぎってある。

$E_a = 0$ なら，反応速度は温度に関係しない。また $E_a = 0$ は，**分子がぶつかれば必ず結合が組み替わる反応**（自然界でいちばん速い反応）を表す。平凡な例として，酸とアルカリの中和は E_a がほぼ0だとわかっている。

$$H^+ + OH^- \rightarrow H_2O \tag{⑤}$$

E_a が 300 kJ/mol（約 3 eV）もあれば，室温で反応はまず進まない。ボルツマン因子が 10^{-52} にもなってしまい，物質 10^{28} **mol をつくる粒子のうち**，

たった1個しか峠を越せないからだ。ちなみに 10^{28} mol は，地球大気が含む窒素と酸素をすべて合わせた量の1億倍にもあたる。

触媒や酵素の仕事

　化学反応は高温ほど速いけれど，温度をむやみに上げるわけにはいかない。工場だと3000℃に耐える反応容器材料はないし，**化学反応の集合といってよい生命活動は**，決まった温度＝体温のもとでしか進めない。

　ならば活性化エネルギー E_a を下げよう。E_a **を下げるとは，結合が切れやすい状況をつくることだ**（図4）。その役目をする物質を，ふつうの化学反応では**触媒**，生体反応では**酵素**という。たとえば，**低温で水素を燃やす仕掛け**（燃料電池）には，H_2 分子の H−H 結合をぐっと弱めてくれる触媒が欠かせない（12章）。

　常温常圧のもと，必要なときに必要な反応を進める生命活動では，数千種類の酵素（タンパク質分子）が目標分子をぴたりとつかまえ，**分極や水素結合**（5章）**の電気力を活用し**，切るべき結合を弱める。

　カタラーゼという酵素は，あぶない過酸化水素 H_2O_2 を水 H_2O と酸素 O_2 に分解する。E_a 値は，酵素がないと 75 kJ/mol = 0.78 eV だが，酵素があれば 20 kJ/mol = 0.21 eV に下がる。体温（37℃ = 310 K）のもとで酵素は，ボルツマン因子（つまり反応速度）を18億倍にも上げる（確かめよう）。なお，1分子のカタラーゼは，毎秒20万個もの H_2O_2 分子を始末する。

　このように**活性化エネルギーを減らす戦略**は，工場でも生体内でも必須となる。ごく簡単な有機反応の例を，あとで眺めよう。

5. 固体が燃えるしくみ

まずは熱分解

　水素 H_2 やメタン CH_4（都市ガスの主成分）が空気中で燃えるときは，それぞれの分子が酸素 O_2 と反応する。けれども，紙や木，ロウ，プラスチッ

クなどの**固体は，そのまま酸素と反応するわけではない**。

木や紙をつくるセルロースは，ブドウ糖の分子がつながった長い分子（高分子）で，ポリエチレンはエチレン分子がつながった高分子。温度が 300 ℃ を超すと，あちこちの原子間結合が切れ始める（**熱分解**）。

熱分解が進めば，水素やメタン，一酸化炭素 CO，ホルムアルデヒド HCHO などの小さな気体分子ができる。そんな**気体分子が空気中で酸素と反応**する現象が，「固体の燃焼」にほかならない（図8。ほぼ炭素 C とみてよい木炭とコークスだけは，そのまま酸素と反応する）。

$$\cdots-CH_2-O-CH_2-CH-CH_2-C-O-\cdots \xrightarrow{熱分解} \boxed{\begin{array}{c}H_2\\CO\\CH_4\end{array}} \xrightarrow{O_2} \boxed{\begin{array}{c}CO_2\\H_2O\end{array}}$$

（COOCH₃ と ‖O が枝として付く）

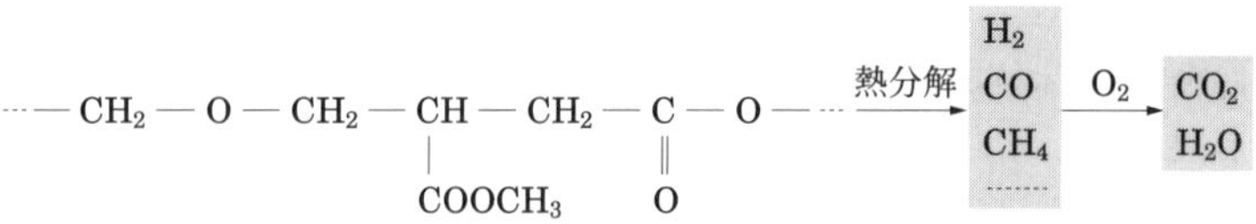

図8 仮想的な有機固体（高分子）の熱分解と燃焼を表すイメージ

元気なホルムアルデヒド

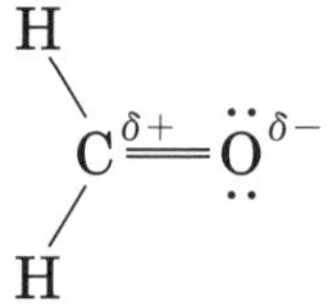

ホルムアルデヒド HCHO（図）の炭素 C は，sp² 混成（4章）で，3本の σ 結合（2個の H 原子と1個の C 原子が相手）と1本の π 結合をつくる。O の電気陰性度は C より大きいため（5章 p.71），結合電子の一部が O に引かれる結果，C は正電荷（δ＋）を，O は負電荷（δ－）をもつ。それだけではない。σ 結合の電子は動きにくいが，π 結合の電子は動きやすいので O 原子に引かれ，その負電荷をさらに増す。

有機分子の反応開始には電荷の引き合いが効くから，HCHO は反応性が高い。尿素樹脂やメラミン樹脂は，HCHO の反応性が高いのでつくれる。生体のタンパク質に作用すれば，タンパク質が変性して機能を失う。ホルマリン（HCHO 水溶液）に入れた生体試料が腐らないのも，HCHO が微生物のタンパク質に襲いかかり，微生物を殺してしまうからだ。

固体の熱分解から出る HCHO で食品の表面をびっしり覆い，微生物の繁殖を防ぐのが，鰹節などの燻製製品。煙が目に入ると，目のまわりや眼球をつくっているタンパク質分子に HCHO が襲いかかるので，目がチカチカする。

燃えにくい有機物

すぐ燃えそうな有機の高分子も，C−C結合やN−N結合が切れにくければ燃えにくい。極限のひとつ，ほぼ炭素原子だけの炭素繊維（カーボンファイバー）は，800℃に熱しても熱分解がまず進まないので燃えにくい。そういう分子・材料の設計は，化学の大きな目標になる。

燃えにくくする

熱分解で結合が切れた瞬間，切れた箇所の原子は，対になっていない電子（**不対電子**）をもつ。不対電子をもつ原子や分子を**ラジカル**という。ラジカルは活性が高く，そばにある鎖に襲いかかって，連鎖的に熱分解を促す。

塩素Clや臭素Brなど特別な原子は，不対電子にとりついて熱分解の連鎖反応を止めやすい。

たとえば塩ビ（ポリ塩化ビニル）は，熱分解で生じる塩素原子（ラジカル）が，近くにできている不対電子部分と結合し，連鎖反応を止めるので燃えにくい。だからこそ日本では，壁紙の90％までに塩ビ製品を使い，火事の被害を減らしている。

塩ビ製品のいろいろ
（提供：塩ビ工業・環境協会）

灰とは何か？

動植物は20〜30種の元素を生命活動に使う（1章）。うち金属（Na，K，Ca，Mg，Fe，Mnなど）と非金属のPは，高温で酸素と反応して酸化物（Na_2O，MgO，P_4O_{10}など）に変わり，それが灰になる。

C・H・Oだけからできたセルロースが主体の紙も，白さを出すための炭酸カルシウム$CaCO_3$が混ぜてある。A4版の上質紙1枚（ほぼ正確に4g）を燃やせば，入っていた$CaCO_3$（約1g）が灰として残る。

6. 有機分子の反応ひとつ

　日本の高校では，有機分子の反応をあれこれ扱いながらも，「**なぜそんなふうに進むのか？**」を教えない。だから大半が暗記モノになる。
　化学反応の進みかたを考えるには，何はさておき次の2点に注目しよう。
　① **分子のまとう電子の衣（5章）が大活躍する。**
　② **反応はエネルギーのいちばん低い経路を通る。**
　そんな目で，いままでの復習を兼ね，高校化学にも例が出てくる有機分子の反応をひとつ眺めてみたい。

二重結合への付加反応

　エチレン $H_2C=CH_2$ に水 H_2O を作用させると，一方の C に H^+ が，他方の C に OH^- がつく反応（付加反応）が進み，エタノールができる。

$$H_2C=CH_2 + H_2O \rightarrow H_3C-CH_2OH \qquad ⑥$$

この反応なら，H^+ がどちらの C につこうが生成物はまったく同じだ。では，イソブテン $H_2C=C(CH_3)_2$ に塩化水素 HCl（$H^+ + Cl^-$）が作用したら，

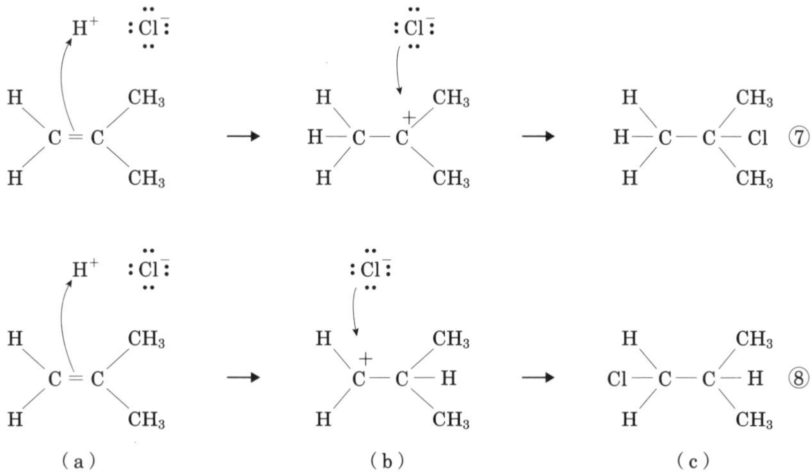

　　　　　　　（a）　　　　　　　　　　　（b）　　　　　　　　　　（c）
図9　塩化水素がイソブテンに付加するルートは，⑦か⑧か？

H⁺ はどちらの C につくのだろう？ 今度は，どちらにつくかで産物がちがう。最初に H⁺ が結合するとして，可能性は二つある（図9）。

どっちが安定？

まず，図9(a) で H⁺ は何をするのか？ C＝C 二重結合は，安定（不活性）な σ 電子（sp^2 電子）と，不安定（活性）な π 電子からできている（4・5章）。だから **H⁺ は，配位結合（4章）のおもむきで π 電子にとりつく**。そのあと H⁺ が左の C に結合すれば⑦，右の C に結合すれば⑧だ。

H⁺ が結合したら陽イオン（b）ができる。⑦では右側の炭素が C⁺ に，⑧では左側の炭素が C⁺ になる。結合を切る話ではないが，**(b) は図4の峠にあたる**。エネルギーの高い（不安定な）状態だから，**陽イオンは正電荷をなくしたい**。H⁺ を捨てて最初の分子に戻ってもいいけれど，それよりは **Cl⁻ と結合したほうが安定になるため右に向かう**。

すると反応は，**陽イオン（b）が相対的に安定な（峠が低い）ほうの道をたどる**はず。では，⑦と⑧のどちらが安定なのだろう？

それには，陽イオンの C⁺ に結合している原子の性質が効く。⑦の C⁺ には，3個のメチル基（CH_3）が結合している。メチル基の炭素 C は，水素 H より電気陰性度が大きいので（p.71），C–H 結合の電子を引き寄せ，少し負電荷が多い。すると C⁺ は，その**負電荷に三方から囲まれるため，居心地がよくなる**（**安定性が上がる**）。

かたや⑧の C⁺ は，結合している原子3個のうち2個までが水素 H だから，そうした安定化をあまり受けない。

つまり**陽イオン（b）は，⑧よりも⑦のほうが安定**だから，HCl の付加反応は⑦のルートをたどって進む。

この例でわかるとおり，暗記モノになりがちな有機反応も，「電子の衣」の性質を考えると道筋を見抜ける場合が多い。

【章末問題】

1. 一酸化炭素分子 C＝O の結合（自然の長さは 1.13 Å）を 0.1 Å だけ伸ばすには 0.60 eV のエネルギーがいる。0.2 Å 伸ばすのに必要なエネルギーは何 eV か。　　[2.4 eV]

2. 活性化エネルギーが 0.2 eV（19.3 kJ/mol）のとき，常温（300 K）でボルツマン因子はいくらか。気体定数 R は 8.31 J/(K・mol) とする。　　[4.3×10^{-4}]

3. 常温で活性化エネルギーが 50 kJ/mol から 30 kJ/mol に下がったとき，反応速度は何倍に上がるか。　　[3000 倍]

4. 温度を 20 ℃ から 30 ℃ に上げたとき，反応速度が 2 倍になるのは，活性化エネルギーが何 kJ/mol の場合か。　　[51 kJ/mol]

5. 図 9 の原子団 CH_3 をメチル基と呼ぶ。本文の説明からわかるとおりメチル基は，結合した炭素原子に電子を与える性質（電子供与性）をもつ。電子供与性の原子団にはほかに何があるか調べよう。また，逆の性質（電子吸引性）をもつ原子団についても調べてみよう。

10章　化学反応は，最後まで進みきるのか？

グランドキャニオンの一角（撮影：小野栄美子）
地球の大気は酸素をたっぷりと含む。どの物質も酸素とたちまち反応するなら，地表にはこんな風景しかありえない。生物体のコアをなす有機物は何ひとつ存在できず，酸化物や硫化物など無機物だけがつくる世界だ。

　化学反応がどちら向きに進むかは8章で，どのように進むかは9章で，あらましを眺めた。では，いったん始まった化学反応は，最後の1分子がなくなるまで進むのだろうか？
　もし進みきらないなら，どんな理由で，どういう状況になったときに止まるのか？　また，中高校の実験で使う物質はたいてい予想どおりに反応するけれど，身のまわりにある物質もそうなのだろうか？

1. 元気もいつか衰える

おなじみの白い沈殿

中学校でもやるとおり，Cl^- イオンを含む水に硝酸銀水溶液をたらすと，塩化銀 AgCl の沈殿ができる。水道水に硝酸銀水溶液を入れても，微量の Cl^- が AgCl の沈殿を生む。透明な溶液から固体ができるのは，いかにも「化け学」らしい。

起こる現象はこう書ける。

$$Ag^+ + Cl^- \rightarrow AgCl \quad ①$$

反応①は 6 章の冒頭にも紹介したが，矢印が右向きでよいことをまだ確かめていなかった。その点を含め，しばらくは①を素材に，**化学反応の行き着く先を考えよう**。

同じ Ag^+ の塩でも，水 1 L に硝酸銀 $AgNO_3$ は 2.4 kg も溶けて透明な溶液となるのに，塩化銀は 0.2 g しか溶けない。その理由は 11 章で考える。

位置について‥‥

ある反応が進む向きは，**物質それぞれの不安定さ（活性）を表す**標準生成ギブズエネルギー $\Delta_f G°$ からぴたりと予言できた（8 章）。

付録 1 で 3 物質の $\Delta_f G°$ 値（kJ/mol 単位）を探すと，Ag^+ イオンが +77，Cl^- イオンが －131（8 章の図 6 をちらりと見れば，－130 あたりだなと見当はつく），AgCl が －110 だとわかる。つまり Ag^+ と Cl^- の和（－54）は，AgCl の値より高い。そのことを図 1 に描いた。

図 1 では，**Ag^+ と Cl^- の濃度をどちらも 1 mol/L とみている**（なぜ 1 mol/L なのかは，あとで説明しよう）。

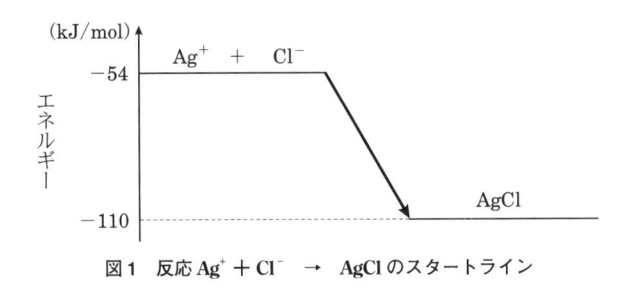

図1 反応 $Ag^+ + Cl^- \rightarrow AgCl$ のスタートライン

用意‥‥‥ドン!

反応①は，9章で考えた**途中**がどうなるのだろう？ 原子間の結合を切る反応ではないから，活性化エネルギー E_a は 0 なのか？

水中の Ag^+ も Cl^- も，H_2O 分子を引きつけて（**水和**して）いる。AgCl 単位で結晶に組みこまれるときは，H_2O の衣を脱がなければいけない（図2）。そこに E_a が必要だけれど，**結合の切断に比べて E_a はずっと小さい**。だから一般に**水中のイオン反応は，常温でもサッと進む**。

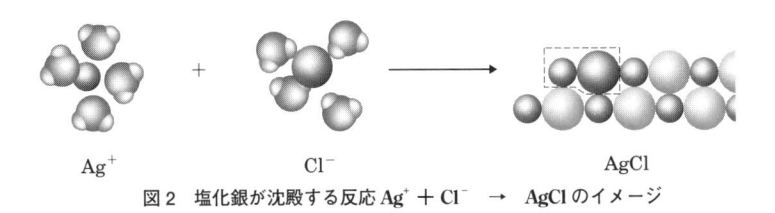

図2 塩化銀が沈殿する反応 $Ag^+ + Cl^- \rightarrow AgCl$ のイメージ

落ちるパワー

エネルギーの低下を目指して反応 $Ag^+ + Cl^- \rightarrow AgCl$ が始まったとしよう。反応が進むほどに Ag^+ も Cl^- も減るため，1秒間に Ag^+ と Cl^- がぶつかり合う回数も減り，図2の反応を進める**パワー**が落ちていく。

かたや，AgCl 結晶が水和 Ag^+ と Cl^- になって**溶け出すパワーは変わらない**（p.138 の $a = 1$ がそれを表す）。すると反応物と生成物のパワー（エネルギー）は，時間とともに図3のような変化を見せるだろう。

やがて「$Ag^+ + Cl^-$」と AgCl のパワーがつり合い（p.139 の図4），見た目は析出も溶解もない（じつは両向きの速さが等しい）状態となる。そんなふ

10章 化学反応は，最後まで進みきるのか？

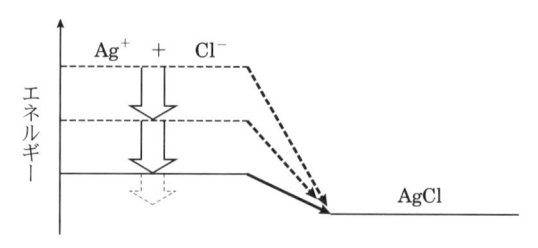

図3　終着点に向けて進む反応 Ag⁺ ＋ Cl⁻　→　AgCl の途中段階

うに**化学反応は，必ずどこかで止まる**。

　本章では，こうした変化をきちんとつかもう。まず図3の流れを数値で眺めたあと，最終的な「つり合い状態」の素顔を浮き彫りにしたい。

2. パワーの尺度

活　量

　物質のパワーは，文字どおり**活量**（英語 activity）と呼び，記号 a で表す。その活量とは，いったい何を意味するのか？

　ふつう化学反応は，体積の決まった容器の中で，いくつかの成分（1，2，3，……）がぶつかり合うから進む。成分それぞれの量（単位 mol）を n_1，n_2，n_3，……としよう。n の値は粒子数に比例し（6章），**粒子数は，占める空間の広さに比例する**（7章）。

　たとえば成分1が占める（自由に動き回れる）広さは，空間全体のサイズに，粒子数の割合 $n_1/(n_1 + n_2 + n_3 + \cdots)$ をかけた値となる。広い空間を占める成分ほど，ほかの粒子にぶつかる回数が多いため，化学反応を進めるパワーが大きい。そこで次式の a_1 を，**成分1の活量**と呼ぶ。

$$a_1 = \frac{n_1}{n_1 + n_2 + n_3 + \cdots} \tag{②}$$

活量の生むエネルギー

　活量だけでは話が見えない。**エネルギーに翻訳できればわかりやすい。**実際，活量はエネルギーに直せる。どんな姿のエネルギーになるのか？

　8章のエントロピー（p.110）を思い起こそう。ある物質のエントロピー S は，**粒子が動き回る広さの桁（対数）**に気体定数 R をかけた量だった。また，S に絶対温度 T をかけたらエネルギーになる。

　活量 a も「粒子が動き回る広さ」の目安だから，a の対数に RT をかけた量は，ある成分が混合物中でもつエネルギーのうち，活量に応じて変わる部分とみてよい。RT の単位は J/mol だから，成分 1 mol のエネルギーになる。そこで，p.110 の定義をもとに，こう書ける。

　　　活量 a の物質 1 mol がもつエネルギー $= RT \ln a$　　　　③

> **化学ポテンシャル**
>
> 　上記のエネルギーは，化学変化の向きを決める量なので，8章で説明したギブズエネルギー G にあたる。化学では，物質 1 mol の G をとくに「化学ポテンシャル」と呼び，ギリシャ文字 μ（ミュー）を使って書く。純粋な物質は $a = 1$ となり（式②），そのとき $\ln a = 0$ だから，変動部分 $RT \ln a$ は 0 になる（式③）。したがって，純粋な物質の化学ポテンシャルを $\mu°$ と書けば，μ は次のように表せる。
>
> 　　　$\mu = \mu° + RT \ln a$　　　　　　　　　　　　　　　　　　　　(1)
>
> 　混合物中の成分なら $a < 1$ で（式②），$RT \ln a < 0$ となるため，$\mu < \mu°$ が成り立つ。また，粒子が減って活量が下がれば，化学ポテンシャル（変化を進めるエネルギー）も減っていく。

活量の代用品：濃度と圧力

　反応が始まったら，反応物と生成物の活量 a は時々刻々と変わる。途中段階の量 n は測れるし，容器内に溶媒が何 mol あるかもわかる。関係する全物質の量を測り，式②で成分の活量 a を計算すれば，ある成分のパワーがどれだけ増え，別の成分のパワーがどれだけ減ったかはつかめる。**だがそれは面倒くさい。**

　溶けた物質（**溶質**（ようしつ））の**モル濃度 c（mol/L 単位）は簡単に測れる**。また**気**

体なら圧力が測りやすい。そのため化学では，活量を次のように考える（くわしくは巻末の参考図書を参照）。

物質の活量（物理化学の約束）
　溶質：活量の代用にモル濃度 c を使う。
　気体：活量の代用に圧力 p（単位 atm）を使う。
　溶媒：式②の定義をそのまま使い，薄い溶液なら $a = 1$ とみる。
　固体：純粋な固体なら $a = 1$ とみる。

活量変化とエネルギー変化

　反応の進みにつれて活量が変わったとき，エネルギーはどれほど変わるのかを当たっておく。

　ある成分の活量 a が 25 ℃（T = 298 K）で 0.1 から 0.01 に減ったとしよう。気体定数 R = 8.31 J/(K・mol) をコラム（p.137）の式に入れると，化学ポテンシャル μ の変化 $\Delta\mu$ は次のようになる（a の変化が 0.5 → 0.05 でも結果は同じ）。

$$\Delta\mu = 8.31 \times 298 \times (\ln 0.01 - \ln 0.1) = -5700 \text{ J/mol} \qquad ④$$

　5700 J/mol = 5.7 kJ/mol = 0.059 eV は，化学でよく出合うエネルギーの値（数百 kJ/mol = 数 eV）よりずっと小さい。

　溶質の場合，活量はモル濃度とみてよいため（上記），濃度が 10 分の 1 になったとき，反応を進めるパワー（エネルギー）が 1 mol あたり 5.7 kJ だけ落ちる。気体成分なら，圧力が 10 分の 1 に下がればそうなる。

3. つり合いの姿

化学平衡

　平衡 equilibrium という言葉は，equal（等しい）に通じる接頭語 equi- と，秤（はかり）を意味するラテン語 *libra* から生まれた（ポンドの記号 £ も *libra* の頭文

字)。つまり，**秤がつり合った姿**をいう。

物質のからむ平衡（**化学平衡**）では，物質の**ギブズエネルギー G** がつり合う。平衡になったときは，反応式の左辺に書かれた物質群の G 値と，右辺に書かれた物質群の G 値が互いに等しい。

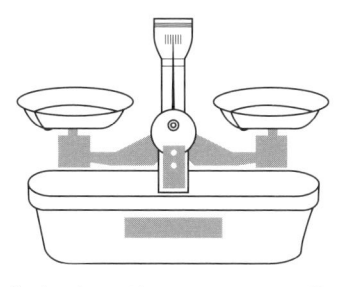

左辺のギブズエネルギー ＝ 右辺のギブズエネルギー　　　⑤

次のコラムで，いままで眺めた反応 $Ag^+ + Cl^- \to AgCl$ を例に，式⑤の関係を眺めよう。式⑤はわかりやすい姿だけれど，ギブズエネルギーが a の対数項 $RT \ln a$ を含むため（式③），その分だけ話はややこしくなる。

平衡状態の計算

反応 $Ag^+ + Cl^- \to AgCl$ の平衡状態は，両向き矢印 $\rightleftarrows$ でこう書く。

$$Ag^+ + Cl^- \rightleftarrows AgCl \tag{1}$$

式⑤の関係は，化学ポテンシャル（物質 1 mol のギブズエネルギー） μ を使って書ける。

$$\mu(Ag^+) + \mu(Cl^-) = \mu(AgCl) \tag{2}$$

$\mu = \mu^\circ + RT \ln a$ だった（p.137 のコラム）。$a = 1$ での μ° は，標準生成ギブズエネルギー $\Delta_f G^\circ$ とみてよい。固体の AgCl は $a = 1$（$\ln a = 0$）だから，$\mu(AgCl) = \Delta_f G^\circ(AgCl)$ となる。Ag^+ と Cl^- の活量 a をモル濃度（記号 [ ]）で代用すると，次式が成り立つ。

$$\Delta_f G^\circ(Ag^+) + RT \ln [Ag^+] + \Delta_f G^\circ(Cl^-) + RT \ln [Cl^-]$$
$$= \Delta_f G^\circ(AgCl) \tag{3}$$

$\Delta_f G^\circ$ の値はみなわかっている（p.134）。また，イオンが Ag^+ と Cl^- だけなら $[Ag^+] = [Cl^-]$ としてよい。以上を式（3）に入れて関数電卓を使えば，25 ℃ で $[Ag^+] = [Cl^-] = 1.2 \times 10^{-5}$ mol/L が出る。それを**平衡濃度（飽和濃度）**という。

このとき図3は，図4

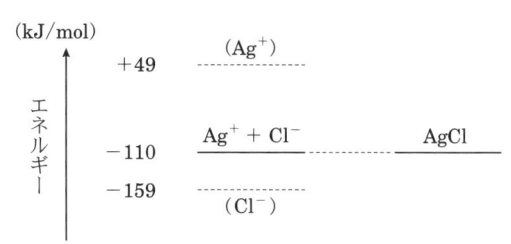

図4　平衡になったときのエネルギー関係（式(2)や式(3)の図解）

の姿に行き着いた。図3ではAg$^+$とCl$^-$のエネルギーを合算したが，図4では個別に示してある。二つの和が，図3のスタートラインでは -54 kJ/molだったところ，平衡ではAgClの値（-110 kJ/mol）まで落ちたわけだ。

　純水にAgClの固体を入れたときも，AgClが少し溶け，まったく同じ[Ag$^+$] = [Cl$^-$] = 1.2×10^{-5} mol/Lの平衡状態になる。

質量作用の法則

　x, y, p, qを係数とした次の一般的な化学平衡を考えよう。

$$x\mathrm{X} + y\mathrm{Y} \rightleftharpoons p\mathrm{P} + q\mathrm{Q} \qquad ⑥$$

コラムの式（1）→（3）の流れを⑥に当てはめる。溶液中の反応を考え，活量 a(X), a(Y), ‥‥の代用にモル濃度 [X], [Y], ‥‥を使う。係数 x が $RT \ln$ [X] 項にもかかり，$x RT \ln$ [X] $= RT \ln$ [X]^x となることに注意して整理すると，次の関係式が出てくる（式の変形はややこしいので途中経過には目をつぶり，結果だけを眺めよう）。

$$\Delta G° = -RT \ln K \quad \text{つまり} \quad K = \mathrm{e}^{-\Delta G°/RT} \qquad ⑦$$

$$\Delta G° \equiv p\Delta_\mathrm{f} G°(\mathrm{P}) + q\Delta_\mathrm{f} G°(\mathrm{Q}) - x\Delta_\mathrm{f} G°(\mathrm{X}) - y\Delta_\mathrm{f} G°(\mathrm{Y}) \qquad ⑧$$

式⑧の $\Delta G°$ は，反応⑥が右向きに進み，係数 n の物質が n mol だけ変化したときのギブズエネルギー変化を表し，反応ごとに一定値となる。また K は化学平衡⑥の平衡定数という。式⑦からわかるとおり K の値は，温度が決まればぴたりと決まる。

$$K = \frac{[\mathrm{P}]^p \cdot [\mathrm{Q}]^q}{[\mathrm{X}]^x \cdot [\mathrm{Y}]^y} \qquad ⑨$$

　式⑨を**質量作用の法則**と呼ぶ。**固体や溶媒は**（濃度など考えず）**活量 $a = 1$ とみるので，式⑨には書かない**。なお，「質量作用の法則」という用語には問題がある（終章）。

　平衡⑥は，$K > 1$ なら右辺（生成物）にかたより，$K < 1$ なら左辺（反応物）にかたよる。かたよる度合い（K の値）を数値化するには，付録1の $\Delta_\mathrm{f} G°$ を使って式⑧の $\Delta G°$ を計算したあと，式⑦に代入すればよい。

水の電離平衡をめぐる誤解

　純水 H_2O は一部が H^+ と OH^- に分かれ，次の平衡（電離平衡）にある。

$$H_2O \rightleftharpoons H^+ + OH^- \tag{1}$$

H_2O の活量 a は1としてよい。H^+ と OH^- の活量をモル濃度（$[H^+]$, $[OH^-]$）で代用すれば，平衡定数 K はこう書ける。

$$K = [H^+][OH^-] = 1.0 \times 10^{-14} \text{ mol}^2/L^2 \text{ （25℃で）} \tag{2}$$

式⑨の K をとくに**水のイオン積**と呼び，記号 K_w で表す。

　しかし高校では，次のように説明する（2007年度の大学入試にも出た）。まず，H_2O の濃度 $[H_2O]$ というものを考え，電離平衡を次式に表す。

$$K_1 = \frac{[H^+][OH^-]}{[H_2O]} \tag{3}$$

次に，水 $1L = 1000\text{g}$ は 55.5 mol にあたり，電離度が小さいから $[H_2O]$ は 55.5 mol/L の一定値と考え，$K_1[H_2O] = K_w$ とする。**だがそれは正しくない。**

　まず，**溶媒に「濃度」は考えられない**。さらに，裸の陽子 H^+ は便宜上の表記にすぎず，H_2O の1分子と合体した H_3O^+ や，2分子と合体した $H_5O_2^+$ が実体だろう（つまり **H^+ と H_3O^+ と $H_5O_2^+$ は同じもの**）。

　「H_2O の濃度」を考えるなら，電離平衡は，(3)のほか次の2形にも書ける。

$$2H_2O \rightleftharpoons H_3O^+ + OH^- \qquad K_2 = \frac{[H_3O^+][OH^-]}{[H_2O]^2} \tag{4}$$

$$3H_2O \rightleftharpoons H_5O_2^+ + OH^- \qquad K_3 = \frac{[H_5O_2^+][OH^-]}{[H_2O]^3} \tag{5}$$

$[H^+] = [H_3O^+] = [H_5O_2^+]$ なので，**$K_1 = K_2 = K_3$ のはずだった平衡定数**が $K_1 \gg K_2 \gg K_3$ となるばかりか，単位も変わって収拾がつかない。

　化学平衡を濃度で書き始めるのはルール違反だと心得よう。

4. 雨のpHと化学平衡

　水素イオン濃度 $[H^+]$ が A mol/L のとき，$-\log_{10} A$ を pH（水素イオン指数）と呼ぶ（$A = 10^{-pH}$ が成り立つ）。雨の pH は，空気中の水滴に溶けて電離する**二酸化硫黄 SO_2**（亜硫酸ガス）**がおもに決め**，その溶解と電離は次の平衡式に書ける。

溶解平衡　　$SO_2(g) \rightleftharpoons SO_2(aq)$ 　　　　　　　　　　　　　　⑩
電離平衡　　$SO_2(aq) + H_2O \rightleftharpoons H^+ + HSO_3^-$　（亜硫酸イオン）　⑪

両方の平衡定数はわかっている。大気の SO_2 濃度（5 ppb = 0.0000005％）を使って計算すると，pH は 4.85（弱酸性）になる。二酸化炭素 CO_2 の弱い効果を加え，pH ≒ 4.8 が化学理論の予想値だ。

環境省が 1983〜2002 年の 20 年間に測ってきた結果のうち，中間の 10 年分を図 5 に示す（前後 5 年間ずつもほぼ同じ）。pH は 4.8 ± 0.2 の範囲に納まり，予想の正しさをよく語る。

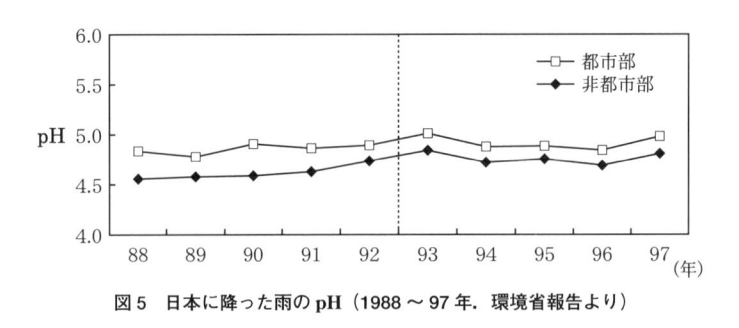

図5　日本に降った雨の pH（1988〜97 年．環境省報告より）

なお 1980 年代以降の日本で，**SO_2 はほとんどが自然現象**（火山や生物の活動）**から出ている**。だからこそ，都市部より非都市部のほうが pH は低い（酸性が高い）。また，雨の pH は縄文時代も江戸時代も 4.8 前後だったろうし，**少なくとも 80 年代以降の日本に，人間活動が生む「酸性雨」は存在しなかった**。

環境省は 2004 年の『酸性雨対策調査総合とりまとめ報告書』に，「全国的に欧米並みの酸性雨が観測されて」いると書いた。だが「欧米並み」は事実でも，「天然の SO_2 が決める pH 値の雨」を「酸性雨」と呼ぶ必要はない。また，雨の pH は太平洋側と日本海側で差はなく，土や湖水が酸性化した証拠もほとんどない。そうした事実に目をつぶり，小中高校の教科書に「酸性雨」の話を載せ，入試に出したりもするのは，貴重な勉学時間の浪費だろう。

5. つり合いをずらす

足したり引いたり

140ページの式⑨をまた眺めよう。反応物（XやY）を追加すると，一瞬は式⑨の分母が大きくなる。しかし**平衡定数は一定**だから，追加分の一部は反応して生成物（PやQ）を生み，式⑨の分子を大きくしてKをもとの値に戻す。式⑥の平衡反応を見直せば，反応が少し右に進むこととなる。反対に，PやQを追加したら，反応は少し左に進む。

つまり，平衡状態にある物質の量を変えると，**その効果を打ち消す向きに反応が進み**，新しい平衡状態となる（ルシャトリエの原理）。

海水や河川水の pH

海水や河川水の pH を測ってみれば，7～9だとわかる（確かめよう）。**雨は弱酸性なのに，なぜ地表の水は中性〜弱アルカリ性なのか？**

天然水の中では，次の化学平衡が成り立つ。

$$CO_2 + H_2O \rightleftharpoons H^+ + HCO_3^- \qquad ⑫$$

この平衡に質量作用の法則（p.140）を使おう。水 H_2O の活量は1だし，水中の CO_2 の活量（≒モル濃度）は，大気中の CO_2 濃度（約390 ppm）が決める一定値になっている。さらに，式⑫の平衡定数（既知）も使うと，途中経過は略して次の式が成り立つ。

$$[H^+][HCO_3^-] = 10^{-11.2} \text{ mol}^2/\text{L}^2 \qquad ⑬$$

純水に CO_2 が溶けただけなら，$[H^+] = [HCO_3^-]$ なので，$[H^+] = 10^{-5.6}$ mol/L，つまり pH = 5.6 になる。

しかし炭酸水素イオン HCO_3^- は，石灰岩 $CaCO_3$ などの化学風化で生まれ，大気中の CO_2 が溶けただけのときに比べて水中の濃度は100倍ほど高く，平均的な川の水なら 10^{-3} mol/L 程度になる。それを式⑬に入れれば $[H^+] = 10^{-8.2}$ だから，pH = 8.2 だとわかる（海水もほぼ同じ）。

また，酸性の雨が川に混じっても，たっぷりある HCO_3^- が酸の H^+ を始

末し，式⑫の平衡を左に移動させるため，pH はあまり動かない。

ふつう，**ほどほどに高い濃度で弱酸と陰イオン**（いまの例では CO_2 と HCO_3^-）を含む溶液や，弱アルカリと陽イオン（たとえば NH_3 と NH_4^+）を含む溶液は，入ってきた H^+ や OH^- を平衡移動で始末し，pH 変動を抑える。その働きを**緩衝作用**，溶液を緩衝液と呼ぶ。

ちなみに血液の pH は，平衡⑫を使う何重もの緩衝作用で 7.40 ± 0.02 にピシリと決まり，飲食物などで動くことはほとんどない（世間で言われる「**酸性食品・アルカリ食品**」の話は 1920 年代の日本に生まれたウソ。**海外には，そういう考えかたも用語も存在しない**）。

6. あってはいけない物質たち

ダイヤモンドは永遠に？

8章と本章の話（いわゆる**熱力学**）だけでダイヤモンドを考えよう。ダイヤモンドも黒鉛も炭素の単体だから，次の平衡式が書ける。

$$C(黒鉛) \rightleftharpoons C(ダイヤモンド) \qquad ⑭$$

$\Delta_f G°$ 値は，黒鉛が 0 （約束）でダイヤモンドが $+2.9$ kJ/mol（付録1）。すると，右向き反応のギブズエネルギー変化 $\Delta G°$ は $+2.9$ kJ/mol となるため，p.140 の式⑦より，298 K での平衡定数 K がこうなる。

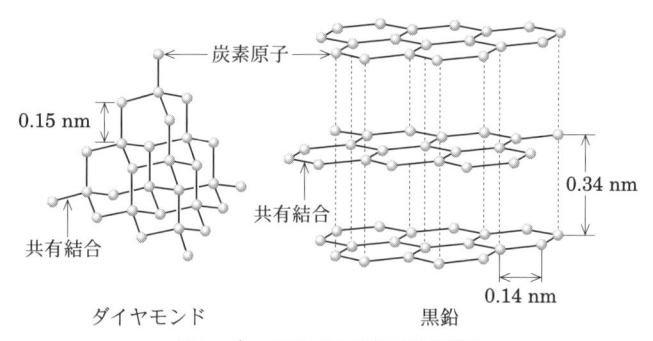

図6 ダイヤモンドと黒鉛の結晶構造

$$K = \frac{a(\text{ダイヤモンド})}{a(\text{黒鉛})} = e^{-2900/(8.31 \times 298)} = 0.31 \qquad ⑮$$

純物質だと活量の比は「量の比」だから，**常温の平衡状態は「黒鉛：ダイヤモンド ≒ 3：1」**。つまり**熱力学でみるかぎり純粋なダイヤモンドは「あってはいけない」**のだけれど，ダイヤモンドが黒鉛に変わる気配はない。なぜなのか？

原子間結合はダイヤモンドと黒鉛でまったくちがう（図6）。結合を組み替えたくても，「最初の一歩」が踏み出せない。つまり活性化エネルギー E_a が莫大な値だから，見かけ上ダイヤモンドは安定に存在する。

生物が存在する不思議

生命物質（単糖，多糖，アミノ酸，タンパク質）と酸素の反応は $\Delta G° < 0$ の自発変化で，$\Delta G°$ の絶対値がかなり大きい。たとえば，木や紙をつくるセルロースの構成分子，ヒト体内のあちこちにもあるグルコース（ブドウ糖）$C_6H_{12}O_6$ は，酸素と次のように反応する。

$$C_6H_{12}O_6 + 6O_2 \rightarrow 6CO_2 + 6H_2O \quad \Delta G° = -2880 \text{ kJ} \qquad ⑯$$

空気中には酸素がたっぷりとある。**反応⑯がサッと進むなら，ほぼ右辺の物質だけの平衡状態となるため，地球上に生物は存在できない。**

反応⑯を進めるには，あちこちの結合を切り，新しい結合をつくらなければいけない。結合の切断・生成には活性化エネルギーが必要なので，反応⑯はずいぶん遅い。だからこそ**生物はかろうじて存在できる**のだ（ただし生体は，酵素という優秀な道具を使い，必要なときに必要な量だけ反応⑯をサッと進め，出るギブズエネルギーを生活に使う）。

私たち自身も，身近な品物あれこれも，酸素との反応速度がたいへん遅いため，環境と平衡にならない（**非平衡状態**）。だから木のテーブルや椅子，柱やドアはそこにある。数千年前の布やパピルスも，数万年前の木造遺構もまだ非平衡状態にあるおかげで，昔の暮らしを教えてくれる。

【章末問題】

1. 0.10 mol/L のショ糖（砂糖）水溶液がある。定義（p.136 の式②）どおりに計算したら，ショ糖の活量 a はいくらか。水 1 L は 56 mol とする。
$$[a = 0.0018 = 1.8 \times 10^{-3}]$$

2. 濃度 1 mol/L の食塩水は，0.001 mol/L の食塩水に比べ，kJ/mol 単位のエネルギーがどれだけ高いといえるか。温度は 300 K とする。　　　[17.2 kJ/mol]

3. $\Delta G°$ 値を -50 kJ/mol，0 kJ/mol，$+50$ kJ/mol として，式⑦から，平衡定数 K の数値部分をそれぞれ計算してみよ。温度は 300 K とする。
$$[\text{順に } 5.1 \times 10^8, \ 1, \ 1.9 \times 10^{-9}]$$

4. p.141 のコラムにある式（2）はいつでも成り立つ。$[OH^-] = 5.0 \times 10^{-6}$ mol/L のとき，$[H^+]$ と pH はいくらになるか。　　[$[H^+] = 2.0 \times 10^{-9}$ mol/L, pH = 8.7]

5. 水のイオン積 K_w は高温ほど大きい。水の電離 $H_2O \rightarrow H^+ + OH^-$ は発熱反応か，それとも吸熱反応か。　　　　　　　　　　　　　　　　　　　　　　　　[吸熱反応]

11章　水に溶けやすい物質と溶けにくい物質は，どうちがう？

ポーランド・ヴィエリチカ岩塩坑の再現模型（撮影：中村康夫）
　ポーランド・クラクフの南東 10 km にあるヴィエリチカ岩塩坑は，厚み 300 m，総延長 300 km を誇り，早くも 14 世紀から採掘を続けている。はるかな昔，地殻変動の生んだ内海がじわじわ干上がって，溶解度の低いイオン結晶から順に沈殿した。写真は 2005 年の愛知万博でポーランド館に展示された岩塩の実物と，採掘現場の再現模型。

　同じ塩化物でも，25 ℃の水 100 g に食塩 NaCl は 40 g 近くも溶けるのに，塩化銀 AgCl はたったの 0.02 g しか溶けない。溶けやすさの差は，いったいどこから来るのだろう？

　アルミニウムイオン Al^{3+} が細胞に及ぼす作用を調べてみたい。ある濃度で Al^{3+} を含む中性の水溶液はつくれるだろうか？

　海水はなぜ 0 ℃で凍らない？‥‥などなど，ものが溶けた液体の性質あれこれも眺めよう。

1. うちと世間を秤にかける

前章の化学平衡 $Ag^+ + Cl^- \rightleftharpoons AgCl$ を逆向きに書けば，「純水に入れた塩化銀 AgCl が溶ける化学平衡」となる。

$$AgCl \rightleftharpoons Ag^+ + Cl^- \qquad ①$$

平衡が大きく右にかたよる物質は溶けやすく，そうでない物質は溶けにくい。本章では，こうした平衡が物質ごとにちがう理由を眺めたあと，イオン結晶以外の物質についても溶けやすさ・溶けにくさを調べよう。むろん例によって，**考察のカギはエネルギーの出入り**になる。

以下，1個の AgCl 単位や NaCl 単位に注目したとき，結晶の中を「**うち**」，水の中を「**世間**」とみる。

うちの居心地

3章の NaCl を思い出そう。NaCl は，球形の Na^+ と Cl^- が互いに引き合う Na^+Cl^- の姿で安定化し，ペア1個をつくるときの安定化エネルギーは 331 kJ/mol（3.43 eV）だった。では，無数の Na^+ と Cl^- が集まったら，どれほど安定化するのか？

3章の図8とは雰囲気を少し変え，NaCl 結晶を図1に描いた。実際にはぴったり接している球どうしをやや離し，仮想の「支え串」も描いてある。

中心の Cl^- イオンに注目しよう。いちばん近い距離に Na^+ が6個いる。次に近い距離には Cl^- が12個，お次には Na^+ が8個（その先は見えない）‥‥と無限に続く。

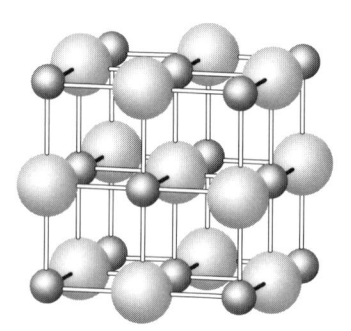

図1　NaCl の結晶構造（再び）

Na^+ と Cl^- は引き合い，Cl^- どうしは反発し合う。**引き合えばエネルギーが下がり**（安定化），**反発し合えばエネルギーが上がる**（不安定化）。

電気エネルギー

距離 r だけ離れた電荷 Q_1 と Q_2 が作用し合うとき，電気エネルギー U は次式に書ける（ε は誘電率＝空間が電気力を弱める度合い）．

$$U = \frac{Q_1 Q_2}{4\pi\varepsilon r} \tag{1}$$

Q_1 と Q_2 が異符号なら $U<0$（安定化），同符号なら $U>0$（不安定化）になる．

コラムの式 (1) を使うと，**真空中に散らばった Na^+ と Cl^- を図1の形に集めるときのエネルギー変化**（逆に見れば，NaCl結晶を Na^+ と Cl^- にバラすエネルギー）が計算できる．こうした計算の結果はふつうエンタルピー変化で表す．

それを NaCl の**格子エネルギー**といい，計算値は -776 kJ/mol になる．1対の Na^+-Cl^- では -478 kJ/mol（4.95 eV）だったため (p.42)，ぎっしり集合したら 1.6 倍ほど余分に安定化する．実測値は -788 kJ/mol だから，計算値との差は 2% もない．

塩化銀 AgCl の格子エネルギーを計算すると -720 kJ/mol になり，**Ag^+ や Cl^- が「うち」で感じる居心地は NaCl に近い**．なのに**水溶性がずいぶんちがう**のは，次に説明する世間（水）との働き合いに差があるからだ．

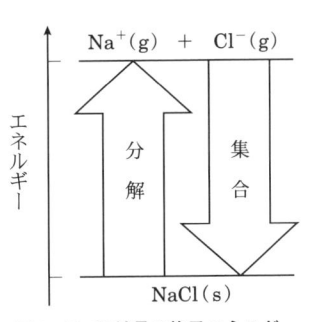

図2 NaCl結晶の格子エネルギー

世間の魅力

乾燥状態なら無色透明なままでいる岩塩の結晶も，湿気にはたちまちやられて曇る．水分子 H_2O が Na^+ や Cl^- にとりついたとき，イオンは **H_2O に囲まれたがる（そのほうが安定になる）**からだ．

陽イオンは H_2O の負電荷を引きつけ，図3の**水和構造**をとる．

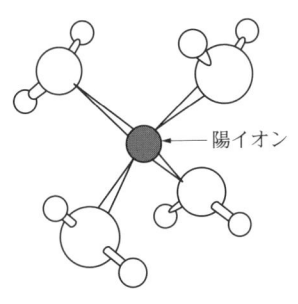

図3 水和した陽イオン

11章 水に溶けやすい物質と溶けにくい物質は，どうちがう？

水和は，イオンと H_2O がただ近づく出来事ではない。異符号の電荷が引き合い，**エネルギーを下げる**ところに本質がある。

水和で安定になる度合いは，イオンの電荷が大きいほど，サイズが小さいほど激しい。イオンの価数が z，半径が a（Å単位）のとき，安定化エネルギーはこう表現できる（1920年，ボルン）。

$$\text{イオンの安定化エネルギー} = -\frac{z^2}{a} \times 686 \, \text{kJ/mol} \tag{2}$$

計算すれば，Na^+ イオン（$z = +1$, $a = 1.16$ Å）は -590 kJ/mol，Fe^{3+} イオン（$z = +3$, $a = 0.63$ Å）なら -9800 kJ/mol にもなるとわかる。

このように水和の威力は絶大だから，結晶内（うちの中）で居心地がいいイオンも，**ひとたび水**（世間）**に接したら，そちらにも魅力を感じる**。

どちらが好きか？

ここからは，**変化の向きを正しく表すギブズエネルギー**を使う。イオン結晶が真空中でバラバラになり，できたイオンが水に入る‥‥のイメージで NaCl と AgCl の溶解を描けば図4になる。

水和エネルギーが大きく，イオンの居心地は結晶内と水中でほぼ同じに見える。しかし平衡定数はギブズエネルギー差 $\Delta G°$ の指数関数だから，図4の足元（NaCl(s) と，Na^+(aq) + Cl^-(aq) など）に出る小さな差が，溶解性を大きく変える。その基礎になる式を次のコラムで振り返ろう。

溶解度積 K_{sp} と $\Delta G°$ 値

AgCl の溶解を平衡 $AgCl \rightleftharpoons Ag^+ + Cl^-$ で表せば，平衡定数 K は次式に書ける（AgCl は固体だから無視してよい。p.138）。K を溶解度積（solubility product）といい，英語の頭文字を添えて K_{sp} と書く。

$$K = [Ag^+][Cl^-] \tag{1}$$

10章の式⑦（p.140）より，溶解反応 $AgCl(s) \to Ag^+(aq) + Cl^-(aq)$ のギブズエネルギー変化を $\Delta G°$ として，次式が成り立つ。

$$\Delta G° = -RT \ln K_{sp} \quad \text{つまり} \quad K_{sp} = e^{-\Delta G°/RT} \tag{2}$$

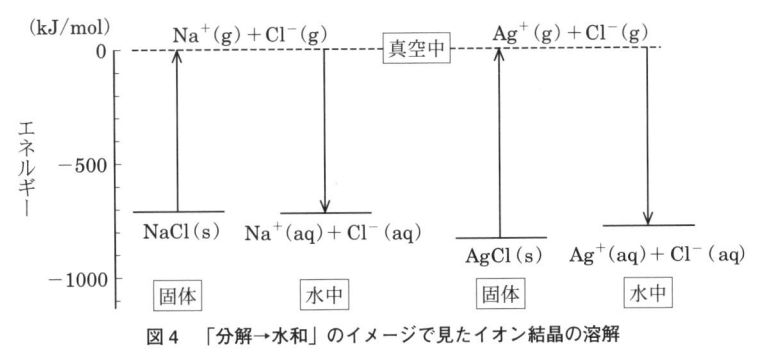

図4　「分解→水和」のイメージで見たイオン結晶の溶解

溶けやすさを数値であたる

図4で読みとりにくいAgClの $\Delta G°$ は，+56 kJ/mol ＝ +56,000 J/mol となる（**正の値＝水が嫌い**）。その値と，R ＝ 8.31 J/(K・mol)，T ＝ 298 K（25℃）をコラムの式 (2) に入れ，K_{sp} ＝ 1.5 × 10^{-10} mol^2/L^2 が出る（確かめよう）。純水に溶かしたとき Ag^+ と Cl^- の濃度は等しいため，[Ag^+] ＝ [Cl^-] ＝ 1.2 × 10^{-5} mol/L となる。それが塩化銀の**飽和濃度**だ。

図4でもっと読みとりにくいNaClの $\Delta G°$ は−9 kJ/molだ（**負の値＝水が好き**）。同様な計算で，実測にほぼ合う K_{sp} ＝ 38 mol^2/L^2，[Na^+] ＝ [Cl^-] ＝ 6.2 mol/L が得られ（確かめよう），**飽和濃度はAgClの50万倍に近い**。このように，**溶解の$\Delta G°$値が数十kJ/mol**ほど変わるだけで，イオン結晶の溶けやすさは激しく変わる。

上の話から想像できるとおり，$\Delta G°$ ＜ 0 の物質（中高校の化学実験に使う物質の大部分）は，1 mol/L以上の濃度で溶ける。

$\Delta G°$ が大きな正値の物質は溶けにくい。朱肉に使う硫化水銀HgSは $\Delta G°$ が +300 kJ/mol もあり，K_{sp} ＝ 2.0 × 10^{-53} mol^2/L^2，飽和濃度 4.3 × 10^{-27} mol/L（水400 LにHgS単位が1個！）となるため，水にまったく溶けないと考えてよい。

11章　水に溶けやすい物質と溶けにくい物質は，どうちがう？

2. 中途半端なイオンたち

単原子イオンの3分類(再)

　3章を復習しよう。単原子イオンは次の三つに分類できた (p.44)。

　① 電荷が少なくてサイズが大きく, 水和だけ受けるイオン (Na^+ や Cl^-)

　② **電荷がやや多くてサイズがやや小さく, H_2O 分子の H^+ を1個だけ追い出して OH^- を結合しやすい陽イオン**

　③ 電荷がたいへん多くてサイズがたいへん小さく, H_2O 分子の H^+ を2個とも追い出して O^{2-} を結合しやすい陽イオン (C^{4+} や N^{5+})

　①は水に溶けやすい。③も, できる多原子イオン (CO_3^{2-} や NO_3^-) の電荷が少なく, サイズが大きくて電荷が分散するため, **やはり溶けやすい**。

　中間的な②がおもしろい。2～3個の OH^- を結合して陽イオンの電荷が中和され, 電荷のかたよりも減るとしよう。そうなれば H_2O 分子との相性が悪く, **仲間はずれにされる**結果, 水酸化物の沈殿になる。

　②の代表といえる Fe^{3+} や Al^{3+} は (いくぶんは Ca^{2+}, Cu^{2+}, Fe^{2+}, Zn^{2+} も), $Fe(OH)_3$ や $Al(OH)_3$ になって沈殿しやすい。

河川水の分析データ

　川の水は, 成分がきれいに溶けた水溶液部分と, 溶けずに懸濁している微粒子部分からなる。それぞれの金属イオンを分析し,「溶液中の量／粒子中の量」の相対値 ($K^+ ≒ 1$ とみた値) にしたら, 表1のようになる。

表1　イオンの溶けやすさ・溶けにくさ (河川水の分析例)

分類	①(溶けやすい)			②(溶けにくい)			③(溶けやすい)		
イオン	Cl^-	Br^-	Na^+	Al^{3+}	Fe^{3+}	Ti^{4+}	C^{4+} (CO_3^{2-})	N^{5+} (NO_3^-)	S^{6+} (SO_4^{2-})
溶液中の量／粒子中の量	700	50	8	0.005	0.009	0.02	15	120	400

　さっきの予想どおり, ①と③のイオンは値が大きく (溶けやすく), ②のイオンは値が小さい (溶けにくい) ことがよくわかるだろう。

ほしい溶液はつくれる？

毒性をもつという Al^{3+} イオンが細胞に及ぼす作用を調べたい。細胞内の環境に合わせ，0.1 mol/L の Al^{3+} を含む pH 6 の水溶液がほしい。つくれるのか？

そのとき，次の電離平衡を考える。

$$Al(OH)_3 \rightleftharpoons Al^{3+} + 3OH^- \tag{1}$$

$$K_{sp} = [Al^{3+}][OH^-]^3 = 2.0 \times 10^{-32} \text{ mol}^4/\text{L}^4 \tag{2}$$

pH は緩衝液 (p.144) で調節する。pH 6 は $[H^+] = 10^{-6}$ mol/L だ。水のイオン積 $K_w = 10^{-14}$ mol^2/L^2 から出る $[OH^-] = 10^{-8}$ mol/L を式 (2) に代入し，$[Al^{3+}] = 2 \times 10^{-8}$ mol/L となる。つまり $[Al^{3+}]$ が 2×10^{-8} mol/L を超したら $Al(OH)_3$ が沈殿するため，0.1 mol/L 溶液はつくれない。

$[Al^{3+}]$ を 0.1 mol/L に固定すれば，式 (2) から $[OH^-] = 5.8 \times 10^{-11}$ mol/L。すると $[H^+] = 1.7 \times 10^{-4}$ mol/L（pH = 3.8）なので，pH < 3.8 の酸性にしたら溶液をつくって実験できるが，それだと「細胞内の環境」からは遠い。

3. 世間に出たら何をする？

水に溶けて電離する物質を電解質，電解質が溶けた水を電解質水溶液（電解液）という。電解液中のイオンがする仕事のうち三つを紹介しよう。

電気を運ぶ

小学校でも実験するとおり，食塩水に入れた 2 本の電極を電池につなげば電流が流れ，豆電球がついたりブザーが鳴ったりする。電解液の中で陽イオンと陰イオンが逆向きに動き，電気を運ぶからだ。

しかし，「**食塩水は電流を通す**」という表現は科学ではない。電極と電解液の**境界**を通じて電子がやりとりされないかぎり，溶液中のイオンは動けない。そして電子のやりとりは，一定値より大きい電圧をかけてようやく始まる。**1.5 V の乾電池を 1 個つなぐだけでは食塩水に電流は流れない**。電圧の「一定値」がどう決まるのかは 13 章で見る。

次に紹介する二つの現象は，電解質のほか，水に溶けやすい物質（p.158 参照）でありさえすれば，同じように起こる。

薄まりたがる

　水溶液は，**真空中を猛スピードで飛び交う水分子 H_2O と溶質（分子，イオン）の集団**だ（そのイメージをいつも思い出そう）。水分子は，もはや居場所を広げる余地がない。だが溶質は，条件さえ整えば居場所を広げてエントロピーを増やせる。つまり**溶質はいつも薄まりたがっている**。

　溶質のサイズが水分子よりぐっと大きいとき，水分子だけが通る壁で水溶液と純水を仕切ったら，溶質のそんな願いもかなう。

　簡単のため，電解質ではなくショ糖（スクロース＝砂糖）の水溶液を使い，図5のような仕掛けをつくる。水分子しか通さない膜を半透膜という。半透膜のところでは，まるで意思をもつショ糖分子が引きずりこむかのように，水分子が右手の水溶液に入ってくる（浸透現象）。

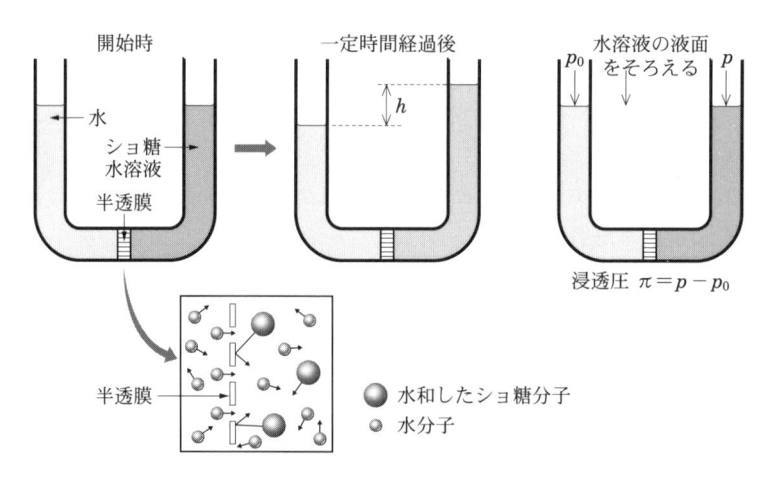

図5　溶質が浸透圧を生む仕組み

　浸透が進むと，液面の高さに差ができる。それが下向きの力となって浸透を抑えるため，液面差が一定値 h になったところで浸透は止まる。すると，液面を最初と同じ位置へ戻すには，大気圧 p_0 を超す圧力 p をかけなければいけない。その差 $\pi = p - p_0$ を**浸透圧**と呼ぶ。

　溶質の濃度が c（単位 mol/m^3）のとき，浸透圧 π（単位 Pa）は次式に書ける（ファン・ト・ホッフの式）。

$$\pi = cRT \qquad ⑤$$

体積 V に n mol の溶質が溶けた試料なら，$c = n/V$ なので，式⑤は理想気体の状態方程式（7章）と同じ $pV = nRT$ になる。

浸透圧は意外に大きい。水 100 mL にショ糖 3 g を溶かした溶液の浸透圧は 4 気圧に近い。**血液は 37 ℃で約 7.6 気圧**だ。電解液ではイオンの総量が浸透圧に効き，0.15 mol/L の食塩水（水 100 mL に食塩 0.88 g）は，血液と同じ浸透圧になるので**等張液**という。漬物の野菜がしなびるのも浸透圧の働きによる。

溶媒のパワーを減らす

混合物をつくる成分のパワーを表す活量 a は本来，「粒子数の割合＝モル分率」だった。10章で水溶液中の平衡を眺めたとき，水の活量はいつも1とみた。ふつうはそう考えても誤差はほとんどない。

ただし何かが溶けたら，水分子が動き回れる空間もほんの少し減る。つまり，**水の活量が1からほんの少しだけ下がる**。それがありありと効く現象に，**沸点上昇**と**凝固点降下**がある。砂糖水が 100 ℃でも沸騰せず，海水が 0 ℃でも凍らない現象をいう。

物質の安定・不安定を正しく表すギブズエネルギー G（8章）を使えば，両方ともすっきりと理解できる。それをやってみよう。G は，エンタルピー H とエントロピー S，絶対温度 T を使ってこう書けた（p.111）。

$$G = H - ST \qquad ⑥$$

H は「物質がもつ熱」，S は「物質の乱雑度」だった。そして平衡状態では，**G の値が両辺で等しい**。せまい温度範囲なら H も S も一定とみてよいため，それぞれを定数 a と b で書く。温度 T を変数ふうの x に変え，G を y と書けば，中学校で習う「右下がり直線」の式になる。

$$y = a - bx \qquad ⑦$$

直線の傾きを表す b（＝エントロピー S）に注目しよう。いま「一定」と言ったのは，固体・液体・気体それぞれでの話。固体→液体や液体→気体の変化では，「ある一定値」から「別の一定値」に変わる。

エントロピー S は乱雑度だから，液体は固体より大きく，気体はずっと大きい（$S_\text{固} < S_\text{液} \ll S_\text{気}$）。そのため**純水の G は図6の太線をたどり，折れ曲がり点**が凝固点（0℃）と沸点（100℃）を表す。

何かを溶かせば，水が水溶液に変わる。そのとき水の活量が1より小さくなる結果，**水のギブズエネルギーが減り，太線が細線に変わる**。

細線と太線の交点が，新しい凝固点・沸点になる。凝固点は下がり，沸点は上がった。また，太線の勾配が効いて，**沸点の上昇度よりも，凝固点の降下度のほうが激しい**。

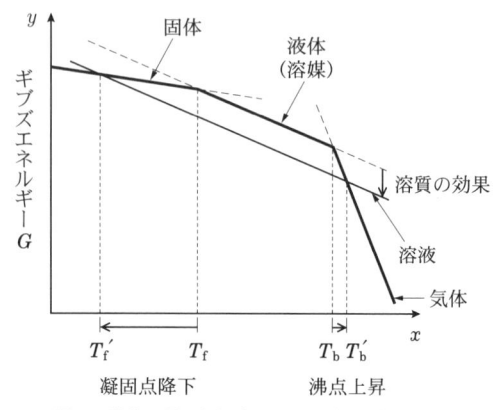

図6 沸点上昇・凝固点降下のエネルギー図

太線から細線への変化は，溶媒のパワー低下を表す。溶媒分子が外に飛び出す勢いも減り，液体に接した気体中で溶媒分子が示す圧力（**蒸気圧**）も落ちる。だから太線→細線の変化は「**蒸気圧降下**」と表現してもよい。

沸点上昇も凝固点降下も，水溶液にかぎった話ではない。たとえば電解を使うアルミニウムの採取では，**融点 2015 ℃の酸化アルミニウム Al_2O_3 を，融点 1000 ℃の氷晶石 Na_3AlF_6 に溶かす**。そのとき氷晶石の凝固点（＝融点）が 935 ℃にまで下がり，加熱に必要なエネルギーが少なくてすむ。

4. 天然のイオン現象

化学風化・河川水・海水

天然の岩は，－Si－O－Si－といった共有結合も含むが，多くはイオン結晶でできている。また，炭酸カルシウム $CaCO_3$ やケイ酸マグネシウム

Mg_2SiO_4 など,「強アルカリ＋弱酸」の生んだ**アルカリ性の鉱物が多い**。

水溶性ゼロのイオン結晶は少ないし，自然な雨も pH 4.8 の弱酸性だから（10章），岩は雨水にじわじわと溶け（富士山も数万年で姿を消す），多様なイオンが川を通って海に行く。地球全体の平均値にして，河川水と海水のイオン組成は表2のようになる（ケイ素 Si はケイ酸 H_4SiO_4 の形）。

表2　河川水と海水の組成（mmol/L）

	河川水	海水
Na^+	0.23	470
Mg^{2+}	0.14	53
K^+	0.03	10
Ca^{2+}	0.33	10
HCO_3^-	0.85	2
SO_4^{2-}	0.09	28
Cl^-	0.16	550
Si	0.16	0.1

海水のイオン濃度は河川水の数千倍も高い。また**海水は，1年間に流れこむ河川水の4万倍もある**ため，数万年でイオンはほとんど増えない。ときには海が干上がって岩塩層ができ，イオンが除かれた。

岩塩の形成

地殻変動から生まれた内海がゆっくり干上がれば，溶解度積 K_{sp}（p.150）の小さいイオン結晶から順に沈殿していく。**深さ1 km の海**が干上がるとき，どんな物質がどういう順で沈殿するかを図7に描いた。

まず炭酸カルシウム $CaCO_3$（$K_{sp} = 4.7 \times 10^{-9}\ mol^2/L^2$）が沈殿し，水が7割ほど飛んだあたりで硫酸カルシウム $CaSO_4$（セッコウ。$K_{sp} = 2.4 \times 10^{-5}\ mol^2/L^2$）が沈殿する。水の残りが1割になると NaCl の沈殿が始まり，最後の最後に，溶解度の高い塩化カリウム KCl やマグネシウム塩，臭化物など（にがり塩）が沈殿して，厚み 15.7 m の鉱物層ができる。

章扉に紹介したヴィエリチカ岩塩層の厚みが 300 m もあるのは，蒸発・沈殿がくり返したり，地殻変動で褶曲したりしたせいだろう。

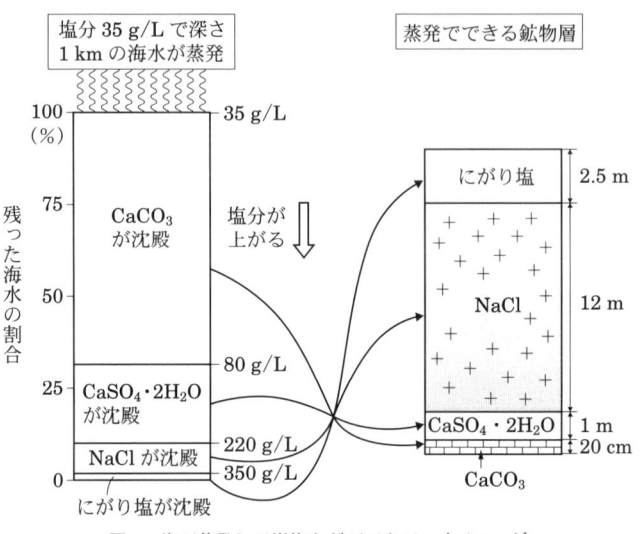

図7 海が蒸発して岩塩などができていくイメージ

5. 似たものどうし

いままでは，おもにイオンと水 H_2O の働き合いを眺めた。イオン以外のものもざっと眺めよう。ミクロの目で見た粒子どうしの働き合いを相互作用と呼ぶ。イオンの場合と同様，たいていの相互作用には**電気力**が効く。

糖類が水に溶けるわけ

グルコース分子（図8）のヒドロキシ基 OH は，帯電状態が H_2O 分子の OH 部分と近い。互いによくなじむ結果，グルコースは水によく溶ける。ただし，炭素原子が連なった分子骨格と H_2O は相性が悪いから，水 100 g には 100 g ほど溶けて終わる。

図8 グルコース（ブドウ糖）

メタノール CH_3-OH やエタノール CH_3-CH_2-OH は，「H_2O とちがう

部分」が少ないため，水とはどんな割合でも混じり合う。

水が嫌いな分子たち

炭素鎖が3個になったプロパノール $CH_3-CH_2-CH_2-OH$ もまだ水と完全に混じり合う。しかし4個になると水溶性はぐっと落ち，8個のオクタノールはもはやほとんど溶けない（表3）。

電気陰性度（5章 p.71）は C が 2.55，H が 2.20 なので，差は 0.35 しかない。そのため C−H 結合の極性は小さいし，C−C 間に電荷のかたよりはほとんどないから，**水分子 H_2O は炭素鎖の部分を嫌う**のだ。

ただし，極性の小さい分子どうしには弱い引力が働く。電子はいつも動いているため，**一瞬をみれば必ず電荷のかたよりがある**。それが生む電気力（分散力）で，オクタノールもヘプタノールも自己集合する。疎水性の原子団どうしがそんなふうに引き合う現象を，疎水性相互作用という。

表3 炭素鎖が長いほど水に溶けにくいアルコール（溶解度の単位は g/水100 mL）

アルコール		溶解度
ブタノール	$CH_3-CH_2-CH_2-CH_2-OH$	7.4
ペンタノール	$CH_3-CH_2-CH_2-CH_2-CH_2-OH$	2.7
ヘキサノール	$CH_3-CH_2-CH_2-CH_2-CH_2-CH_2-OH$	0.6
ヘプタノール	$CH_3-CH_2-CH_2-CH_2-CH_2-CH_2-CH_2-OH$	0.1
オクタノール	$CH_3-CH_2-CH_2-CH_2-CH_2-CH_2-CH_2-CH_2-OH$	ほぼ0

プラスチックの素顔

目をこらしてもすき間など見えないペットボトルやポリバケツも，化学の目で見た素顔はちがう。プラスチックや合成繊維は，疎水性相互作用で細長い分子が絡み合っただけのもの。なんだか頼りなさそうな**分子の絡み合いが，あれほど強い材料をつくる**のだ。

なお，素顔がそんなものだから，ミクロに見れば**プラスチックはすき間だらけ**だといえる。フライパンに張ってあるテフロンなど，酸素分子 O_2 は素通しに近い。ペットボトルも酸素をじわじわ通すから，微妙な味を気にするビール業界は使わない（使えば輸送用エネルギーを減らせるのに）。

【章末問題】

1. $CaCl_2$ の格子エネルギー（-2220 kJ/mol）とイオンの水和エンタルピー（Ca^{2+}：-1580 kJ/mol, Cl^-：-360 kJ/mol）から，溶解反応 $CaCl_2(s) \to Ca^{2+}(aq) + 2Cl^-(aq)$ のエンタルピー変化を計算せよ。$CaCl_2$ の溶解は発熱変化か，吸熱変化か？
   　　　　　　　　　　　　　　　　　　　　　　　　　　　　　[-80 kJ/mol。発熱変化]

2. 式②（p.150）から，Cu^{2+}（$a = 0.71$ Å）の安定化エネルギーを求めよ。
   　　　　　　　　　　　　　　　　　　　　　　　　　　　　　　　　[-3860 kJ/mol]

3. X線撮影に使う硫酸バリウムの溶解 $BaSO_4 \to Ba^{2+} + SO_4^{2-}$ は，$\Delta G° = +57$ kJ/mol となる。$BaSO_4$ の溶解度積 K_{sp} と飽和濃度 S を求めよ。
   　　　　　　　　　　　　　　　[$K_{sp} = 1.0 \times 10^{-10}$ mol^2/L^2, $S = 1.0 \times 10^{-5}$ mol/L]

4. 石灰水の原料 $Ca(OH)_2$ はあまり溶けない。溶解 $Ca(OH)_2 \to Ca^{2+} + 2OH^-$ の $\Delta G° = +30.6$ kJ/mol から，溶解度積 K_{sp} と飽和濃度 S を求めよ。K_{sp} は $[Ca^{2+}][OH^-]^2$ と書けて，$[Ca^{2+}] = S$, $[OH^-] = 2S$ だから，$K_{sp} = 4S^3$ となることに注意。
   　　　　　　　　　　　　　　　　　　　[$K_{sp} = 4.3 \times 10^{-6}$ mol^3/L^3, $S = 0.010$ mol/L]

5. 0.15 mol/L（150 mol/m^3）食塩水の浸透圧が，37 ℃で約 7.6 気圧（7.7×10^5 Pa）になるのを確かめよ。

6. 水 1 kg に溶質 1 mol が溶けたとき，凝固点は -1.85 ℃になる。水 100 g に 7.2 g のブドウ糖（分子量 180）を溶かしたら，凝固点は何℃になるか。　　　[-0.74 ℃]

7. 深さ 5 m の水槽にためた海水がすっかり蒸発したら，厚み何 cm の固体が析出するか。また，そのうち食塩の厚みは何 cm か。　　　　　　[7.9 cm, 食塩 6 cm]

12章　電池のパワーは，どこから出てくる？

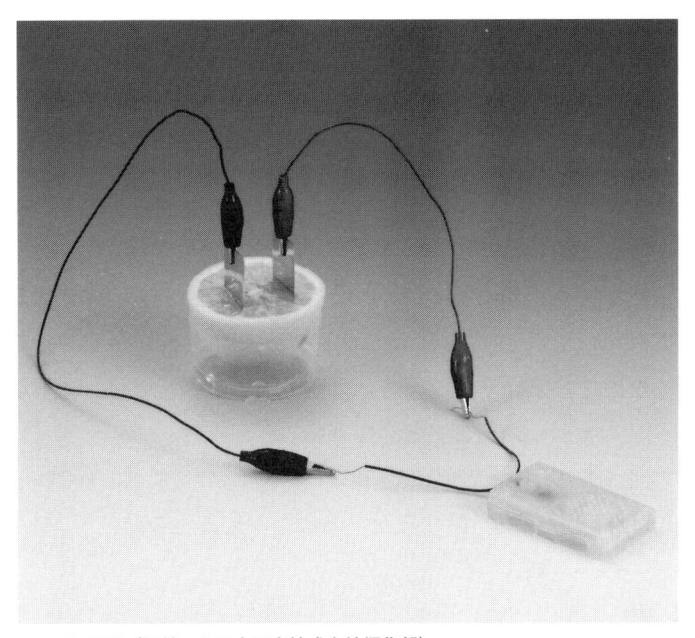

レモン電池（提供：大日本図書株式会社編集部）
　亜鉛板と銅板をレモンに刺せば電池ができて，電子オルゴールが鳴る。その電気エネルギーはレモンから出てきたかのように見え，子どもたちは感動するという。ほんとうにレモンから電気が出てくるなら，亜鉛と銅の役目は何なのか？

　いま電池は暮らしにもモバイル機器にも欠かせない。乾電池や蓄電池の端子から端子へと流れる電流は，どんな現象から，どのようにして生まれるのだろう？

　私たちが電池を買うとき，お金は電気エネルギーに払っているのか，それとも別の何かに払っているのか？

　燃料電池は環境にやさしいという。そうなのか？　また，燃料電池自動車や家庭用電源などに，大規模な利用がどんどん進むのだろうか？

1. 電子の気持ち

ナトリウムと水

ナトリウム Na のかけらを水に入れると黄色い炎が上がる。Na と H_2O が激しく反応し，エネルギーが出てくるからだ。

$$2Na + 2H_2O \rightarrow 2Na^+ + 2OH^- + H_2 \quad \text{①}$$

Na は水に電子を与えて Na^+ イオンになる。このように，電子がやりとりされる化学変化を**酸化還元反応**と呼ぶ。

電子を失うことを「酸化される」，電子をもらうことを「還元される」という。反応①で Na は H_2O を還元し，自分は酸化されている。逆に見ると H_2O は Na を酸化し，自分は還元された（もともと還元とは，金属の酸化物などが「元（の金属）に還る」という意味）。

水素の燃焼 $2H_2 + O_2 \rightarrow 2H_2O$（8・9章）や NaCl の生成 $Na + Cl \rightarrow Na^+Cl^-$（3章）も酸化還元反応だ。酸化還元反応はなぜ起こるのだろう？

電子の居心地

原子や分子の中に安住している電子も，**もっと居心地のいい場所が見つかったら，そちらへ移りたい**（見つからなければ何もしない。水に出合って激しく反応するナトリウムも，真空中や石油の中では安定なまま）。

負電荷をもつ電子の居心地は，環境の電気的雰囲気で決まる。ひらたくいうと**電子は，電気的にマイナスの環境を嫌い，プラスの環境を好む**。

電気的な雰囲気は**電位**という量で表す。電子のエネルギーは，よりプラスの電位で低く，よりマイナスの電位で高い。エネルギーが低いほど安定，高いほど不安定だから，電子は「いまよりプラスの電位をもつ場所」に移りたい。それが自発変化の向きになる。

以上のことは，縦軸にエネルギーや電位をとった図1に描けばわかりやすい。**自発変化は**，リンゴが地球に引かれて落ちるのと同様，**下向きに進む**。

図1のエネルギー軸は，電子だけ考えるなら「電気エネルギー軸」だが，

物質のギブズエネルギーも電気（や光）のエネルギーと同格なので（8章），あらゆる化学・物理変化が図1の形に整理できる。本章の話のほとんどにからむ図1をじっくり眺めてから，次に進もう。

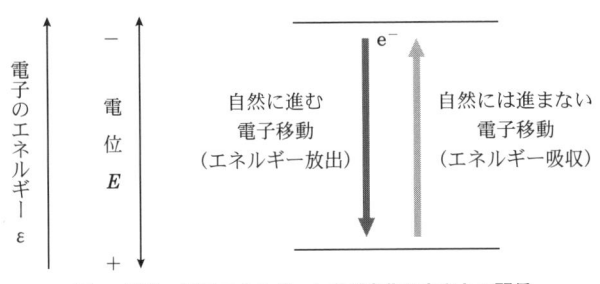

図1 電位・電子エネルギーと自発変化の向きとの関係

2. 電子をやりとりする力

電位とエネルギー

電位はエネルギーとどう関係するのか？ 電気エネルギーは電荷と電位を使って式②に書ける。むずかしくはないし，電解（13章）の理解にも欠かせない式だから，ぜひ覚えよう。

$$\text{エネルギー（ジュール J）} = \text{電荷（クーロン C）} \times \text{電位（ボルト V）} \quad ②$$

1.5 V の電池に豆電球をつなぎ，1000 C の電荷が流れたら，1500 J = 1.5 kJ の電気エネルギーが消費されたことになる。

標準電極電位

そろそろ本題に入ろう。一部の高校化学教科書には，「金属のイオン化列」が顔を出す。「水中でイオン化しやすい順」という説明はウソなのだが（p.167），その根元を数値で眺めよう。イオン化列の根元にある量を，「金属イオンと金属の対が示す**標準電極電位**」と呼ぶ。

たとえば亜鉛イオン Zn^{2+} − 亜鉛 Zn 対の標準電極電位（記号 $E°_{Zn}$）は，次の平衡（**電子授受平衡**）を成り立たせる電子 e^- がもつ電位をいう。

$$Zn^{2+} + 2e^- \rightleftharpoons Zn \qquad ③$$

要点をいくつか補足しよう。**溶液中に自由な形で存在できない電子 e^- は，必ず固体の中にいる**。上の場合は亜鉛電極 Zn の中にいて，電極の電位が $E°_{Zn}$ という値をもつわけだ。

また**標準**とは，$E°_{Zn}$ の上つき記号（°）に対応し，**平衡式に書かれた物質がどれも基準状態にあること**をいう。基準状態は活量 $a = 1$ を意味し（10章 p.136），溶質（Zn^{2+}）ならモル濃度が 1 mol/L だと思えばよい。Zn は固体なので，いつも $a = 1$ とみる。

式③は，10章で学んだ**化学平衡の一種**だから，以上のことを頭に置けば，$E°$ の値が計算できる（**$E°$ は実測値ではなく計算値**）。

標準電極電位の計算：亜鉛の場合

式③をまた書こう。

$$Zn^{2+} + 2e^- \rightleftharpoons Zn \qquad ③$$

左辺は 1 mol の亜鉛イオン Zn^{2+} と 2 mol の電子 e^-，右辺は 1 mol の亜鉛 Zn を表す。**化学平衡だから両辺のギブズエネルギー G が等しい**。

物質（Zn^{2+} と Zn）の G には標準生成ギブズエネルギー $\Delta_f G°$ を使う。付録1から Zn^{2+} は -147 kJ/mol だとわかる（単体の Zn は約束で 0）。

かたや電子の G は，前頁に説明したとおり，**電位 $E°_{Zn}$ で電子 2 mol がもつ電気エネルギー**とみる。電子 2 mol の電荷はファラデー定数 $F = 96500$ C/mol を使って $-2F$ だから，エネルギーは $-2F \times E°_{Zn}$ になる。

以上から，電子授受平衡③のエネルギー関係は次のように書ける。

$$-147000 - 2 \times 96500 \times E°_{Zn} = 0 \qquad ④$$

計算で出る **$E°_{Zn} = -0.76$ V** が，$Zn^{2+} - Zn$ 対の標準電極電位にほかならない。とりあえず，**イオン化しやすい亜鉛の電位は負**，と覚えておこう。

電位のゼロ点

次の電子授受平衡の電位 $E°_H$ はいくらだろう？

$$2H^+ + 2e^- \rightleftharpoons H_2 \qquad ⑤$$

エネルギーの値は，左辺の H^+ も右辺の H_2 も約束により $\Delta_f G° = 0$ だから，$E_H° = 0$ となる。つまり標準電極電位とは，電子授受平衡⑤が成り立っている電極（ふつうは白金）の電位を 0 とみて，ほかの物質が電子をどれほど授受しやすいかを表す尺度だといってよい。

平衡⑤は基準状態だから，H^+ の活量が 1，つまり $[H^+] = 1$ mol/L（pH 0）の状況にあたる。その電極を**標準水素電極**と呼び，英語 Standard Hydrogen Electrode の頭文字で **SHE** と書く。SHE に対して表す電位の単位には V *vs.* SHE を使う。

標準電極電位の計算：銅の場合

亜鉛と同じ計算を，銅イオン Cu^{2+} −銅 Cu の対でやってみよう。

$$Cu^{2+} + 2e^- \rightleftharpoons Cu \qquad ⑥$$

単体の銅 Cu は $\Delta_f G° = 0$ だから，必要な値は Cu^{2+} の $\Delta_f G°$（+65 kJ/mol = +65000 J/mol）だけ。式④と同じ計算から，$E_{Cu}° = +0.34$ **V** が出る（確かめよう）。亜鉛とはちがって正の値になった。銅がイオン化しにくいことと関係するのか？

図で見る電子授受平衡

いまの計算結果は，図 2 のように表せる。

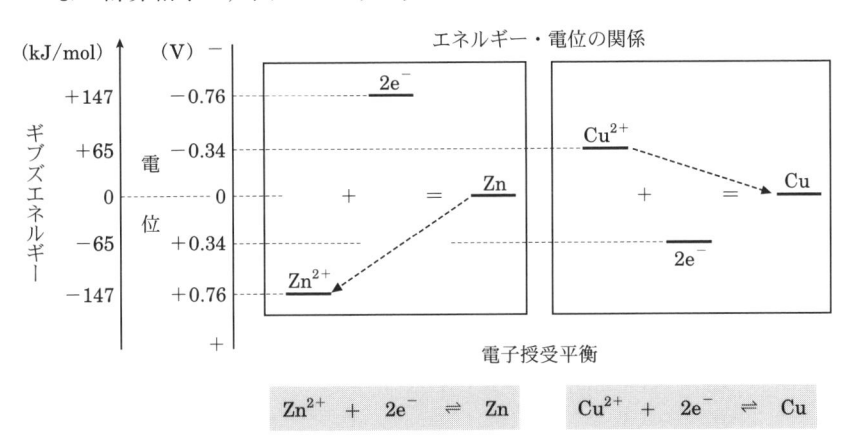

図 2 電子授受平衡 $Zn^{2+} + 2e^- \rightleftharpoons Zn$ と $Cu^{2+} + 2e^- \rightleftharpoons Cu$ を解剖する

かなり複雑な姿をしているけれど，図2を見ながら，次のことをひとつずつ確かめよう（面倒なら飛ばしてもよい）。

① 右辺にある金属（単体）のエネルギーを0とみるため，左辺にあるイオンと電子は，絶対値が等しい逆符号の相対エネルギーをもつ。

② エネルギーが上下するにつれて，イオンと電子の電位も上下する。

③ イオン化しやすい（水に出たがる）亜鉛では，Zn^{2+} の濃度を 1 mol/L に抑えるため，平衡状態で電子は相対的に負の電位をもつ。

④ イオン化しにくい銅では，Cu^{2+} の濃度を 1 mol/L（という大きな値）にするため，平衡状態で電子は相対的に正の電位をもつ。

⑤ 電子が「歯止め」をかけないとき，亜鉛 Zn は Zn^{2+} になりたがり，銅イオン Cu^{2+} は Cu になりたがる（破線の矢印）。

ほかの金属

M^{n+}/M 対の標準電極電位 $E°_M$ は，金属イオン M^{n+} の標準生成ギブズエネルギー $\Delta_f G°$ からわかる。一部を図3にまとめた。

電位のデータは，図1に合わせ，**いつも負電位を上，正電位を下にして表示する**のがよい（あとで大いに役立つ）。

自然界で最低の $E°$ 値（-3.04 V $vs.$ SHE）をもつリチウム Li は，電子を出してイオンになる力がいちばん強い（電子のエネルギーが最高）。

$E°$ 値の高い金 Au や白金 Pt，水銀 Hg は，酸化されにくいため，天然には金属の姿でいる。強引につくったイオンは，何かから電子を奪って金属に戻りたい。だから**銀イオン Ag^+** などは**酸化力が強く，殺菌**（抗菌）

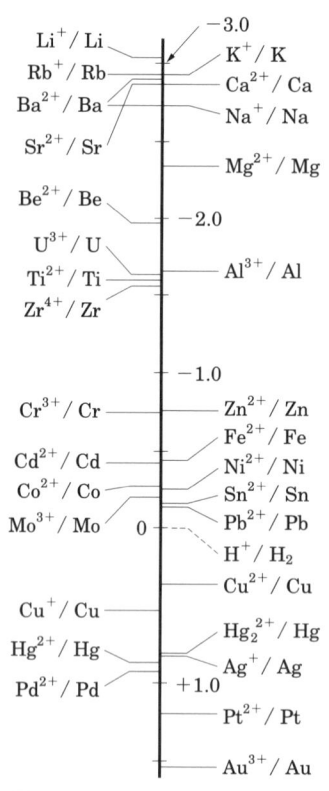

図3 M^{n+}/M 対の標準電極電位 $E°$
（SHE 基準の電位 = V $vs.$ SHE）

作用を示す。

このように標準電極電位 $E°$ は，金属の反応性をよく語る。ただし**理論計算の結果だから，現実にそのまま当てはまると思ってはいけない**（コラム参照）。

酸化体と還元体

O が n 個の電子をもらって R になる（逆向きだと，R が n 個の電子を出して O になる）電子授受平衡

$$O + ne^- \rightleftharpoons R \tag{7}$$

では，O を**酸化還元対 O/R の酸化体**，R を**還元体**と呼ぶ。

上記の M^{n+}/M 対なら酸化体も還元体も 1 種類ずつだが，一般には複数ある。たとえば鉛蓄電池の正極で成り立つ平衡

$$PbO_2 + 4H^+ + SO_4^{2-} + 2e^- \rightleftharpoons PbSO_4 + 2H_2O \tag{8}$$

では，「$PbO_2, 4H^+, SO_4^{2-}$」を酸化体，「$PbSO_4, 2H_2O$」を還元体とみる。

あぶない「イオン化列」

日本の高校教科書に載る「イオン化列」は，図 3 右側の 16 元素を $E°$ 値の順に並べたもので，「元素が水中でイオン化しやすい順」だと説明してある。「貸そうかな‥‥」という語呂合わせがあり，むかし私も（わけもわからずに）覚えたが，電気化学の道に進んで 40 年，役立ったことは 1 回もない。

現実の電位は濃度で変わるし，溶かすのが $FeCl_2$ か $FeSO_4$ かでもかなり変わるため，$E°$ 値の差が 0.3 V 以内の元素間に序列をつけても意味はない。現実の水中で K・Ca・Na の還元力はまったく区別できないし，Pt と Au の安定度の差など確かめようもない。

$E°$ 値の間隔が十分に広く，測定で序列がまず狂わない次の 10 個なら，覚える意味はあるだろう。

Na　Mg　Al　Zn　Fe　Pb　H_2　Cu　Ag　Au

ただしこの 10 個でも，たとえば H_2 を Pb と Cu の間に置いてよいのは，pH 0 付近の強酸性水溶液中にかぎる（pH 7 なら，H_2 はほぼ Fe の位置に来る）。

専門に進んでも，日ごろの暮らしでも，まず役に立たない‥‥そんなものを生徒に覚えさせるのは，いいかげんにやめたい。

M^{n+}/M 対ではない電子授受平衡の $E°$ 値

どんな電子授受平衡の $E°$ 値も，関係する物質の $\Delta_f G°$ を使って計算でき，物質（群）の酸化力・還元力を判定できる。鉛蓄電池の正極（式⑧）と負極（式⑨）の電位を調べてみよう。

$$PbSO_4 + 2e^- \rightleftharpoons Pb + SO_4^{2-} \qquad ⑨$$

付録1に次の $\Delta_f G°$ 値（kJ/mol 単位）がある。PbO_2：-217，SO_4^{2-}：-745，$PbSO_4$：-813，H_2O：-237（H^+ と Pb は約束で0）。以上を使って式⑧と⑨の計算をすればこうなる（確かめよう）。

$$\text{正極：} E°_{PbO_2} = +1.68 \text{ V} \quad \text{負極：} E°_{Pb} = -0.35 \text{ V } vs. \text{ SHE} \qquad ⑩$$

両者の差 2.03 V が，正極－負極1対の電圧（起電力）を表す。なお実際の鉛蓄電池は，正極－負極の6対を直列につなぎ，12 V の起電力を出す。

標準生成ギブズエネルギー $\Delta_f G°$ から計算される $E°$ 値の一部を，**付録2**にまとめた。最高がほぼ $+3$ V，最低がほぼ -3 V だから，**自然界の電子授受パワーは 6 V のスパン（広がり）に収まる**。

$E°$ 値でつかむ反応の向き

付録2から適当に選んだ二つの電子授受平衡を次に書く（こんな場合も，$E°$ 値が相対的に負の対を上，正の対を下に書くとよい）。

$$Fe(CN)_6^{3-} + e^- \rightleftharpoons Fe(CN)_6^{4-} \qquad E° = +0.36 \text{ V} \qquad ⑪$$
$$MnO_4^- + 8H^+ + 5e^- \rightleftharpoons Mn^{2+} + 4H_2O \qquad E° = +1.51 \text{ V} \qquad ⑫$$

どの物質も活量 $a = 1$ で共存しているとき，どんな反応が進むのか？

対⑪は，孤立していれば安定だが，**より正の電位をもつ対⑫があると知ったら心が騒ぐ**。つまり，⑪の還元体 **$Fe(CN)_6^{4-}$** 中にいる電子は，もっと安定な（電位の高い）⑫の酸化体 **MnO_4^-** の中へ移りたい。その動きを，電子の数をそろえて書けば次式になる。

$$5Fe(CN)_6^{4-} \rightarrow 5Fe(CN)_6^{3-} + 5e^-$$

$$MnO_4^- + 8H^+ + 5e^- \rightarrow Mn^{2+} + 4H_2O$$

二つを足し合わせ，次の反応式が書ける。

$5Fe(CN)_6^{4-} + MnO_4^- + 8H^+ \rightarrow 5Fe(CN)_6^{3-} + Mn^{2+} + 4H_2O$ ⑬

こうしたことは，言葉で考えるより，電子エネルギーが上ほど高い軸（電位だと，上が負，下が正になる軸）を頭に置き，図4のように考えればよい。どちらの電子授受対が電子を出すかはすぐわかるだろう。

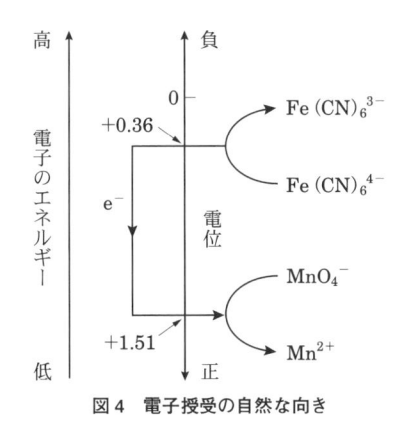

図4　電子授受の自然な向き

鉛蓄電池の放電反応も，**低電位の⑨が電子を出し，それを高電位の⑧がもらう**‥‥という図を描けば，次の反応になるとわかる（確かめよう）。

$Pb + PbO_2 + 4H^+ + 2SO_4^{2-} \rightarrow 2PbSO_4 + 2H_2O$ ⑭

3. 貴い物質たち

卑金属のほうが貴い

金属のからむ酸化還元反応は，還元型の（電子エネルギーの高い）金属が電子を出すから始まる。図3でいうと，おおむね0Vより上にある金属たちだ。どれもふつうは**卑金属**と呼ぶ。

電子を出しやすい卑金属は，自然界では酸化されてしまい，イオン（K^+, Na^+）や酸化物（Al_2O_3, TiO_2, ZnO, Fe_2O_3），硫化物（FeS_2, PbS）の形でいる。そういうものを金属に還元するには，図3で上のほうにある金属ほど，大きなエネルギーをつぎこまなければいけない。

（提供：岡部　徹）

12章　電池のパワーは，どこから出てくる？

鉄 Fe は，古代から，高温で Fe_2O_3 を炭素 C と反応させて得られた。亜鉛 Zn だと，もはや炭素は使えない。アルミニウム Al やチタン Ti は，鉱石が還元しにくくて単離がずっと遅れた。マグネシウム Mg より上の金属は，高温の溶融塩電解しか手はない。

だが私たちは，莫大なエネルギーをつぎこむ方法で卑金属を手に入れた。**卑な度合いが高い金属ほど，人工的に投入したエネルギーをたくさん含み，エネルギー価値が高い**。つまり**卑金属ほど貴い**といえる。たとえばアルミニウム製造に成功した1854年ごろ皇帝ナポレオン3世は，大事な客をアルミニウムの食器でもてなし，並の客には金の皿を使ったという逸話が残る。

貴い有機物

生物は，糖類や脂質を酸化したときに出るエネルギーで生きる。どれも工場生産はできず，根元をたどれば植物の光合成（14章）に行き着く。つまり植物は光エネルギーを使って**貴重な還元型物質**をつくる。

太古の光合成活動は，石炭や石油，天然ガスなどの化石資源を生んだ。どれも貴い還元型物質だから酸化すればエネルギーがとり出せて，産業や暮らしに役立つ。天然ガス（メタン CH_4）の分解からできる水素 H_2 も還元型の高エネルギー物質なので，酸化する仕掛けをつくれば電池ができる。**人間の営みも自然の営みも，還元型物質に支えられている**のだ。

4. 電池というもの

組み合わせは無限だが‥‥

酸化還元対のどれか二つを組み合わせ，片方の還元体が出した電子を導線に導き，別の場所で他方の酸化体に渡す。そんな仕掛けを電池という。

たとえば図2の Zn^{2+}/Zn 対と Cu^{2+}/Cu 対から，おなじみのダニエル電池ができ，起電力（標準電極電位の差）は $+0.34 - (-0.76) = 1.10$ V となる。また，図4の2対を組み合わせると，起電力が $+1.51 - (+0.36) = 1.15$ V の

電池になる。

ただしどちらも実用にはならない。実用には，安価につくれて扱いやすく，安全で，重さや体積あたりのエネルギー密度の大きいものがほしい。

実用電池

そのひとつマンガン乾電池は 1868 年に生まれた。改良は少しずつ進み，エネルギー密度が高い長寿命のアルカリマンガン乾電池（1959 年）やオキシライド乾電池（2004 年）も登場したが，原理は変わっていない。

主役の還元型物質に亜鉛 Zn を，電子を奪う酸化型物質に二酸化マンガン MnO_2 を使い，両極の反応はこう書ける。

負極： $Zn \rightarrow Zn^{2+} + 2e^-$ ⑮

正極： $MnO_2 + H^+ + e^- \rightarrow MnO(OH)$ ⑯

実用電池のうち，正極が酸化銀 Ag_2O の銀電池も，酸素 O_2 の空気電池も，負極には亜鉛を使う。また，負極に Li を使うリチウム電池も数種類ある。

電気エネルギーの源

貴い亜鉛もリチウムも大量のエネルギーを投入してつくる。むろん MnO_2 などの酸化型物質をつくるのにもエネルギーを使う。電池の出す電気エネルギーは，投入エネルギーの一部（1%以下）でしかない。レモン電池（章扉）のパワーも，レモンにひそんでいたのではなく，電極（とりわけ亜鉛）の製造に投入したエネルギーのごく一部が出てくるにすぎない。

電池の値段は，何の値段だろう？ 単三の乾電池は 8 本で 1000 円ほどするが，入っている電気エネルギーを家庭のコンセントからとれば 1 円ですむ。つまり私たちは電気エネルギー自体ではなく，**便利さを買っている**のだ。

5. 燃料電池の誤解と希望

水素－酸素燃料電池

水素 H_2 は立派な還元型だから，電池の素材物質になる。いままで何度も紹介したとおり，酸素との反応は次式に書ける。

$$H_2 + \frac{1}{2}O_2 \rightarrow H_2O \quad \Delta G° = -237 \text{ kJ} \qquad ⑰$$

二つの電子授受反応に分け，電池をつくったら次の反応が進む（復習のため，式④ (p.164) にならって「1.23 V」を確かめよう）。

負極： $H_2 \rightarrow 2H^+ + 2e^-$　　　　　$E° = 0.000$ V（基準）　⑱

正極： $\frac{1}{2}O_2 + 2H^+ + 2e^- \rightarrow H_2O$　　$E° = +1.23$ V　⑲

つまり理論起電力 1.23 V の電池ができるはず（現実にはロスがあって 0.9 V 程度にしかならない）。燃料電池は「電線を引けない場所でも使える」「効率が高い」「CO_2 が出ない」と評判だけれど，どうなのだろう？

電線を引けない離島や山頂で使える利点は大きい。しかし発電効率は 40％台だから，火力発電（40〜50％）に比べて高くはない。

CO_2 が出ない？

いま水素 H_2 は，太古の光合成が生んだメタン CH_4 からつくる。CH_4 を

$$CH_4 \rightarrow C + 2H_2 \qquad ⑳$$

と分解できれば炭素 C も使えるのだが，反応⑳は熱力学が許さない（8章の図6で確かめよう）。そのため，室温では $\Delta G° > 0$ だから進まない次の反応（改質反応）を，熱エネルギーの投入により起こして水素を得る。

$$CH_4 + 2H_2O \rightarrow CO_2 + 4H_2 \qquad ㉑$$

$$CH_4 + H_2O \rightarrow CO + 3H_2 \qquad ㉒$$

反応㉒で出る一酸化炭素 CO も CO_2 に酸化する。つまり，電池自体から CO_2 は出なくても，**水素をつくる段階で，メタンをそのまま燃やしたときと同量の CO_2 が出ている。**

肝心なこと

水素の変化⑱では，H−H結合が切れる。高温ならすぐ切れて燃焼が進むけれど（9章），燃料電池なら**低温で切れなければいけない**。そのために**触媒**が必須となる（図5）。いまのところ，触媒になるのはほぼ**白金Pt**だけだ。

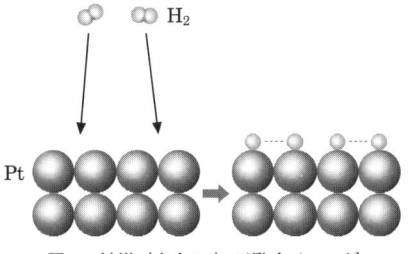

図5　触媒（白金 Pt）が働くイメージ

Pt原子は水素分子のH原子と結合しやすい。H−H間は0.74 Å，Pt−Pt間の最小値は約2.7 Åだから，二つのH−Pt結合ができるとき，H−H結合はほぼ完全に切れてしまう。つまりHは原子の姿になるため，反応⑱がスムースに進む。

触媒の原子をMとしよう。M−H結合が弱すぎると（M = Pb, Zn, Cuなど），図5の結合はできない。逆に強すぎたら（M = Ti, Wなど），図5の結合はできても，Hが結合したままになってしまい，以後の変化（電子の放出 → H^+ の脱離）が進んでくれない。白金やイリジウムIrなど一部の貴金属は，**ほどよい強さで水素原子Hを結合する**ため，反応⑱を進める触媒になる。

白金はある？

自動車用の燃料電池には，1台あたり約100 gの白金がいる。価格（50万円）も大きいが，問題は供給量だ。国内で1年間に使う白金は約30トン。その1割 = 3トンを車に回せたとしても，年々**3万台分**にしかならない。いま日本では年に**1000万台以上**の車をつくるから，白金触媒を使うかぎり大規模利用はありえない。

燃料電池の大規模利用には，安い触媒の開発が欠かせない。純物質の調べはかなり進み，さしあたり画期的な成果は聞かないため，脈があるのは合金か。これからの大きな挑戦課題になるだろう。

【章末問題】

1. 電圧 6 V で 3 W の電球を点灯させた。1 秒間に流れる電荷は何 C か。1 W = 1 J/s の関係を使って計算してみよ。　　　　　　　　　　　　　　　　　[0.5 C/s]

2. 電子授受平衡 $Al^{3+} + 3e^- \rightleftharpoons Al$ の標準電極電位 $E°_{Al} = -1.68$ V $vs.$ SHE から，アルミニウムイオン Al^{3+} の標準生成ギブズエネルギー $\Delta_f G°$ を計算し，付録1の値に近いことを確かめてみよ。　　　　　　　　　　　　　　　　[-486 kJ/mol]

3. 図3から，$Cr^{3+} + Mo = Cr + Mo^{3+}$ の自発変化が右向きか左向きかを判定せよ。
　　　　　　　　　　　　　　　　　　　　　　　　　　　　　　　　　　[左向き]

4. 酸性水溶液中の過酸化水素 H_2O_2 は酸化力が強い（標準電極電位 $E°$ が高い）。$\Delta_f G°$ の値（H_2O_2：-120 kJ/mol，H_2O：-237 kJ/mol）から，$H_2O_2 + 2H^+ + 2e^- \rightleftharpoons 2H_2O$ の $E°$ 値を計算せよ（付録2の値とは少しちがうはず）。
　　　　　　　　　　　　　　　　　　　　　　　　　　　　　[$+1.83$ V $vs.$ SHE]

5. 付録2を見ながら次の反応を分割して図4の形に表し，自然に進む向きを言え。
   ① $Ni^{2+} + 2Ag + 2Cl^- = Ni + 2AgCl$
   ② $S^{2-} + CuO + 2H^+ = S + Cu + H_2O$　　　　　　　　[①左向き，②右向き]

6. 室温で p.172 の反応㉑や㉒が進まないことを，8章の図6から確かめよ。

7. マンガン乾電池で，負極（式⑮）の電位は図2と同じ -0.76 V $vs.$ SHE とする。起電力が 1.50 V なら，正極（式⑯）の電位はいくらか。　　　[$+0.74$ V $vs.$ SHE]

13章　水を電気で分解するのに，なぜ硫酸などを溶かすのか？

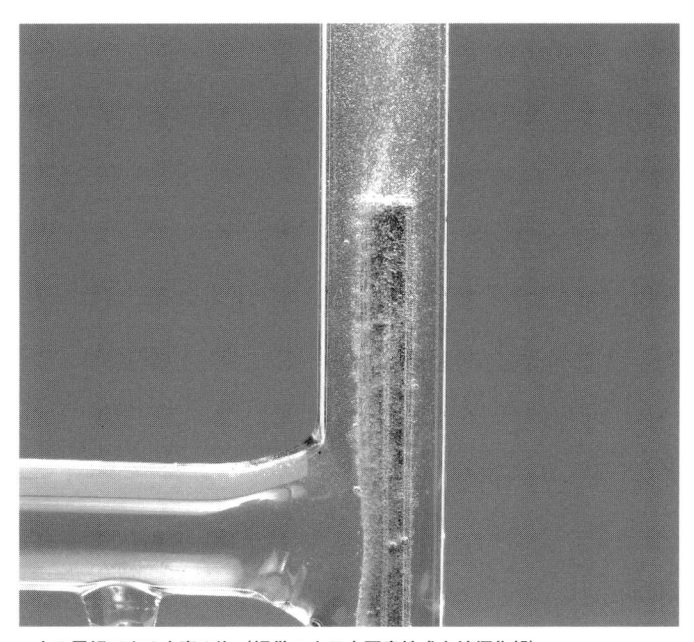

水の電解で出る水素の泡（提供：大日本図書株式会社編集部）
　希硫酸にステンレス棒2本を浸して乾電池3個をつなぐと，陰極で写真の水素が，陽極で半分量の酸素が出る。けれど乾電池が1個なら何も起きない。なぜなのだろう？　また，硫酸からできる水素イオン H^+ は水素 H_2 になるのだが，陰イオンの HSO_4^- や SO_4^{2-} は何をするのか？

　中学校でもおなじみの電解（電気分解）は，見かけによらず奥が深い。まず，液体の水が気体の水素と酸素に分かれるとき，いったい何が起きているのか？　また，つないだ電池は何をするのだろう？
　銅は電子1個を出して Cu^+ になるよりも一挙に2個を出して Cu^{2+} になるほうを選ぶとか，食塩水を電解したら陽極で酸素が出るはずなのに塩素が出るとか，不思議な話もずいぶん多い。そんな電解の世界を探検しよう。

1. コインの表裏

これぞ化け学

　硫酸ナトリウム水溶液を電解すると,液体の水 H_2O から,似ても似つかない気体の水素 H_2 と酸素 O_2 ができる。また,食塩水を電解したときの陽極では,命に欠かせない Cl^- イオンが猛毒の塩素 Cl_2 になる。

　数 V(ボルト) の電圧で進み,物質をいともたやすく変身させる電解は,「化け学」の素材にふさわしい。だが中学でも高校でも,その肝心な面を強調せず,**電極で何が反応する**とか,**何 L の気体が出る**とか,本質ではない話だけ教える。そればかりか,誤解あれこれが教科書に載り,教室で語られもする(後述)。じつにもったいない単元だ。

電池の裏返し

　前章の電池は,ひとりでに進む酸化還元反応から出るギブズエネルギー($-\Delta G°$)を,電気エネルギーに変える仕掛けだった。電解はぴったり逆を向き,**ひとりでには進まない酸化還元反応を,電気エネルギーの力を借りて進める**現象だといえる。

　たとえば水素−酸素燃料電池の反応は①,水の電解反応は②に書ける。

$$\text{電池:} \quad H_2 + \frac{1}{2}O_2 \rightarrow H_2O \qquad \Delta G° = -237 \text{ kJ} \qquad ①$$

$$\text{電解:} \quad H_2O \rightarrow H_2 + \frac{1}{2}O_2 \qquad \Delta G° = +237 \text{ kJ} \qquad ②$$

②は①の裏返しだから,①で出る値と同じエネルギーをつぎこまなければ進まない。**ギブズエネルギーは熱・光・電気エネルギーと同格**なので,つぎこむエネルギーは熱の形でもよく,光(14章)や電気でもいいのだけれど,電気を使うのがいちばん手っとり早い。

　ある電位の場所で電荷(単位クーロン C)がもつ電気エネルギー(単位ジュール J)はこう書けた(12章 p.163)。

$$\text{エネルギー (J)} = \text{電荷 (C)} \times \text{電位 (V)} \qquad ③$$

電位を電圧(電位差)に書き直しても,同じ関係が成り立つ。

$$\text{エネルギー（J）= 電荷（C）× 電圧（V）} \quad ④$$

つまり**電解**は，式④にもとづく**電気→化学エネルギー変換**だといえる。

2. 電圧はいくら必要？

やさしい計算

式④は，「電圧をかけると，**それに応じて電荷が動く**。両者の積が，必要な電気エネルギー値を表す」と読む。つまり右辺では**電圧が主，電荷が従**だから，かけた**電圧の値は，投入エネルギー値の目安**になる。

電圧の計算はやさしい。たとえば反応②はこう分解できる。

$$\text{陰極：} 2H^+ + 2e^- \rightarrow H_2 \quad ⑤$$

$$\text{陽極：} H_2O \rightarrow 2H^+ + \frac{1}{2}O_2 + 2e^- \quad ⑥$$

水 1 mol あたり電子 2 mol が流れるため，その電荷は $2F = 193000$ C。式②の必要エネルギー 237 kJ = 237000 J を使い，次の等式が成り立つ。

$$237000 = 193000 \times 電圧（\Delta E） \quad ⑦$$

電卓をたたいて $\Delta E = 1.228 \fallingdotseq 1.23$ V が出る。つまり水を水素と酸素に分けるには，**少なくとも 1.23 V の電圧をかけなければいけない**。

中学でも学ぶ食塩水の電解を眺めよう。反応は次式に書ける。

$$\text{陰極：} 2H_2O + 2e^- \rightarrow H_2 + 2OH^- \quad ⑧$$

$$\text{陽極：} 2Cl^- \rightarrow Cl_2 + 2e^- \quad ⑨$$

$$\text{計：} 2Cl^- + 2H_2O \rightarrow Cl_2 + H_2 + 2OH^- \quad ⑩$$

付録 1 の $\Delta_f G°$ 値から全反応⑩の $\Delta G°$ は +422 kJ だが（確かめよう），それは OH^- の活量が 1（$[OH^-] = 1$ mol/L）の場合だ。pH 7 の中性水溶液を考えて化学ポテンシャルを補正すると（10 章 p.137。詳細は略），$\Delta G°$ = +342 kJ = +342000 J になる。動く電子は 2 mol だから，式⑦の左辺に $\Delta G°$ 値を入れ，$\Delta E = 1.77$ V が出る。つまり**中性の食塩水は，約 1.8 V 以下の電圧では**（電解されず，だから電流も流れない）**絶縁体**だといえる。

$E°$ 値でみる電解

$\Delta_f G°$ から出る付録 2 の $E°$ 値を使えば，必要な電圧はもっと簡単にわかる。たとえば水の分解は，**安定な正電位から不安定な負電位まで電子を強引に動かす現象**なので，下に書いた電位の差（1.23 V）を要する。

$$2H^+ + 2e^- \rightarrow H_2 \qquad E° = 0.00 \text{ V}$$

$$H_2O \rightarrow 2H^+ + \frac{1}{2}O_2 + 2e^- \qquad E° = +1.23 \text{ V}$$

$E°$ 値は ± 3 V の範囲だった（12 章 p.168）。電解に必要な最小電圧は $E°$ 値の差とみてよいため，その大きさは 0 〜 6 V になる。つまり**電解の世界は，乾電池せいぜい 4 個のパワーに収まる**。

実験事実

反応⑤と⑥（全反応が②）は，白金電極や炭素電極で希硫酸を電解すれば起き，反応の勢いは電流値からわかる。白金電極 2 本を使った結果を図 1 に示す。かけた電圧を横軸，電流密度（電極 1 cm^2 あたりの電流値）を縦軸にとり，0.1 mol/L 希硫酸のほか，水道水の結果も入れた。まずは図 1 をじっくり鑑賞しよう。

破線は，電極の 1 cm^2 から毎分ほぼ 0.01 mL の水素が出る（気泡がなんとか見える）勢いを表す。

電流は，硫酸で 1.6 V 付近，水道水で 1.9 V 付近から流れるが，測定感度を上げると，上記の 1.23 V あたりで立ち上がる。**1.23 V 以下だと，感度をいくら上げても電流は観測できない**。

ある勢い（電流密度）の電解を起こすのに**必要な電圧と最小電圧 1.23**

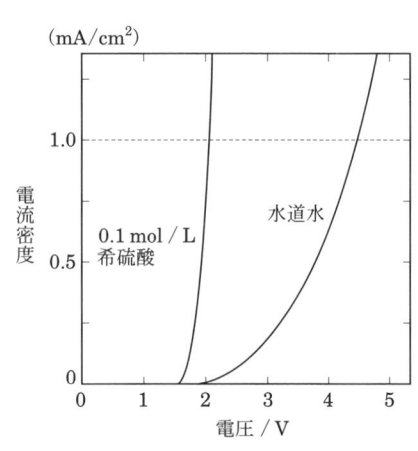

図 1　0.1 mol/L 希硫酸と水道水の電解

Vの差を，**過電圧**という。たとえば電流密度 1.0 mA/cm^2（破線）での過電圧は，希硫酸が 2.0 − 1.23 ≒ 0.8 V，水道水が 4.5 − 1.23 ≒ 3.3 V となる。進みにくい反応ほど過電圧が大きく，**投入エネルギーの浪費**を増やす。

電圧の威力

化学反応は高温ほど速い（9章）。電解反応の速度は，電圧で変わる（図1）。その電圧は，温度に引き写したとき，どんな値になるのだろう？

絶対温度 T の熱エネルギーは RT だった（7章）。気体定数 R = 8.31 J/(K・mol) から，T = 300 K（室温）で約 2500 J/mol = 2.5 kJ/mol。耐える材料が地球上にない T = 4000 K でも 33 kJ/mol にすぎない。

電圧 1 V で電子 1 mol（電荷 −96500 C）が流れた場合，式④からエネルギーは 96500 J/mol = 96.5 kJ/mol となる。それを RT の T に換算すれば 11600 K ≒ 11300 ℃，**乾電池3個分の電圧 4.5 V なら5万2000 ℃**にあたる。電圧は威力がそれほど強いため，単純な仕掛けを使い，水の分解のように $\Delta G°$ が大きな正値の化学変化も起こせるのだ。

3. 不思議な空間

1 V かけた希硫酸

0.1 mol/L 希硫酸に **1 V** かけても電流は流れない（図1）。ただし陽イオン（H$^+$）と陰イオン（おもに HSO$_4$$^−$）は電圧を感じて逆向きに動き，溶液内部の電場を消してしまう。目に見えないイオンの動きは 0.03 秒ほどで終わり，あとに図2の状態を残す。図2のイメージをつかむかどうかが，**電解がわかるかどうかの分かれ道**だといってよい。

電気二重層＝電解の舞台

1 V の電圧は，左の陽極から電解液を経て右の陰極まで，どうかかるのだろう？ 溶液の本体にはかからない（かかっていればイオンはまだ動く）。

だから必然的に電圧は，電極表面付近の薄い溶液層に押しつけられる。

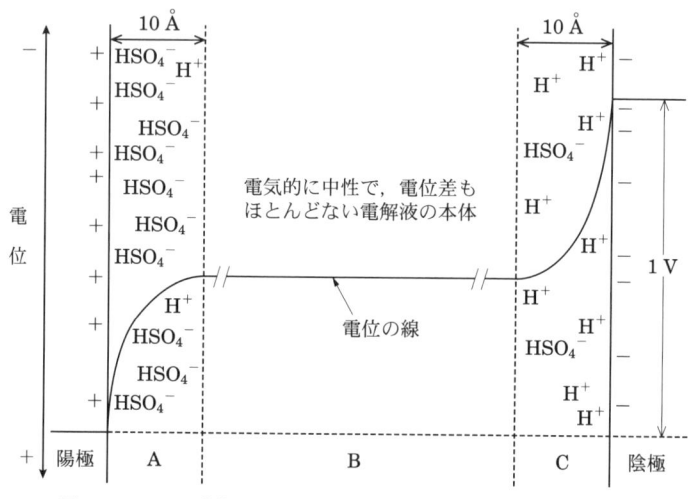

図2　1Vかけた直後，希硫酸の中にできる電位（エネルギー）の分布

そのとき電極－溶液の境界＝界面では，電極表面の電荷と，逆符号イオンの電荷が同量ずつ向き合っている。そこを**電気二重層**（にじゅうそう）という。

電気二重層の厚みは理論でわかる。0.1 mol/L 希硫酸なら 1 nm = 10 Å（H_2O分子3個分ほど）しかない。また10〜20 Åの距離では，溶液中の物質と電極が電子をたやすくやりとりできる（50 Åも離れたら，電子授受はまず起こらない）。

ここで式④（電圧と電気エネルギーの等価性）を思い出そう。図2では，**電子授受の進む肝心な場所だけに電気エネルギーが集まっている**。それをしてくれたのはイオンだった。つまり**イオンは**，電場を感じてサッと動き，**外から来た電気エネルギーを肝心な場所に集中させ，電解の舞台を整えたのだ。それがイオンの初仕事**だといえる。

電位の線が水平になる場所では，イオンは電気力を感じない。電極や容器のサイズが10 cm程度なら，**全イオンの99.99999%**はそんな場所にいる。つまり，イオンのほとんどは電気力を感じない。

また，電極表面の電荷はたいへん小さいため，陽イオンが陽極に近づくの

も，陰イオンが陰極に近づくのも自由自在だ。

目にはまったく見えないけれど，電圧をかけた電解液と電極の界面には，そういう不思議な空間ができている。

電気二重層のいたずら
　二つの相（固体・液体・気体のどれか）や二つの物質が接した境界には，必ず電気二重層ができる。電解質を加えるとコロイドが沈殿する現象も，電気二重層のいたずらだ。河口でそれが起こる。海水のイオン濃度は河川水の数千倍も大きい。川の中では表面の負電荷が反発し合って浮いていたコロイド粒子は，海に入ると陽イオンをどっと吸着し，表面にごく薄い電気二重層ができる。そうなれば，H_2O分子2〜3個の距離まで近づかないとお互いが「見えない」。そして，見えた瞬間に分子間力の働きで合体・沈殿してしまう。

4. 電解はこう進む

以上をもとに電解の進みかたを眺めよう（図3）。高濃度のイオンを含む電解液に2本の電極を浸し，両極間の電圧を少しずつ上げていく。

① 小さな電圧をかけるとイオンの瞬間移動が起き，ほぼ0.03秒後に電気二重層ができ上がる。

② 電圧を上げていけば，どこかで電気エネルギーが十分な値に届き，溶媒・溶質・電極自身のうち，何かが陽極に電子を渡し，別の何かが陰極から電子をもらう。つまり電解が始まる。

電解が始まると，下の例でわかるとおり，陽極付近の溶液は正電荷が増し（負電荷が減り），陰極付近の溶液は負電荷が増す（正電荷が減る）。

［陽極反応の例］

$2H_2O \rightarrow O_2 + 4H^+ + 4e^-$　（H^+＝正電荷が増す）　　⑪

$2Cl^- \rightarrow Cl_2 + 2e^-$　（Cl^-＝負電荷が減る）　　⑫

［陰極反応の例］

$2H_2O + 2e^- \rightarrow H_2 + 2OH^-$　（OH^-＝負電荷が増す）　　⑬

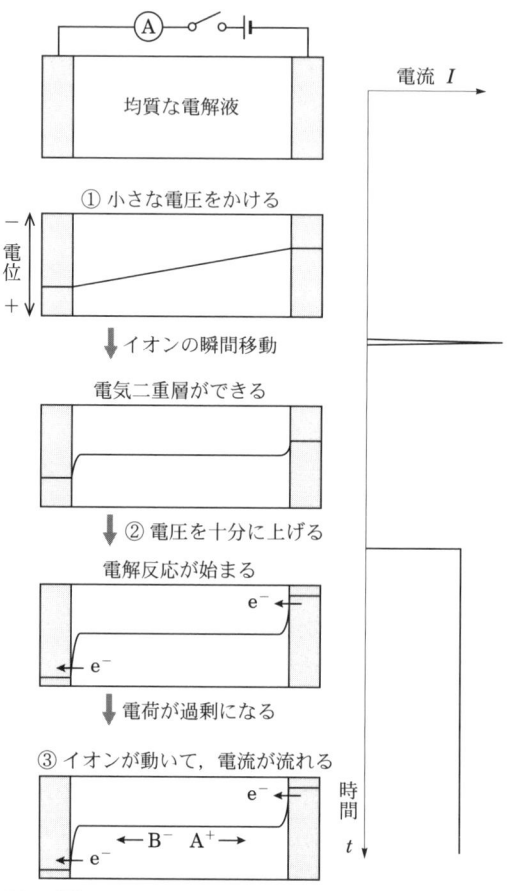

図3 電解の進みかたと，陽極〜電解液〜陰極を流れる電流

$$Cu^{2+} + 2e^- \rightarrow Cu \quad (Cu^{2+}＝正電荷が減る) \qquad ⑭$$

③ 同符号の電荷が密集すれば，電気的エネルギーが増えて不安定になる。そこで再びイオンの出番が来る。**余分な電荷を打ち消そう**と，陽イオンは陰極のほうに向かい，陰イオンは陽極のほうに向かう。そのとき初めて全体の回路がつながり，電流が連続的に流れ始める。つまり**イオンは，第2の仕事（電解反応の後始末）**をしてくれた。

まとめるとイオンの役目は，電子授受の進む**舞台**（電気二重層）**をつくり，**

ドラマがすんだら**後始末**（電荷の中和）**をする**ところにある。ごくまれには，イオン自身が電子授受する場合もあるけれど。

5. 電極で起こる反応は？

電極で何が反応するかを決める要因につき，あらましを眺めよう。

まずは $E°$

かける**電圧を上げれば，陽極の正電位が強まっていく**。付録2にある電子授受平衡の一部とともに，そのもようを図4に描いた。

陽極が銅なら，まず Cu が酸化される。溶液が Fe^{2+} を含めば，次に $Fe^{2+} \to Fe^{3+}$ の酸化が進む。電位がさらに上がると**水 H_2O が酸化され，Cl^- イオンの酸化はその次になる**····はずだが，首をひねる読者もいよう。

図4を見ると銅 Cu は，電子1個を出す前に，2個を一挙に出す。なんだか不思議に思えても，じつは正しい（実験でも確認できる）。Cu^{2+} が水和（p.149）で安定化する（エネルギーを下げる）度合いが，Cu^+ よりずっと大きいからだ。

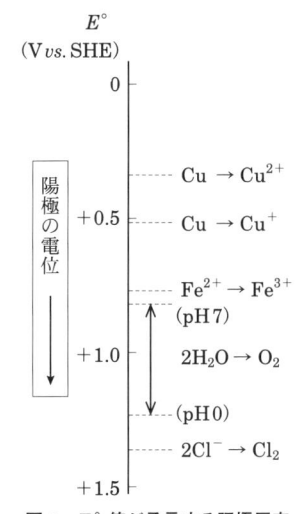

図4 $E°$ 値が予言する陽極反応

もっと目を引くのは，Cl^- より H_2O のほうが酸化されやすいという予言。溶液が中性に近づけば，水はどんどん酸化されやすくなる。だが中性の食塩水を電解したら，ふつうは酸素 O_2 ではなく塩素 Cl_2 が出る。なぜなのか？

過電圧

$E°$ 値は，「**反応は無限に速い**」とした**熱力学計算の結果**だった（p.164）。電子を授受するだけの反応（$Cu \to Cu^{2+}$ や $Fe^{2+} \to Fe^{3+}$）はおおむね計算ど

おりとなって，起こりやすさは$E°$値の序列にほぼ従う。

しかし結合の切断や形成を伴う反応は，余分なエネルギーを食う。エネルギーは電位差に等価なので（p.177），酸化なら，$E°$値より高い電位＝過電圧が必要になる。**H−O 結合を切ったあと O＝O 結合をつくる酸素発生の過電圧はとくに大きい。**Cl−Cl 結合をつくる塩素発生にも過電圧はあるが，ずっと小さい。

白金電極を使ったとき，酸素発生の過電圧は 1 V に迫り，**図 4 の $2H_2O \to O_2$ が約 1 V も下方に動いて，**pH 7 のときなら ＋1.8 V 付近まで行く。かたや塩素発生の電位（＋1.36 V）はあまり動かないから，食塩水を電解したとき，ふつう陽極では $2Cl^- \to Cl_2 + 2e^-$ が起きて塩素が出るのだ。

同じ電子授受反応でも過電圧は電極材料によって変わるため，「何が起こるか」を言うには，電極の種類まで指定しなければいけない。

反応物の濃度

電子授受も化学反応だから，速さ（電流）は反応物の濃度に比例する。図 1 の場合，気体の発生が目で見えるなら，電流密度は 10 mA/cm^2 を超す。そのとき反応物の濃度は 0.01 mol/L 以上でなければいけない。

pH ＜ 2 の酸性水溶液なら [H$^+$] ＞ 0.01 mol/L なので，水素イオン H$^+$ は水素発生の反応物になれる。また pH ＞ 12 のアルカリ性水溶液は [OH$^-$] ＞ 0.01 mol/L だから，水酸化物イオン OH$^-$ は酸素発生の反応物になれる。

ほかの pH 条件だと，水素も酸素も，水分子 H$_2$O の反応で生じる。

$$2H_2O + 2e^- \to H_2 + 2OH^- \qquad ⑮$$
$$2H_2O \to O_2 + 4H^+ + 4e^- \qquad ⑯$$

濃度は食塩水電解の陽極反応にも効く。NaCl の濃度が 0.1 mol/L 以上なら $2Cl^- \to Cl_2 + 2e^-$ で塩素が出る。しかし濃度が 0.001 mol/L にも下がれば，Cl$^-$ の酸化効率が落ち（図 4 でいうと，$2Cl^- \to Cl_2$ の線が下方に動き），おもに反応⑯が進んで酸素が出ることになる。

反応物の電荷

電極表面の電荷はわずかだから（p.180），**反応物の電荷と電子授受の向き（電子をもらうか出すか）に関係はない**。図4に書いた陽イオン Fe^{2+} も陽極にらくらく近づき，電子を出して Fe^{3+} に変わる。

まとめ

電極で何が反応するかを決める要因は多い。$E°$ 値がとりあえずの目安にはなっても，反応が現実に起こる電位は，反応ごとに大きく動くし，電極材料でも変わる。濃度の影響もかなり大きい。

そのため，「食塩水を電解したら陽極で塩素が出る」など中学や高校で教えても，意味はほとんどない。実生活で役立つ場面はないし，大学で電気化学分野に進んだ人は，頭の切り替えに苦労するのだから。

6. 誤解あれこれ

半世紀の闇

戦後から半世紀以上，中高校の教科書はこんな「説明」を載せ続けた。

> **電解液に電流を通じると，陽イオンは陰極に，陰イオンは陽極に引かれ，それぞれ電子授受して原子や分子になる。これを電気分解という。**

そんな記述に合わせ，たとえば希塩酸の電解を図5のイメージで説明する。陽イオン H^+ と陰イオン Cl^- が遠くから陰極と陽極に泳ぎ着き，$2H^+ + 2e^- \rightarrow H_2$，$2Cl^- \rightarrow Cl_2 + 2e^-$ と変化するイメージだ。

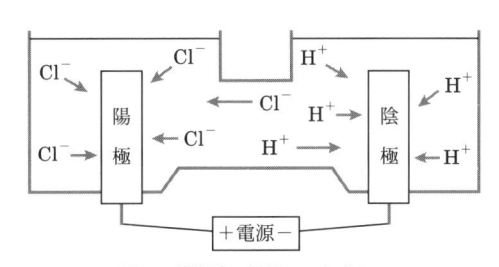

図5 希塩酸の電解はこう進む？

「説明」と図5の誤りに，読者はもはやお気づきだろう。まず，電流は電

子授受反応が起きる結果として流れるため（図3），**因果関係が逆立ちしている**。また，電極から H_2O 分子3個分も離れた場所なら，イオンは電極の電荷を感じない（図2）。つまり**図5のイメージは事実に反する**。

ルーツと惨状

ファラデーが名づけた陽イオン（cation）・陰イオン（anion）の語源は，「陰極に向かうもの」「陽極に向かうもの」だった（3章 p.38）。「説明」はそれに引きずられ，電気化学をご存じない人たちが発明したらしい。

歴史が100年を超す電気化学分野では，数千種どころではない電子授受反応が知られる。その大部分では中性の分子や固体が電子授受し，**イオンが反応する例はせいぜい1％**だろう。むろん，陽極で陰イオンが反応し，陰極で陽イオンが反応するケースはさらに少ない。

ところが現行の高校『化学Ⅰ』教科書のほとんどは，**例外中の例外**といってよい**塩化銅 $CuCl_2$ 水溶液**を導入の素材に使い，図5そっくりの説明図を添え，次の電子授受反応を解説している。

[陰極]　$Cu^{2+} + 2e^- \rightarrow Cu$　　　　　　　　　　　　　⑰

[陽極]　$2Cl^- \rightarrow Cl_2 + 2e^-$　　　　　　　　　　　　　⑱

これでは**電解を学んだことにはならない**し，大学で電気化学分野に進んだら，入り口で大いにとまどう（現に私がそうだった）。なお，陰極では $Cu^{2+} + e^- \rightarrow Cu^+$ のほうが起きやすく，できた Cu^+ が Cl^- と結合して難溶性の $CuCl$ をつくるため，電解条件によっては⑰さえ書けない。

ファラデーの第二法則？

現行『化学Ⅰ』教科書の半数以上は，こんな「法則」も載せている。

　　　電極で反応するイオンの量は，イオンの価数に反比例する。

これこそ言語道断の妄言だといってよい。例外的な「イオンが反応する」電解の話に**法則の資格はない**し，貴重（？）イオン反応も事実と合わないことは，次の2反応を見比べてすぐわかる（例はほかにもおびただしい）。

（Fe^{2+} の還元＝2電子反応）　$Fe^{2+} + 2e^- \rightarrow Fe$　　　　　⑲

(Fe^{2+} の酸化＝1 電子反応) Fe^{2+} → Fe^{3+} + e^- ⑳

ウソを堂々と教科書に書くのは，いいかげんにやめよう。

よくない用語：「電気分解」

中学・高校で本章の内容は「電気分解」と呼ぶけれど，いままでその呼び名はわざと使わなかった。さまざまな誤解が生まれる背景に，「電気分解」という用語があるように感じるからだ。

たとえば先ほど（まずい例として）あげた塩化銅水溶液の電解を，一部の教科書は「$CuCl_2$ の分解」であるかのように説明する。

$CuCl_2$ → $Cu + Cl_2$ ㉑

だが現実に起きる反応は，こう書かなければいけない。

$Cu^{2+} + 2Cl^-$ → $Cu + Cl_2$ ㉒

$CuCl_2$ と「$Cu^{2+} + 2Cl^-$」はギブズエネルギーがちがうため，まったく別の物質（群）だ（後者が 21 kJ/mol ほど安定）。なにしろ，**硝酸銅 $Cu(NO_3)_2$ と食塩 NaCl を溶かした水溶液の電解でも式㉒と同じ変化が進む**わけだから，「塩化銅の分解」ではありえない。

食塩水の電解も，式⑩（p.177）の両辺に $2Na^+$ を足して，

$2NaCl + 2H_2O$ → $2NaOH + H_2 + Cl_2$ ㉓

と書くのはまちがっている。そうした誤りにつながる「電気分解」という用語は，使わないのが賢明だろう。

> **イオン液体**
>
> イオン結晶 NaCl は，温度が融点（1074 ℃）を超せば，Na^+ と Cl^- の動き回る液体になる。室温で Na^+ や Cl^- を利用するには，溶かして電解液とするしかない。
>
> 融点が室温より低いイオン結晶なら，そのままで電解液になる。そんな物質をイオン液体（ionic liquid）や常温溶融塩と呼ぶ。最古の例は，1914 年に合成された硝酸塩 $C_2H_5-NH_3^+\ NO_3^-$（融点 12 ℃）らしい。イオンどうしの引き合いが弱いため，常温で液体になる。
>
> イオン液体の例

13章 水を電気で分解するのに，なぜ硫酸などを溶かすのか？

無機物も有機物も溶かし，粘性が適度に低く，揮発しにくくて燃えにくいイオン液体は，1970年代から大きな注目を集め，化学合成や電解用の溶媒に広く使われ始めている。例のひとつ（融点 −10 ℃）を図に描いた。

【章末問題】

1. 電子授受反応を書き，電子 1 mol の電荷（−96500 C）を使えば，電解で変化する物質の量はすぐわかる。電流 1.0 A（1.0 C/s）で水を電解したとき，1 時間（3600 s）に出る水素 H_2 と酸素 O_2 の体積を計算せよ。気体 1 mol は 25 L とする。
   ［水素 466 mL，酸素 233 mL］

2. 硫酸銅（$CuSO_4$）水溶液を電解すると，反応 $2Cu^{2+} + 2H_2O \rightarrow 2Cu + O_2 + 4H^+$ が進む。電解に必要な最小電圧を，付録 1 の $\Delta_f G°$ データから見積もれ。　［0.89 V］

3. 付録 2 の $E°$ データを使っても，上と同じ値が出るのを確かめてみよ。

4. 1000 ℃の熱エネルギーは，何 V の電圧に等価だといえるか。　［0.11 V］

5. 電気二重層の厚みは，電解質濃度の平方根に反比例する。0.001 mol/L 希硫酸だと，電気二重層の厚みはいくらになるか。　［10 nm = 100 Å］

6. 水溶液中では，$Au \rightarrow Au^+ + e^-$ と $Au \rightarrow Au^{3+} + 3e^-$ のどちらが進みやすいか。
   ［$Au \rightarrow Au^{3+}$］

7. 塩化物イオン Cl^- が電子を奪われ，① Cl_2，② ClO^-，③ ClO_2^-，④ ClO_3^-，⑤ ClO_4^- に変わる反応を書き，「ファラデーの第二法則」のデタラメぶりを鑑賞しよう。
   ［① $Cl^- \rightarrow \frac{1}{2} Cl_2 + e^-$，② $Cl^- + H_2O \rightarrow ClO^- + 2H^+ + 2e^-$，③ $Cl^- + 2H_2O \rightarrow ClO_2^- + 4H^+ + 4e^-$，④ $Cl^- + 3H_2O \rightarrow ClO_3^- + 6H^+ + 6e^-$，⑤ $Cl^- + 4H_2O \rightarrow ClO_4^- + 8H^+ + 8e^-$］

8. 付録 1 の $\Delta_f G°$ データから，「$Cu^{2+} + 2Cl^-$」が $CuCl_2$ より 21 kJ/mol だけ安定なことを確かめてみよ。

14章　フェノールフタレインは，どうして赤くなる？

Eine obere Grenze für die Ionisierungsarbeit gewinnt man auch aus den Ionisierungsspannungen in verdünnten Gasen. Nach J. Stark[1]) ist die kleinste gemessene Ionisierungsspannung (an Platinanoden) für Luft ca. 10 Volt.[2]) Es ergibt sich also für J die obere Grenze $9.6 \cdot 10^{12}$, welche nahezu gleich der eben gefundenen ist. Es ergibt sich noch eine andere Konsequenz, deren Prüfung durch das Experiment mir von großer Wichtigkeit zu sein scheint. Wenn jedes absorbierte Lichtenergiequant ein Molekül ionisiert, so muß zwischen der absorbierten Lichtmenge L und der Anzahl j der durch dieselbe ionisierten Grammoleküle die Beziehung bestehen:

$$j = \frac{L}{R\beta\nu}.$$

Diese Beziehung muß, wenn unsere Auffassung der Wirklichkeit entspricht, für jedes Gas gelten, welches (bei der betreffenden Frequenz) keine merkliche nicht von Ionisation begleitete Absorption aufweist.

Bern, den 17. März 1905.

光は粒だ
　アインシュタインは，名高い相対性理論ではなく，光の粒子性を予言してノーベル賞（1921年）を得た。その原点をなす論文「光の発生と変換に関する発見的な視点」（*Annalen der Physik*, 17巻132-148頁, 1905年）の末尾。式の分母に見える $R\beta\nu$ は，いまの表記で $N_A h\nu$ となり，振動数 ν の光子1 molがもつエネルギーを表す。

　化学が好きでない人も，中和滴定のときパッと現れるフェノールフタレインの赤い色や，炎色反応で元素それぞれが見せるきれいな色には感動（少なくとも注目）しただろう。色がついたり，色が変わったりする現象は，なぜ起こるのか？

　植物が光合成でつくる有機物質は，あらゆる生物のエネルギー源になる。光のエネルギーとはいったい何か？

1. 色の世界は楽しいけれど

暮らしと色

身のまわりにはきれいな色の服や自動車，印刷物，日用品があふれる。たいていの宝石は色が命だし，色のついた飲み物も多い。

戸外では鮮やかな緑の葉や色とりどりの花に出合い，空や海の青が目を奪う。暮らしや自然界に色がなければ，なんとも味気ないことだろう。

ものを色合いで分けたら，次の3種類（こまかく分けて5種類）になる。

A．**色がないもの**（透明，不透明＝白）

B．**色があるもの**（透明，不透明）

C．**真っ黒なもの**（不透明）

Bの色は，赤・青・黄など原色のほか，山吹色や辛子色，小豆色，若草色，京紫などなど，味わい深い呼び名も多い。ただし，**色に名前をつける**のと，**色がわかる**のは別のことだ。

化学と色

色は化学にも縁が深い。リトマス紙の赤変・青変はおなじみだし，ムラサキキャベツ液が酸性で赤，中性で緑，アルカリ性で青になる変化も美しい。きれいな炎色反応は中学で教わる。しかし，「なぜそうなるのか？」を教えないため，「こうなのだ」「あぁきれい」で終わってしまう。

高校なら，**色や変色の科学も教えたい**。根元は量子論だからやさしくはないが，少し背伸び（2章 p.24）をして核心に迫ろう。

色と光の「峠越え」

以下3点はだいぶ前に紹介した。

① 原子をとり巻く**電子のエネルギーは，飛び飛びの値をとる**（2章）。

② 分子をつくる電子のエネルギーも，むろん飛び飛びになる（4章）。

③ 分子のエネルギー準位は結合電子の数だけでき，各準位には電子が2

個まで入る。そのため電子は，**低い準位から2個ずつ入り，あるエネルギー値より上の準位には入らない**（4章）。

ポイント③は図1のように描ける。いずれわかるとおり，上記のA～Cは，エネルギーの飛び ε_g（gはgap = すき間）がどんな大きさかで決まる。

あと一歩だけ踏み出せば，色や変色の素顔も見えてくる。その一歩を踏み出そう。

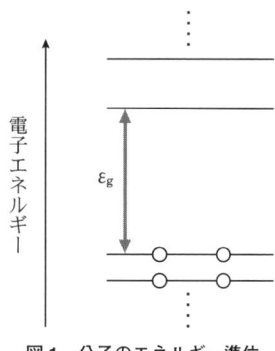

図1　分子のエネルギー準位

2. 光とは？

光と電磁波

光は**波でもあり，粒子でもある**。粒子の顔はあとに回し，まずは中高校の理科で習う「波の顔」を眺めたい。

正電荷と負電荷が超高速で振動しつつ，秒速30万kmで進む波を**電磁波**という。電磁波は，波長で15桁以上もの広がりをもつため，ふつう，作用や使い道にからむ呼び名で区分けする（図2）。

波長の長いほうからいうと，長波～短波は放送に，マイクロ波は電子レン

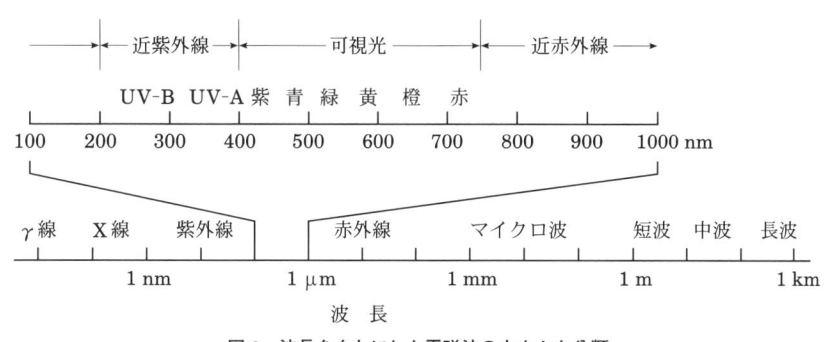

図2　波長をもとにした**電磁波の大まかな分類**

14章　フェノールフタレインは，どうして赤くなる？

ジに使う。赤外線は熱線ともいい，紫外線は日焼けを促す。X線はレントゲン撮影に使い，γ(ガンマ)線は不安定な原子核（1章）が出す放射線だ。

ごくせまい波長範囲（400～750 nm）の電磁波は，ヒトの網膜(もうまく)にある視覚物質（ロドプシン。p.198）に作用するため，とくに**可視光**(かしこう)と呼ぶ。可視光範囲の「せまさ」を鑑賞しよう。

波の性質

波としての電磁波は，屈折や干渉(かんしょう)，回折(かいせつ)を起こす。波長が100～1000 mの電波は，回折で建物の陰に回りこめる。波長が1 nm（10 Å）以下のX線は原子サイズで回折し，分子や結晶のミクロ構造（5章）を教える。

けれど，波の性質を考えても，色や変色，光合成などの**化学現象は説明できない**。光を**粒子**とみないかぎり，わからないのだ。

3. 光 子

アインシュタインの式

約100年前にアインシュタインは，光がエネルギー粒子＝**光子**(こうし)の集まりだと見抜いた。光子1個のエネルギー ε_p（単位J）は，光を波とみたときの振動数 ν(ニュー)（単位 /s）に比例し，**比例定数 h** を使ってこう書ける。

$$\varepsilon_p = h\nu \qquad ①$$

式①で**粒子**の性質（ε_p）と**波**の性質（右辺のν）が結びつく。h（6.626×10^{-34} J s）をプランク定数という。たとえば緑の光なら，振動数 $\nu \fallingdotseq 6 \times 10^{14}$ /s を式①に入れ，$\varepsilon_p \fallingdotseq 4 \times 10^{-19}$ J となる。だがそう言われてもピンとこない。10^{14} や 10^{-19} という指数がなく，**スッとわかる数値**にしたい。

まず，**振動数 ν に反比例する波長** λ(ラムダ) を使う。単位をナノメートル（nm ＝ 10^{-9} m）とすれば，可視光の前後で，値が簡単な（覚えやすい）200～1000になってくれる（図2）。

電子ボルト（eV）の再登場

次に光子のエネルギーを見よう。序章で紹介し，1〜4章と9章で使った電子ボルト eV は，値がふつう 0〜10 の範囲だった。改めて定義を書く。

$$1\,\mathrm{eV} = 96.5\,\mathrm{kJ/mol} = 1.6 \times 10^{-19}\,\mathrm{J}\ (粒子1個あたり) \qquad ②$$

たとえば，上記した緑色光のエネルギー（約 4×10^{-19} J）は，2.5 eV というわかりやすい数値になる。

nm 単位の波長 λ と，**eV 単位のエネルギー**を使えば，光子1個のエネルギー ε_p は次式に書ける。

$$\varepsilon_\mathrm{p} = 1240 / \lambda \qquad ③$$

そのとき ε_p 値は，λ = 400〜750 nm の可視光が 3.1〜1.7 eV になる（確かめよう）。紫外線（100〜3.1 eV）や赤外線（1.7〜0.1 eV）の ε_p 値も，指数がいっさいなくて覚えやすい。

光子の数

身近な光は，可視光の光子が何個ほど飛び交うものか？ ε_p は最大（3.1 eV）と最小（1.7 eV）で2倍もないから，**可視光は λ = 500 nm**（ε_p = 2.48 eV = 4.0×10^{-19} J）**の光だけとみても，誤差はほとんど生じない。

60 W の白熱電球を考える。消費電力が可視光に変わる割合は 5％だという。つまり 60 W の電球は 3 W の可視光エネルギーを出し，1 W = 1 J/s の関係から，毎秒の光子数は 7.5×10^{18} 個になる（確かめよう）。

太陽光はどうか。快晴で太陽が真上にあるとき，**地面の 1 m² は 1 kW のエネルギーを受ける**。1 cm² なら 0.1 W で，エネルギーのほぼ半分が可視光だから（図3），毎

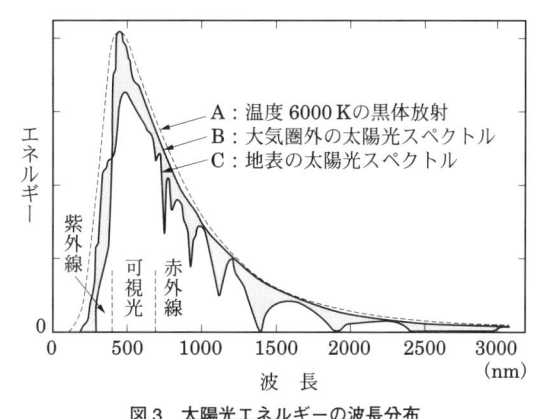

図3 太陽光エネルギーの波長分布

A：温度 6000 K の黒体放射
B：大気圏外の太陽光スペクトル
C：地表の太陽光スペクトル

14章 フェノールフタレインは，どうして赤くなる？

秒1 cm²あたりの光子数は 1.3 × 10¹⁷ 個となる（確かめよう）。

どの値も，1時間 (3600 s) あたりならアボガドロ数に近い（p.202 参照）。

4. 光の吸収

再びアインシュタイン

　光の吸収とは，原子や分子の中にいる **1個の電子が光子1個のエネルギー ε_p を受けとり，ε_p だけ高いエネルギー準位に上がる**（そのとき光子は消滅する）**現象**をいう。「光子1個」対「電子1個」の関係を，アインシュタインの**光化学当量則**と呼ぶ（章扉に紹介した論文の骨子）。

　章扉にはこんな式が見える。

$$j = \frac{L}{R\beta\nu} \tag{④}$$

　j は，振動数 ν の光を吸収してイオン化する分子の量（当時の名は**グラム分子** Grammoleküle。単位 mol）を表す。また L は光のエネルギー（単位 J），$R\beta\nu$ は現行表記で N_A（アボガドロ定数）× $h\nu$ の意味。つまりアインシュタインは，光が「エネルギー $h\nu$ をもつ粒の集まり」だと書いた。引用部の中ほどに，「この関係を実験で証明するのはきわめて重要だろう」とある。やがて実証され，1921年のノーベル賞につながった。

　式④は，「分子が光を吸収して起こること」を表している。では，光を吸収するとは，いったいどういう現象なのか？

要は ε_p と ε_g の大小関係

　図1のうち，電子が入った最高準位と，空の最低準位に注目しよう。二つの準位は，ε_g というエネルギーだけ離れている。そこにエネルギー ε_p の光子がやってきたら，両者の大小関係で次のどちらかになる。

　　　$\varepsilon_p \geqq \varepsilon_g$：吸収される（電子1個が高い準位に上がる）

　　　$\varepsilon_p < \varepsilon_g$：吸収されない（光子は物質を素通りする）

この関係は，原子や分子のほか，酸化物・半導体といった固体でも成り立つ。当てる光は可視光（$\varepsilon_p = 1.7 \sim 3.1$ eV）とする。そのとき，物質に固有な ε_g の大きさで，3種類の状況ができる（図4）。本章の冒頭にあげたA・B・Cは，図4の物質A・B・Cにあたる。

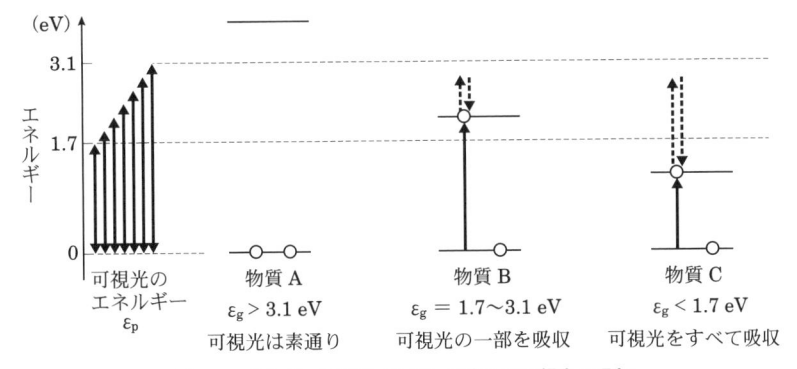

図4 エネルギーの飛び（ε_g値）で変わる可視光の吸収

物質の見た目と ε_g 値

ε_g 値が 3.1 eV を超す A には，水やガラス，多くの無機物質，空気の成分（窒素・酸素）などがある。**可視光が素通りするため，純粋なものは透明で，粉末は白く見える**。例を表1にあげた。

ε_g 値が 1.7 eV に届かず，**可視光を完全に吸収して黒く見える** C が，炭や黒鉛，シリコンなど。光子を吸収したとき，**電子は ε_p だけ高い位置に上がるが，10兆分の1秒以内に最低準位へ落ちる**（図4の破線矢印）。

ε_g 値がたまたま **1.7～3.1 eV の範囲に入る物質 B は，可視光の一部だけ吸収**し，残り（補色）が私たちの目に届くため，特有の色をもつ。たとえば絵の具に使う硫化カドミウム CdS は ε_g が 2.5 eV（$\lambda = 496$ nm）だから紫～緑の色を吸収し（図2），残る黄～赤の混色（橙）が見える。

純粋なら無色透明な Al_2O_3 の結晶（鉱物名コランダム＝鋼玉）も，ほかの

表1 透明な物質の ε_g 値

物質	ε_g (eV)
石英 SiO_2	9.7
塩化ナトリウム NaCl	9.0
水 H_2O	8.9
酸化アルミニウム Al_2O_3	8.7
ダイヤモンド C	5.5
塩化銀 AgCl	4.7
酸化チタン TiO_2	3.1

金属が少し入れば，そのイオンが可視光を吸収する結果，深紅のルビー（クロムの色）や，青っぽいサファイア（鉄やチタンの色）に変わる。

ε_g 値を決めるもの

光（振動電場）は電子（負電荷）を揺さぶる。原子核に強く引かれている電子ほど揺さぶられにくく，そんな電子をもつ物質は ε_g 値が大きい。電場に反応するのは結合電子だから，透明な物質は原子間結合が強い。

原子間結合の強さがほどほどの物質は，ε_g 値が $1.7 \sim 3.1$ eV（$164 \sim 300$ kJ/mol）になって可視光の一部を吸収し，**特有の色をもつ**。

吸収スペクトル

物質がどんな波長の光をどれほど吸収しやすいか——それを測って得られる図を，**吸収スペクトル**という。

図1と図4には準位を線で描いたが，原子や分子の運動エネルギーは**熱エネルギー RT（2.5 kJ/mol $\fallingdotseq 0.03$ eV）分だけぼやける**ため，吸収線は必ず幅をもつ。緑葉のクロロフィル a を抽出し，アセトンに溶かして測った吸収スペクトルを図5に載せた（蛍光のことは後述）。

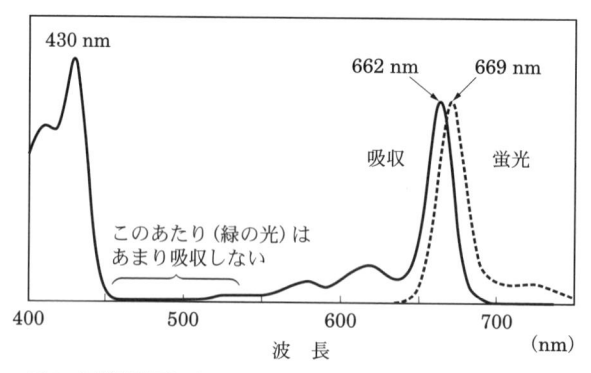

図5　可視光範囲にクロロフィル a が示す吸収・蛍光スペクトル

ε_g 値は 1.87 eV（$\lambda = 662$ nm）とみてよいが，吸収は1本線ではなく，約 0.05 eV の幅をもつ。430 nm の強い吸収では，図1に描いた（図4には描か

なかった）二つ目の高い準位に電子が上がる。また，500 〜 640 nm のなだらかな構造は，分子の振動エネルギー準位を映し出す。

クロロフィル a は紫（λ = 400 〜 430 nm）と橙〜赤（λ = 600 〜 700 nm）の光を強く吸収し，青〜緑（λ = 430 〜 550 nm）をあまり吸収しないので，溶液は**緑がかった青**に見える。

色合いと吸収スペクトル

ご想像のとおり，物質の色合いは，その物質が**可視光の範囲（λ = 400 〜 750 nm）にどんな姿の吸収スペクトル**をもつかで決まる。たとえば，クロロフィル a と構造がほんの一部だけちがうクロロフィル b は，図5左側のピークが 450 nm 付近に移り，青を吸収する力がクロロフィル a より強くなるため，青味が消えて鮮やかな緑色を示す。

吸収スペクトルの形は物質ごとに千差万別となるから，同じ緑や青系統の色でも色合いは微妙にちがう。

フェノールフタレインの変色

水素イオン H^+ の作用で分子構造の一部が変わり，色合いが激変する有機分子は **pH 指示薬**に使う。そのひとつ，小学校でもおなじみのフェノールフタレインは，図6の構造変化で色を変える。

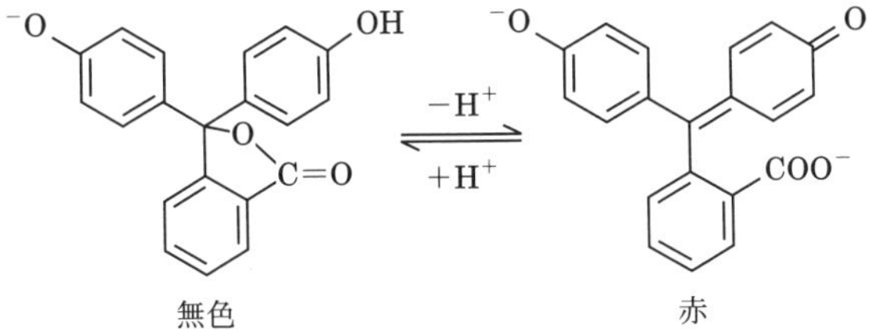

図6　フェノールフタレインの構造変化と変色

無色の分子（左）と赤い分子（右）は，何がちがうのか？　ベンゼン環の二重結合（C=C）は，σ 結合と π 結合からできている（4章）。光の吸収には，動きやすい（原子核との結合が弱い）π 電子がもっぱら働く。

左の分子では，ベンゼン環三つの間で電子の行き来がない。ベンゼン環のπ電子は，σ電子より動きやすいとはいえ，**動かすには約5 eVのエネルギーがいる**。5 eVは波長にして250 nm（紫外線）だから，可視光（ε_p = 1.7〜3.1 eV）のパワーでは動きようがなく，したがって色はない。

　見た目がそっくりな右の分子は，1点だけくっきりちがう。**中央の炭素Cが二重結合に参加している**のだ。そのπ電子は，右上と下のベンゼン環を行き来する。左上と下のベンゼン環が連絡した描きかたもできるため，結局のところ，π電子の雲は三つのベンゼン環をすっぽりと覆う。

　広い空間を動き回れるπ電子は，原子核から受ける引力がそれだけ弱いから，**小さなエネルギーで揺さぶられる**。必要なエネルギーが約2.2 eVにも下がり，可視光の480〜580 nm（青〜緑〜黄）を強く吸収する結果，残った紫＋橙＋赤の光が赤っぽい色をつける。

ものが見えるしくみ

　目の網膜にあるロドプシンは，オプシンという大きなタンパク質（図7のP）にレチナールという分子が結合したもの。光子を吸収したレチナールは，曲がったシス型から，直線状のトランス型に変わる。

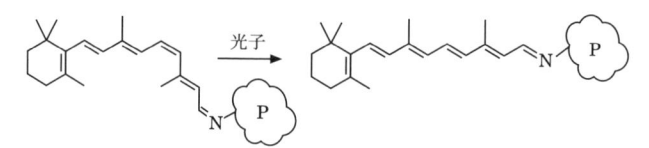

図7　視覚を生む第一歩：レチナールの光異性化

　そのとき起こるオプシンのわずかな構造変化が，神経細胞に電気信号を生み，「ものが見えた」ということになる。

　自由なレチナール分子は吸収ピークが380 nmにあって薄黄色だが，オプシンに結合すると490，535，565 nmに吸収ピークをもつ3種類ができ（それぞれどんな色か，図2を見ながら予想しよう），3種類の共同作業が色覚をもたらす。

5. 光の放出

真っ赤に光るクロロフィル

図1と図4を見直そう。ε_g を超すエネルギーの光子は，電子1個を第2の高い準位に上げる。電子はすぐ最低準位まで落ちたあと，別の分子に移るか，光を吸収する前の準位に戻る。後者なら，得ていたエネルギーは，運動エネルギー＝熱に変わるか，再び光に変わる。その光を**蛍光**という。

クロロフィル a（図5）の場合，第2準位に移るのは 430 nm（2.88 eV）の吸収だ。そこに上がった電子は，662 nm（1.87 eV）の最低準位に落ちたあと，約30％の効率で光になる。ピークの波長 669 nm は橙〜赤だから（図2で確かめよう），光を当てたクロロフィルは真っ赤に光る。

炎色反応

2章の復習をしよう。ナトリウムの電子（計11個）は，自由な状態から -1100 eV も深い準位に2個（1s 軌道），-40〜80 eV の準位に8個（2s 軌道に2個，2p 軌道に6個）あった。残る1個が，ぐっと浅い -5 eV の 3s 軌道にいる。そして 3s 軌道の上には，ふだん空だけれど，エネルギーの近い 3p 軌道がある。

大きな熱エネルギーをもらった電子は，（図4と同じく）高い準位に上がる。一部は 3p 軌道に落ちたあと，光の形でエネルギーを捨てる。**エネルギーがたまたま可視光の範囲（1.7〜3.1 eV）**なら，色が見えるだろう（8章 p.108 にも述べた）。それが**炎色反応**にほかならない。

ナトリウム原子のエネルギー関係は図8に描ける。3p 軌道は2本の準位をつくり（理由は

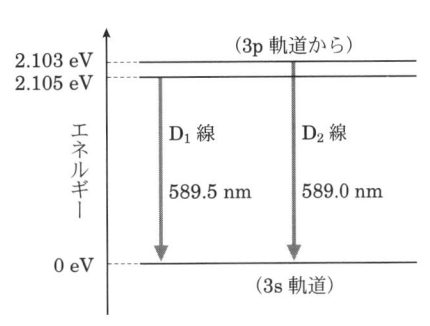

図8 Na 原子の発光（炎色反応）

省略），それぞれから波長（エネルギー）のぴったり決まった黄色い光（D_1線・D_2線）が出る。

リチウムやストロンチウムが赤，カリウムが紫，銅が緑，‥‥といった炎色反応の色がつくのも，**電子準位のエネルギー差がたまたま可視光の範囲に入るからだ**。それを花火に応用し，きれいな色をつくる。

6. 光合成の化学

光はミニ電池

1 eV は，「電圧 1 V で加速された電子 1 個のエネルギー」だった（序章 p.10）。すると，可視光（ε_p = 1.7〜3.1 eV）を吸収した物質の中には，**1.7〜3.1 V の電池をつないだときと同じ状況ができ，電子が負の電位へ移って**（12章の図1を参照），**強い還元力をもつことになる**。

ここで 12章（電池）と 13章（電解）の話を思い起こそう。1.7〜3.1 V は，水も分解できるほどの電圧だから，そうとうに大きい。実のところ「水も分解」といったのはただの比喩ではなく，植物の**光合成器官では，水の電解にほぼ等価な「光→化学エネルギー変換」が進む**。

光合成＝還元型物質の生産

生命も，暮らしも産業活動も，還元型物質を酸化したときに出るエネルギーが支える（12章 p.170）。そのおおもとにあるのが植物の光合成だ。

光を吸収する分子のうち重要なクロロフィル a は，図9の構造をもつ。

C–C 単結合と二重結合がくり返す大きな環を運動する π 電子が，可視光（ε_p = 1.7〜3.1 eV）を吸収できるエネルギー状

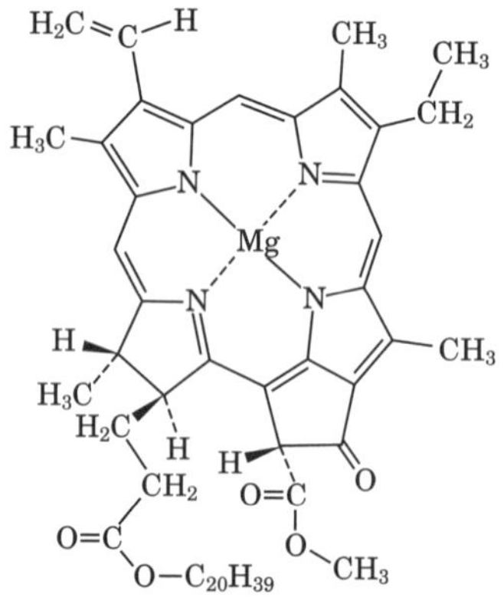

図9 クロロフィル a の構造

態にあるため，図5の吸収スペクトルが生まれる。吸収されたエネルギーは，絶妙なしくみを通じて，二酸化炭素 CO_2 の還元に使われる。

光合成の産物はグルコース $C_6H_{12}O_6$ とみてよい（構造は11章の図8）。典型的な還元型物質だけれど，**空気中では酸素 O_2 との反応が遅いため，安定に存在**できる（10章 p.145）。しかし体内では酵素が次の酸化反応をサッと進め，生命活動に欠かせないエネルギーを産み出す。こういうみごとなしくみは，38億年ほど前に生まれたらしい。

$$C_6H_{12}O_6 + 6O_2 \rightarrow 6CO_2 + 6H_2O \qquad \Delta G° = -2880 \,\text{kJ} \qquad ⑤$$

光合成のしくみ

12章から学んできた**電位**や**光エネルギー**を使うと，光合成の初期段階で進む出来事は，図10のように描ける。

クロロフィルなどの吸収した光エネルギーが，電子を2段階でたたき上げ，図10の左下から右上まで，約1.2 V低い電位（約1.2 eV 高いエネルギー状態）に移す。そのパワーで $NADP^+$ という有機分子が還元され，CO_2 をグルコースに還元する力となる。

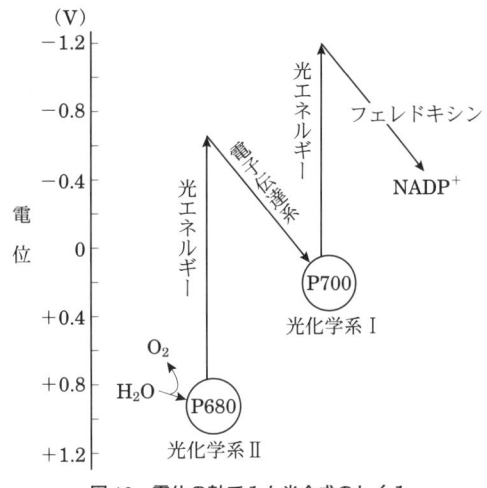

図10　電位の軸でみた光合成のしくみ

緑葉1 mg は，図10の機能単位を1兆個も含む。想像を絶するミクロの世界だ。1単位の中では，ほぼ50種のタンパク質と20種に近い機能分子が共同作業するが，こまかいしくみにはまだ不明な部分も多い。

とりわけ，小学生も知っている「**水草に光を当てると酸素の泡が出る**」**現象は，**いまのところブラックボックスに近い。その秘密を明るみに出すのは，若い読者の大きな挑戦課題となるだろう。

太陽光に含まれる可視光の光子数（p.194）から，3時間で面積 1 m² に降る光子は 10^{25} 個を超す。光子 1 個が電子 1 個を動かすなら，**1 m² あたり約 10 mol の物質**（グルコース 1.8 kg）ができる。現実にはいろいろな損失があり，太陽光の強さも変わるため何桁も落ちて，1 年あたりの**植物体（バイオマス）生産量は 1 ～ 3 kg/m²** くらいだけれど，それが地球上の生物すべてを養っている事実は覚えておこう。

【章末問題】

1. 光の速さ c（3.0×10^8 m/s），波長 λ（単位 m），振動数 ν（単位 /s）の間には $c = \lambda\nu$ の関係がある。電子レンジに使うマイクロ波（$\nu = 2.45 \times 10^9$ /s = 2.45 ギガヘルツ）の波長は何 cm か。　　　　　　　　　　　　　　　　　　　　　[12.2 cm]
2. 上記の関係式を使い，p.192 の式①を式③に変形してみよ。
3. 皮膚にあぶない紫外線 B（図 2 の UV-B）の光子エネルギーは，eV 単位と kJ/mol 単位で，それぞれいくらになるか。　　　　　　　　[約 4.1 eV，約 400 kJ/mol]
4. 4 章の図 2 を見て，水素分子 H_2 に色がない理由を説明せよ。
5. サインペンの黒いインクは，3 ～ 4 種類の有色物質を混ぜてつくる。有色物質の混合物が黒く見える理由を考えてみよ。
6. フェノールフタレイン以外の pH 指示薬を本やインターネットで調べ，色が変わったり消えたりする理由を，分子の構造や吸収スペクトルをもとに考えてみよう。
7. 目の網膜でレチナール分子は，光異性化（p.198）のあといろいろな変化をする。そのしくみを本やインターネットで調べ，暗い場所に入ったとき，目が慣れるのにしばらく時間がかかる理由を考えてみよう。

終章　教科書の記述は正しい‥‥のか？

■**定比例の法則**　プルースト（フランス，1754〜1826）は，1799年**定比例の法則**を発見

液中の陽イオンは，電池の負極につないだ炭素電極（陰極）から電子を受け取り，水溶液中の陰イオンは，電池の正極につないだ炭素電極（陽極）へ電子を与える反応が起こる。これが**電気分解**（電解）である。電気分解

	1molの体積(l)
	22.4
	22.4

物質の最小構成単位（原子・分子など）の個数をそろえて表した物質の量を，**物質量**という。物質量は，**モル**（記号mol）という単位で表す。

共有結合を表す線を**価標**という。　　次のような式を，**熱化学方程式**という。

$$CO + \frac{1}{2}O_2 = CO_2 + 283 \text{ kJ}$$

Naの単体　融解塩電解

水の電離度は非常に小さく，水のモル濃度$[H_2O]$は一定とみなすことができるので，$K[H_2O]$を一つの定数K_wとすることができる。

$$[H^+][OH^-] = K[H_2O] = K_w (\text{mol}/l)^2$$

閉じた世界
　高校化学の教科書には，大学に入ると使わない用語や記号，通用しない説明がずいぶん多い。高校を出たとたん化学と縁の切れる人ならきれいさっぱり忘れても不都合はないのだが，大学の化学系に進む生徒は苦労する。40年前の私もそうだった。

　高校で教わる話は，卒業したあと役に立つほか，大学にスッとつながるものがいい。だが化学も物理も生物もプツリと切れているため，入学したあと頭のリセットが必要になる。見た目は連続性のよさそうな数学も，問題がかなり多いとプロは言う。

　高校の化学教育が大学や世間と切れているありさまを眺め，なぜ切れたのか，つなげるにはどうすべきかを考えよう。教科書を書くのも検定するのも人間だから，完璧を求めるわけにはいかないが，このままでは学習に使う時間がもったいない。

1. 大学に入ったら‥‥

あわてふためく

　むかし大学に入ったとき，高校からつながる話をまず学ぶのだろうと思いきや，あっさりと裏切られた。大学の先生は，高校で何を教えているかも，入試問題の内容も知らないようで，いきなりむずかしい話を語ったのだ。

　教科書を開いてみると，**そこにあるのは別世界**。小学校以来なじんだリットルの文字「ℓ」や「l」がない。高校で苦労した熱化学方程式もなく，「気体 1 mol は 22.4 L」もない。そんな現実を知ってあわてた。

　40 年以上を経たいまも，**断絶状況は変わっていない**。

絶壁を登らされる

　数学なら，線形代数や，$\underset{\text{デルタ イプシロン}}{\delta - \varepsilon}$ を使う解析学が始まる。物理は，見たことも聞いたこともない量子力学と，数学まみれの力学や電磁気学になる。あえぎつつ断崖絶壁を登らなければいけない。

　化学も，内部エネルギー・エントロピーなど初耳の用語が飛び交う熱力学と，電子軌道に注目した無機・有機化学の話。つまり**化学の理屈を学ぶ**。だが入学直後の身には次の力しかなく，心細いかぎりだった。

- ●原子数と電荷数のつり合う反応式が書ける（小学生レベル）。
- ●化学計算ができる（中学生レベルの加減乗除と，簡単な指数・対数）。
- ●結合の生成や切断が起こると知っている（**起こる理由は知らない**）。
- ●化学反応をいくつか書ける（**なぜその向きに進むのかは知らない**）。
- ●状態方程式など理論式を少し知っている（**成り立つ理由は知らない**）。

　大学では「なぜ」の話が始まる。**それが化学の本質**だからだ。むろん**基礎体力ゼロの若者**は面食らい，消化不良を起こしてしまう。

　40 年前はまだ夜明け前だった量子化学は，3 年生のころ初めて習った。だがいまはまったくちがう。まず本格的な量子化学を‥‥と考える教員が多いので，消化不良になる学生も 40 年前より多いだろう。

2. 高校かぎりの用語や表記

　大学に入って20年目のころ高校教科書の執筆・編集に関与し始め，教科書を眺めたとき，**研究・教育の場でまず使わない用語や表記**に改めて驚いた。交流が増えた高校の先生がたに伺ったところ，**入試にも出る**からと，そんな用語や表記を教えるのにかなり時間を使うらしい。
　以下，あやしい用語や表記を解剖しよう。一部は折り折りに触れてきた。

定比例の法則・倍数比例の法則

　むかし高校で（たぶん）習った二つの用語に再会した20年前，すぐには意味が思い出せなかった。学問の香りはしても数学用語ではないし，むろん日常語でもない。とにかく**イメージ喚起力がまったくない**。
　前者の原語 law of constant proportion は「組成一定の法則」，後者 law of multiple proportion は意味からして「組成整数比の法則」か。いつか誰かが proportion を**比例**，multiple を**倍数**と**誤訳**したのだろう。
　化学の芽生え期だった1800年ごろ，物質は元素が一定の原子数比で集まったものだとわかり，ありがたい法則 = law に思えた。いまやそんなことは中学でも教わるため，少なくとも**用語を覚えさせる意味はない**。

物質量

　1970年代の後半から教科書に載り始めた用語。モルを単位にした物質の量をいい，学術用語として日本の法律（計量法）にも採用されているが，次のような問題がある（6章 p.86 参照）。
- 大学の研究室では**使わない**（**使う必要がない**）。むろん高校でも，使わずにすべてが語れる。
- 高校化学の入り口で教えると，**化学嫌いを増やす一因**になる。
- 原語 amount (of substance) は「（物質の）量」だから，化学用語などにせず，たんに「量」とするのが筋だった。

米国化学会が編集・刊行した2006年の重厚な高校化学教科書2冊（全622ページ，712ページ．図1）も，2004年の大学向け一般化学教科書（全860ページ）も amount of substance を術語にはせず，索引に採ってもいない．大学向けの本に「化学でamountとは，粒子数にもとづく**物質の量をいう**」と書いてあるだけ．

図1　高校教科書の日米比較

　なお図1には，日本の高校『化学I』『化学II』教科書（計600ページの小型本）も並べてある．実質的な中身でみると，日本の教科書は米国の半分ほどでしかない．

価　標

　これも40年前にはなかった．O–Hのように結合を表す線のこと．線に**いちいち名前をつける**のは無用の学術趣味だろう．旧文部省編『学術用語集・化学編』は bond と英訳しているが，そんなはずはない．

電子式

　元素記号のまわりに電子を点々で描いた図のこと．大学では，呼び名を使う場面はめったにないけれど，使うならルイス構造（4章 p.56）と呼ぶ．当然ながら『学術用語集』に「電子式」は載っていない．

融解塩電解

　アルミニウムの電解採取（11章 p.156）のように，溶融イオン結晶の電解を高校ではそう呼ぶのだが，100年を超す電気化学・電解工業の分野では誰ひとり使わない．日本語はいつも**溶融塩電解**だし，40年前は高校も溶融塩

電解だった。「融解塩」は，現場を知らない人の造語だろう。

熱化学方程式

日本の高校では，化学変化や物理変化に伴うエンタルピー変化（8章）を**反応熱**と呼び，次のような**熱化学方程式**に書き表す（章扉参照）。

$$\mathrm{CO} + \frac{1}{2}\mathrm{O}_2 = \mathrm{CO}_2 + 283\,\mathrm{kJ} \tag{①}$$

だが大学では（海外の高校でも），式①の内容はこう書く（8章 p.107）。

$$\mathrm{CO} + \frac{1}{2}\mathrm{O}_2 \rightarrow \mathrm{CO}_2 \quad \Delta H^\circ = -283\,\mathrm{kJ} \tag{②}$$

また，熱化学方程式（thermochemical equation）という用語もまず見ない。**言葉を使わなくても内容は伝わる**からだ。

リットル記号（*l* や ℓ）

単位は例外なく立体文字（ローマン体）で書くという1960年の国際合意があるのに，日本の小中高校だけは面妖な文字 *l* や ℓ を使ってきた（6章 p.87）。新聞記事やテレビ画面，商品のラベルにも *l* や ℓ があふれる。

正しい表記は l か L だが，大学の教育・研究では，数字の 1 と混同しない L を使う。幸い 2007 年春の『化学 II』『物理 II』教科書検定で文科省が各社に修正を指示し，戦後 60 年以上も続いた誤表記の修正が始まった。

東京大学は 2007 年春の後期入試で化学の問題に L を使い（これも戦後初），2009 年春にはセンター試験で L が使われ，2010 年春からは大学の個別入試もすべて L になったため，遠からず参考書や問題集からも *l* や ℓ が消えるだろう。少なくともその 1 点では大学や海外とつながった。

数値と単位のスキマ空け

数値と単位の間を 1 字分だけ空けるのも 1960 年以来の国際合意だが，それを守らない教科書がまだある。

物理量は，**数値×単位**を意味する。たとえば鉄の密度 7.9 g/cm^3 は，**数値**（7.9）と単位（g/cm^3）のかけ算を表す。かけ算記号（×や・）をいちいち書かないかわりに，本来は書くべきだということを忘れないため，記号が

あった場所を空けておくのが，スキマ空けの精神だ。

　小文字のl（エル）で始まる単位には，明るさのルクス lx や重さのポンド lb，光度のルーメン lm がある。スキマがないと 21 ルクスは 21lx，21 ルーメンは 21lm になって読みづらい。21 lb や 21 lm ならパッと読める。

　しかしこの作法を守る人は少ない。リットルを l や ℓ と書き，数値と単位をべったりくっつけた製品表示や書籍・文書を見るたび，**日本の企業も出版社もメディアも，厚労省や環境省や気象庁など理系の諸官庁も（文科省さえ）国民の理科教育に関心がないのだとわかって気が滅入る**（製品の場合は，メーカーの「理科力」が信用できなくて買う気にならない）。

単位の〔　〕

　温度 T〔K〕，圧力 p〔Pa〕のように，物理量の単位を妙なカッコ〔　〕でくくる風習も，日本の中高校（と一部の学会）にしかない。いつ誰が発明したのかは知らないが，早目にやめたほうがいい。

　こうした「理科のお作法」は，**中学か高校で 30 分も教われば身につく**。一生のうちたった 30 分の学びで，以後よけいな恥をかかずにすむ。文科省はぜひお考えいただきたい。

> **グレーゾーンの用語・説明**
> ●ペーハーとピーエイチ　水素イオン指数 pH は，ドイツ語読みのペーハーだったものを，いつか誰かが英語読みのピーエイチに変えた。大学も世間もペーハーだし，カタカナの元素名（ナトリウム，カリウム，チタン，‥‥）はたいていドイツ語読みなのだから，私には理由がわからない。ちなみに器具名メスフラスコは，ドイツ語 Meßkolben（メスコルベン）と英語 volumetric flask を接ぎ木した呼び名（キメラ語）なので，海外の人には通じない。そんな風土の中なぜか英語に義理を立て，誤解なく通用してきたペーハーを切り捨てたのは誰なのか？
> ●気体 1 mol は 22.4 L　0 ℃・1 atm ならそうなるが，物理化学では 25 ℃・1 atm が標準だ。生徒の負担を減らすため，25 ℃ の値（約 25 L）を教えれば十分だろう（6 章 p.83）。25 L を使うと，気体の計算あれこれもぐっと簡単になる。
> ●オキソニウムイオン　IUPAC 勧告（3 章 p.46）に従う H_3O^+ の呼び名「オキソニウムイオン」には問題がある。有機化学では昔から，H や CH_3 などを R と書い

た陽イオン $R^1R^2R^3O^+$ をオキソニウムイオン（複数形）と総称してきた（今後も変わらない）ため，単数・複数のない日本語では同じになって紛らわしい。また，H_3O^+ の旧名「ヒドロニウムイオン」は，海外の教科書や論文でまだよく見る（2005～06 年に出た米国の教科書はどれも hydronium ion。日本の高校も 1970 年代まではヒドロニウムイオンだった）。なおオキソニウム（oxonium）は，水 H_2O を oxane（オキサン）と呼ぶ場合にだけ成り立つ語で，その呼称を誰も使わない以上，根無し草のような用語にすぎない。

●**質量作用の法則**　英語 mass action law の mass（第一義は「集団」）をむかし誰かが「質量」と誤訳したのだろう。大学でも使うが，日本語として意味をなさない（10 章 p.140）。

●**化合**　中学や高校では，Fe + S → FeS を「鉄と硫黄が化合する」と教える。しかし大学では，「化合物」は使うにしても，「化合する」という表現は使わない。「分解」の逆向き変化を意味するのだが，テストのタネにしかなっていない。

●**エーテルかエチレンか**　エタノールに酸触媒が働くと，130～140 ℃ではジエチルエーテルが，160～170 ℃ではエチレンができる‥‥と教える（入試にも出る）。だがそれは起こる比率の問題だし，そもそも「なぜ？」を言わない話だから，無意味な素材のひとつだろう。

　こんなふうに高校～大学間は，『聖書』にいう「バベルの塔」（お互い言葉が通じない）状態となっているのだ。

3. あやしい話

ウソの説明

　教科書にウソは書いてない‥‥とふつうは思う。検定を通った，しかも理科の教科書にウソがあっては困る。だが現実は必ずしもそうではない。

　電気化学分野の話に多いウソ（12・13 章）を見抜けたのは，ようやく修士に進んでからだった。私と同じ道をたどる人は少ないだろうが，たいへんな**無駄足を踏ませた高校～大学間の断絶**には恨みが深い。日ごろ気になるウソのごく**一部**を振り返っておこう。

電解のウソ（13章）は，イオンの原義（3章 p.38）に引きずられたか，「陰イオンは陽極に向かう」との誤解から生まれ，戦後50年以上も載り続けた。いまも大半の教科書が**最悪の素材，塩化銅 CuCl$_2$ 水溶液**を電解の導入に使う。**言語道断の大ウソ**「ファラデーの第二法則」（13章 p.186）を教科書に載せ続けるのは**犯罪の一種**だし，**科学時代の怪談**でもある。

イオンを含む反応の場合，化合物で書いた反応式を**化学反応式**，イオンに注目した反応式を**イオン反応式**と呼ぶ奇習がある（むろん「イオン反応式」は『学術用語集』にない。ちなみに「イオン式」も高校かぎりの無意味な用語）。たとえば塩化銀の沈殿反応はこうだという。

化学反応式　　AgNO$_3$ + NaCl　→　AgCl + NaNO$_3$　　　　　　　③

イオン反応式　　Ag$^+$ + Cl$^-$　→　AgCl　　　　　　　　　　　　　　④

だが起きるのは④であって，③ではない。食塩水の電解反応も 2NaCl + 2H$_2$O → H$_2$ + Cl$_2$ + 2NaOH ではなかった（13章 p.187）。小学生でもわかる「原子の数合わせ」（p.204）などはほどほどにして，「化学」を教えよう。

連想ゲーム

過去10年間のセンター試験には，「フェーリング液を還元する物質」にアルデヒドを選ばせる問題が8回も出た。還元力が穏やかな物質（10万種以上？）なら同じ作用を示すためアルデヒド固有の話ではないし，暮らしや大学で役立つ知識でもない。受験生は，アルデヒド基の変身など気にもせず，「連想ゲーム」で正解をマークするだけ。日本の教科書や入試問題には，この種の話が多すぎる。

4. なぜこうなった？

高校かぎりの用語や表記があふれ，誤りの記述が続くのはなぜか？　20年ほど小中高校教科書を書いてきた身には，初等中等教育行政のやりかたと，教科書出版社の姿勢，大学入試の現状が三大要因に見える。

学習指導要領と「解説」

　科目の中身は，指導要領とその「解説」が規定する。指導要領は大枠を決め，「解説」のほうが，「pHと水素イオンとの関係については触れる程度にとどめる」などとあれこれ制約を課す。それをもとに出版社は教科書をつくるのだが，出版社の姿勢には問題が多い（後述）。

　指導要領も「解説」も，文科省に招集された少数の方々がつくる。いきおい中身はかたよって，ときには**誤った見かたも残る**。

教科書検定

　検定は，指導要領と「検定基準」をもとに行われる。誤りの訂正指示に加え，はみ出し部分の削除指示が多い。例のごく一部を下に示す。
- ●結合距離や結合角は高度だから削除しなさい（高校『化学 I』）。
- ●扱う酸化剤・還元剤の種類を減らしなさい（同）。
- ●伝記のコラムは不要だから削除しなさい（中学校『理科』）。

出版社の姿勢

　指導要領も「解説」もシバリは少ないのに，あらゆる教科書（高校『化学 I』なら十数冊）がほぼ同じ内容になる。要因のひとつは検定制度だけれど，**「他社の本とちがうのは困る」**という制作側の姿勢も大きい（執筆側の当事者としても反省ばかり）。

　また，かつて検定をパスした記述なら，ときに当否を検討しないまま載せ続ける。そのため，検定にあたる方々の力量や熱意が十分ではない場合，誤った記述が延々と残りやすい。

> **異次元世界**
> 　暮らしと無縁な物質や現象を扱うところは，化学嫌いをつくる一因だろう。水酸化銅 $Cu(OH)_2$ が淡青色でクロム酸銀 Ag_2CrO_4 が赤褐色だとか，亜硝酸アンモニウムの加熱で窒素 N_2 が生じるとか，芳香族炭化水素は付加反応より置換反応をしやすいとかを覚えても，日常生活に関係ないし，大学でもまず役に立たない。

しかし**大学入試に出るから**と，いつまでも教科書に残る。
　わかりやすい素材を使い，「なぜそんな性質があり，そんな現象が起きるのか」の基礎を教えるのが，中高校の役目だろう。とりわけ，暗記に終始しがちな有機化学は，簡単な少数の反応をじっくり眺めさせ，「なぜその反応が進むのか？」を教えるべきだ（一例が9章 p.130）。

大学入試の姿

　入試は資格試験ではなく選抜試験だから，どんな問題を出してもよい（結果もさほど変わらない）はず。だが大学には「**教科書の範囲から出す**」という妙な不文律がある。物質も反応も，教科書から採るのだという。

　作題担当者は，高校を出て20年後あたりにいきなり召集される。**無用の高校化学**など**忘れた**ころ，久々に見る教科書に合わせて作題せよと命じられ，黙って従うだけ。その教科書が，あやしい部分の多い金太郎飴だから，**化学の力を問うわけでもない入試問題**ができ上がる。

　かたや出版社は，「入試に出たかどうか」を気にしながら教科書をつくる。そういう悪循環が，高校や中学を**閉じた世界**にしてしまった。大学の教員・研究者と高校の教員が交流する場面が少ないのは，その後遺症か。

　いったんまとめると，**諸悪の根源は大学入試**だろう（p.215に続く）。

5. 海外の高校化学は？

検定はある？

　18か国の高校教育行政につき，教科書研究センターが2001年に調査結果を発表した。大半の先進諸国は，民間が制作した教科書を自由放任するか，明らかな誤りをチェックするだけ。検定制度をもつ国は，日本やドイツ，ノルウェーなど少数派だ。

　ただしドイツは，かつて1年間滞在した折りに高校教科書を見比べて，内容や厚みの多様さに驚いた。いまもそのままなら，日本のようなきびしい規

制はしていないはず。ノルウェーの現場は知らないが，**全教科の教科書を国がきびしく取り締まるのは日本**だけだと思える。

　ドイツやノルウェーの検定は，「**最低これだけは書け。あとは自由**」のスタンスらしい。検定のない英国でも，標準的な内容を教科書の6割ほどにとどめ，残る4割には先端の話題も自由に書けると聞いた。そこに生まれる幸せな相互作用が教科書を，ひいては初中等教育の中身・やりかたを進化させてきたのだろう。

化学オリンピックのシラバス

　毎年7月に開かれる高校生の化学オリンピックの問題は，国際運営委員会が合意した「シラバス」をもとに出題される。2009年以降のシラバスでは，化学の中身を「高度な項目」と「**高校生なら学んでいるはずの項目**」に分類し，後者の内容は断りなく出題できる。その一部を列挙しよう。

> 核反応（$\alpha \cdot \beta \cdot \gamma$ 崩壊），量子数（n, l, m）と $s \cdot p \cdot d$ 軌道，フントの規則，パウリの排他律，溶解度積と溶解度，錯形成定数，電極電位，ネルンストの式，均一系反応と不均一系反応，微分反応速度式，反応次数，熱と仕事，エンタルピー，熱容量，エントロピー，ギブズエネルギー，熱力学第二法則と反応の向き，酸化還元滴定，ランベール-ベール則，有機分子の反応性（求電子性・求核性・誘起効果），炭素の混成軌道，σ 結合と π 結合，立体化学，重合の連鎖反応

　化学の先生がたや文科省のご関係者，とりわけ高校課程の内容策定にかかわる方々は，ぜひ驚いていただきたい。上に並べた項目のどれも，日本ではふつう理系の大学1・2年で学ぶ。つまり諸国の高校カリキュラムは（少なくとも理系進学者向けの内容は）だいぶ進んでいるのだ。

　日本の高校教科書が例外なく扱う「高分子の分類」は，化学オリンピックだと「高度な項目」に入る。ただし海外諸国は，**小さな分子が結合し合う理由**をきちんと教えているため，「**重合のしくみ**」を問う問題は出る。かたや日本の高校では，肝心な反応のしくみには目をつぶり，「付加重合」「縮合重合」「熱可塑性」といった**用語を教えるだけ**だから，高分子を学んだことに

はなっていない。

6. 貧しいコトバ

化学オリンピックでは，主催国がつくった問題の英語版を，引率の大学・高校教員が母語に翻訳して生徒に渡す。その際，とりわけ日本の大学教員は，日ごろなにげなく使う用語でも，生徒にサッと伝わるかどうかをよく吟味しなければいけない。

たとえば以下の用語（気になるもののごく一部）は，大学や企業では「空気」だが，まず教科書に載らないため，**高校生には異界のコトバ**だ。

- ●**日常語**：依存，寄与，関与，導入，共存，挙動，示唆，知見，因子，抑制，プロセス（過程），駆動，ランダム，コントロール（制御・支配），独立［に発見］，［力を］介する
- ●**化学用語**：系［反応系・均一系など］，種［化学種・イオン種など］，相［気相・凝縮相など］，界面，定性・定量，単離，化学量論，配向，キラル，立体化学，サイト，基底状態・励起状態，求電子性・求核性，受容・供与，共役，共鳴，スキーム，メカニズム（機構），素反応，前駆体，中間体，誘導期，半減期，定常状態，転位，局在化，再結合，錯形成，共重合，架橋，修飾，オーダー（桁），等温式，パラメータ（変数），分光法，収率，検量線，外挿，［温度の］関数，任意［の濃度］，［産物を］与える，［次式で］与えられる

代表となった生徒（年4名）には，事前トレーニングの際，こうした用語にも慣れさせる。またオリンピックの現場で引率教員は，渡された英語版を和訳するとき，できるだけ「高校語」を使い，許容範囲の注をつける。日常語と科学用語のズレが小さい英・仏・独語圏の諸国とはちがって，国際の場で競う日本にはそういう苦労もある。

7. 何をすべきか？

　理論を教えるだけが能ではないが，大学と断絶し，生活にも役立たない話を教えるのは，**つぎこむ時間とエネルギーの浪費**だろう．軌道修正に時間がかかるのは承知のうえで，以下4項目の改善策を提案したい．

　① **現行教科書の総点検**　まずは教科書を総点検する．点検は，海外の動向に目を配りつつ最前線で研究を楽しむ**若手研究者に任せよう**．たとえば物理化学・無機化学・有機化学それぞれ数名を公式代表として日本化学会が選び，文科省の主催で検討会を開く．検討結果は公開し，さまざまな立場の関係者から意見を聴取したのち最終案に仕上げる．

　② **学習指導要領の刷新**　点検結果をもとに，指導要領を刷新＝近代化する．その作業も若手研究者に任せよう．たとえば英国は，政府のカリキュラム検討委員会に化学会の公式代表2名を入れると聞いた．

　③ **教科書検定の再考**　他国に類を見ない形の教科書検定が必要なのかどうかをよく考えよう．私見をいうと，検定はすっぱりとやめ，教科書の中身を自由競争に任せたい（ずさんな教科書は自然淘汰される）．

　④ **大学入試の再考**　これがいちばん手っとり早い．化学なら，原理はきびしく問いつつも，**教科書にない物質・反応を素材に使おう**（オリンピックはその流儀）．

　入試がそんな姿になれば，高校の教科書も，それぞれ個性的な素材を使いつつ本物の「化学」を説くものに変わっていかざるをえない．教科書から外れる出題をしたら受験産業が文句をつけるらしいけれど，そんな雑音は無視しよう．

　研究費や論文の数ばかり気にして初等中等教育に目を向けず，安易な入試問題をつくってきた大学人が反省・決意するだけで，多少の時間はかかるにせよ，小中高校の理科教育は必ずや近代化できる．私自身を含め，大学人の責任は重い．

参考図書

●元素の話
　①渡辺　正（監訳），『元素大百科事典』（朝倉書店，2007）
　②桜井　弘（編），『元素111の新知識』（講談社ブルーバックス，1997）
●原子・分子や化学結合のイメージ
　③平山令明，『暗記しないで化学入門──電子を見れば化学はわかる』（講談社ブルーバックス，2000）
　④竹内敬人，『なぜ原子はつながるのか』（岩波書店，1999）
●量子論・量子化学（⑥は大学1・2年生向け教科書）
　⑤渡辺　正・黒田和男（訳），『不思議な量子──奇妙なルールと粒子たち』（日本評論社，2005）
　⑥小島憲道・下井　守，『現代物性化学の基礎』（講談社，2003）
●熱力学・物理化学（⑧は量子化学・光化学・電磁気学・数学も扱う。⑨は高度）
　⑦竹内　薫，『熱とはなんだろう』（講談社ブルーバックス，2002）
　⑧渡辺　正・北條博彦，『化学・バイオがわかる物理111講』（オーム社，2007）
　⑨千原秀昭・江口太郎・齋藤一弥（訳），『マッカーリ・サイモン 物理化学（上・下）』（東京化学同人，1999）
●化学史
　⑩渡辺　正・久村典子（訳），『痛快 化学史』（朝倉書店，2006）
●自然界の化学現象
　⑪渡辺　正（訳），『地球環境化学入門 改訂版』（シュプリンガー・ジャパン，2005）
●電気化学（光化学・光合成の話題も含む）
　⑫渡辺　正（編著），『電気化学』（丸善，2001）
　⑬渡辺　正・中林誠一郎，『電子移動の化学──電気化学入門』（朝倉書店，1996）
●科学（理科）教育の国際比較
　⑭渡辺　正ほか著，『完全攻略 化学オリンピック』（日本評論社，2009）
●データ集
　⑮日本化学会（編），『化学便覧 基礎編（Ⅰ・Ⅱ）改訂5版』（丸善，2004）

付録1
標準生成ギブズエネルギー $\Delta_f G°$ (kJ/mol)の例

（意味と使いかたは 8 章参照）

● 無機化合物

AgBr	−97	NH_4Cl	−203	Ca^{2+}	−554
AgCl	−110	NH_4NO_3	−184	Cu^+	+50
AgI	−66	NO	+87	Cu^{2+}	+65
Al_2O_3	−1582	NO_2	+51	Fe^{2+}	−79
$Al(OH)_3$	−1139	N_2O	+104	Fe^{3+}	−5
C（ダイヤモンド）	+2.9	N_2O_4	+98	Hg^{2+}	+164
CO	−137	NaCl	−384	Hg_2^{2+}	+154
CO_2	−394	NaOH	−379	K^+	−283
$CaCO_3$	−1128	O_3	+163	Li^+	−293
$CaCl_2$	−748	$PbCl_2$	−314	Mg^{2+}	−455
CaO	−604	PbO_2	−217	NH_4^+	−79
$Ca(OH)_2$	−898	$PbSO_4$	−813	Na^+	−262
CuCl	−120	$SO_2(g)$	−300	Pb^{2+}	−24
$CuCl_2$	−176	TiO_2	−890	Zn^{2+}	−147
CuO	−130	ZnO	−318	● 陰イオン	
$CuSO_4$	−662	$Zn(OH)_2$	−555	$Ag(CN)_2^-$	+306
Fe_2O_3	−742	● 有機化合物		Br^-	−104
$Fe(OH)_2$	−487	$CH_4(g)$	−51	Cl^-	−131
$Fe(OH)_3$	−697	$CH_3OH(l)$	−166	CN^-	+172
FeS_2	−167	HCHO(g)	−103	CO_3^{2-}	−528
$H_2O(l)$	−237	HCHO(aq)	−125	HCO_3^-	−587
$H_2O(g)$	−229	$C_2H_5OH(l)$	−175	HS^-	+12
$H_2O_2(l)$	−120	$CH_3CHO(l)$	−128	HSO_3^-	−528
$H_2S(g)$	−34	C_2H_2	+209	HSO_4^-	−756
$H_2S(aq)$	−28	C_2H_4	+68	I^-	−52
HgS	−51	$C_6H_6(l)$	+124	NO_2^-	−32
KCl	−409	$C_6H_{12}O_6$	−910	NO_3^-	−109
$MgCl_2$	−592	● 陽イオン		OH^-	−157
MgO	−569	H^+	0	S^{2-}	+86
MnO_2	−465	Ag^+	+77	SO_4^{2-}	−745
NH_3	−16	Al^{3+}	−485		
		Ba^{2+}	−561		

付録2
標準電極電位 $E°$ (V *vs.* SHE) の例

($\Delta_f G°$ からの計算値。12章参照)

●金属イオン(M^{n+})／金属(M)系

$Li^+ + e^- = Li$	-3.04
$K^+ + e^- = K$	-2.93
$Rb^+ + e^- = Rb$	-2.92
$Ba^{2+} + 2e^- = Ba$	-2.92
$Sr^{2+} + 2e^- = Sr$	-2.89
$Ca^{2+} + 2e^- = Ca$	-2.84
$Na^+ + e^- = Na$	-2.71
$Mg^{2+} + 2e^- = Mg$	-2.36
$Al^{3+} + 3e^- = Al$	-1.68
$U^{3+} + 3e^- = U$	-1.66
$Ti^{2+} + 2e^- = Ti$	-1.63
$Zr^{4+} + 4e^- = Zr$	-1.55
$Mn^{2+} + 2e^- = Mn$	-1.18
$Zn^{2+} + 2e^- = Zn$	-0.76
$Cr^{3+} + 3e^- = Cr$	-0.74
$Fe^{2+} + 2e^- = Fe$	-0.44
$Cd^{2+} + 2e^- = Cd$	-0.40
$Co^{2+} + 2e^- = Co$	-0.28
$Ni^{2+} + 2e^- = Ni$	-0.26
$Sn^{2+} + 2e^- = Sn$	-0.14
$Pb^{2+} + 2e^- = Pb$	-0.13
$\mathbf{2H^+ + 2e^- = H_2}$	**0.00**
$Cu^{2+} + 2e^- = Cu$	$+0.34$
$Cu^+ + e^- = Cu$	$+0.52$
$Hg_2^{2+} + 2e^- = 2Hg$	$+0.80$
$Ag^+ + e^- = Ag$	$+0.80$
$Hg^{2+} + 2e^- = Hg$	$+0.85$
$Pt^{2+} + 2e^- = Pt$	$+1.19$
$Au^{3+} + 3e^- = Au$	$+1.52$
$Au^+ + e^- = Au$	$+1.83$

●金属系その他

$Ag_2S + 2e^- = 2Ag + S^{2-}$	-0.69
$PbSO_4 + 2e^- = Pb + SO_4^{2-}$	-0.35
$Ag(CN)_2^- + 2e^- = Ag + 2CN^-$	-0.31
$Sn^{4+} + 2e^- = Sn^{2+}$	$+0.15$
$Cu^{2+} + e^- = Cu^+$	$+0.16$
$AgCl + 2e^- = Ag + Cl^-$	$+0.22$
$Fe(CN)_6^{3-} + e^- = Fe(CN)_6^{4-}$	$+0.36$
$CuO + 2H^+ + 2e^- = Cu + H_2O$	$+0.56$
$Fe^{3+} + e^- = Fe^{2+}$	$+0.77$
$Cr_2O_7^{2-} + 14H^+ + 6e^-$ $= 2Cr^{3+} + 7H_2O$	$+1.36$
$MnO_4^- + 8H^+ + 5e^-$ $= Mn^{2+} + 4H_2O$	$+1.51$
$PbO_2 + SO_4^{2-} + 4H^+ + 2e^-$ $= PbSO_4 + 2H_2O$	$+1.70$

●非金属系

$S + 2e^- = S^{2-}$	-0.45
$S + 2H^+ + 2e^- = H_2S$	$+0.17$
$Br_2 + 2e^- = 2Br^-$	$+1.09$
$O_2 + 4H^+ + 4e^- = 2H_2O$	$+1.23$
$Cl_2 + 2e^- = 2Cl^-$	$+1.36$
$2HClO(aq) + 2H^+ + 2e^-$ $= Cl_2 + 2H_2O$	$+1.63$
$H_2O_2 + 2H^+ + 2e^- = 2H_2O$	$+1.76$
$S_2O_8^{2-} + 2e^- = 2SO_4^{2-}$	$+1.96$
$O_3 + 2H^+ + 2e^- = O_2 + H_2O$	$+2.08$
$F_2 + 2e^- = 2F^-$	$+2.87$
$F_2 + 2H^+ + 2e^- = 2HF$	$+3.05$

索引

数字・欧文

1s 軌道 …………………65
2p 軌道 …………………66
2s 軌道 …………………65
H_3O^+ イオン …………69, 209
IUPAC ………46, 81, 83, 209
pH …………………46, 208
π 結合 …………58, 75, 197
π 電子 …………………131
σ 結合 …………58, 76, 197

◆あ行

アイソトープ……………16
アインシュタイン…………
　　82, 189, 192
アクチノイド………21, 35
アセチレン………………77
圧力 ………………93, 138
アボガドロ数……………82
アボガドロ定数……83, 194
雨のpH …………………141
アルコール ……………159
アレニウスの式 ………126
安定同位体 ………………18
アンモニア ………………68
イオン…………37, 115, 181
イオン液体 ……………187
イオン化エネルギー……31
イオン化列 ……………167
イオン結合 ………………71
イオン結晶 ………46, 148
イオン反応 ……………135

イオン反応式 …………210
イソブテン ……………130
一酸化炭素分子…………76
色 …………………………190
陰極 ………………………177
インスリン………………46
ヴィエリチカ岩塩坑 …147
宇宙 ………………………12
ウラン ……………16, 20
運動エネルギー…………91
運動の自由度 …………101
エチレン…………77, 130
エネルギー………………
　　9, 26, 41, 52, 85, 107,
　　120, 148, 163, 190
エネルギーの準位………31
エネルギーの等分配則…102
エネルギーの変換・保存…
　　100
エネルギー変換 ………177
塩化銀 …………………134
塩化銅$CuCl_2$水溶液 ………
　　186, 210
塩化ナトリウム…42, 47, 148
炎色反応 ………………199
塩素 ………………40, 47
エンタルピー ……107, 149
エントロピー ……110, 137
塩ビ ……………………129
黄鉄鉱……………………37
オキソニウムイオン………
　　46, 208

オスヴァルト……………80
オゾン……………………47
温度……………………4, 94
温度計……………………99

◆か行

カーボンナノチューブ …49
カールスルーエ会議…84, 89
海水 ……………………157
回転運動 ………………102
化学エネルギー ………101
化学オリンピック ……213
化学結合 …………………51
化学原子量 ………………84
化学風化 ………………156
化学平衡 …………138, 164
化学ポテンシャル ……137
殻 …………………………50
核エネルギー …………101
拡散 ………………………97
核子 ………………15, 82
学習指導要領 …………211
核融合 ……………………12
化合 ……………………209
可視光 …………………192
加水分解…………………45
河川水 …………………152
河川水のpH …………143
カタラーゼ ……………127
活性化エネルギー ……123
活性化状態 ……………122
活量 ………………136, 164

| 過電圧 ………… 179, 183
| カニッツァロ ……………89
| 価標 ……………………206
| カリウム ………………19
| 岩塩 ……………………157
| 還元型物質 ……………170
| 還元体 …………………167
| 緩衝作用 ………………144
| 希ガス …………………50
| 貴ガス …………34, 40, 50
| 基準状態 ………………114
| 気体定数 ………………90
| 軌道 ……………………27
| ギブズエネルギー………
| 111, 137, 150, 164, 176
| 吸収スペクトル ………196
| 教科書 …………………203
| 教科書検定 ……………211
| 凝固点降下 ……………155
| 共有結合 …………51, 71
| 金属結合 ………………61
| 金属光沢 ………………62
| 空気 ……………………4
| クーロン力 ……………42
| クォーク ………………17
| グランドキャニオン …133
| グルコース ………158, 202
| クレオパトラ …………2
| クロロフィル …………83
| クロロフィルa ……196, 200
| 蛍光 ……………………199
| 血液 ……………………155
| 結合エネルギー……53, 120
| 原子 ……………………15
| 原子価 …………………56
| 原子核 …………………14
| 原子間力顕微鏡 ………8
| 原子の化学的性質………33

原子番号 ………………16
原子量 …………………83
元素 ……………………12
光化学当量則 …………194
光学顕微鏡 ……………7
光合成 …………………200
光子 ……………………192
格子エネルギー ………149
酵素 ……………………127
氷 ………………………73
固体の燃焼 ……………128
コロイド ………………181
混成 ………………54, 68
混成軌道 ………………55

◆さ行
最外殻電子 ……………57
最大仕事 ………………113
酸化アルミニウム…79, 156
酸化還元反応 ……162, 176
酸化体 …………………167
三重結合 ………………59
酸性雨 …………………142
酸性食品・アルカリ食品…
    144
酸素発生 ………………184
三態変化 ………………95
紫外線 …………………192
式量 ……………………83
実用電池 ………………171
質量作用の法則 …140, 209
質量数 ……………16, 80
自発変化 ………………162
シャルルの法則 ………90
周期性 …………………31
周期表 ……………21, 23
蒸気圧 …………………156
硝酸アンモニウム ……111

衝突回数 ………………96
食塩水 ……………153, 177
触媒 ………………127, 173
浸透圧 …………………154
振動数 …………………192
水酸化物イオン ………45
水素イオン ……………45
水素結合 ………………73
水素原子 ………………11
水素分子 ………………52
水和 ………………135, 149
数値と単位のスキマ空け…
    207
スピン ……………30, 52
正極 ……………………167
生物 ……………………145
生命と元素 ……………13
赤外線 …………………192
セルロース ……………127
遷移元素 ………………35
遷移状態 ………………122
相互作用 ………………158
素粒子 …………………18

◆た行
大学入試 ………………212
大気圧 …………………94
ダイヤモンド …………144
太陽光 …………………193
多原子イオン ……43, 152
ダニエル電池 …………170
単結合 …………………56
単原子イオン ……43, 152
弾性衝突 ………………92
炭素原子 ………………54
炭素繊維 ………………128
単体 ……………………18
中性子 …………………14

中和 ……………………126	二酸化炭素……………74	186, 210
超新星爆発………………13	二重結合…………………57	ファン・ト・ホッフの式……
使い捨てカイロ ………116	熱エネルギー …………101	154
定比例の法則 …………205	熱化学方程式 ……107, 206	フェーリング液 ………210
鉄 ………………19, 38, 170	熱分解 …………………127	フェノールフタレイン…197
テフロン ………………159	熱容量 …………………102	負極 ……………………168
電位 ……………………163	熱力学 …………………144	副殻……………………50
電解液 …………………153	燃料電池 ………………172	不対電子 ………………129
電解質 …………………153		物質の安定・不安定……113
電気陰性度 ………………71	◆は行	沸点上昇 ………………155
電気エネルギー…………	灰 ………………………129	物理原子量 ………………84
101, 149, 176	配位結合…………60, 131	物理量 …………………205
電気二重層 ……………179	バイオマス ……………202	プラスチック …………159
電気分解 ………………187	倍数比例の法則 ………205	プラズマ状態……………15
電気力線…………………43	パウリの排他律 ……30, 51	分極………………………70
電気力……………42, 127	波長 ……………………192	分子間力 …………………72
典型元素 …………………35	白金 ……………………173	分子軌道 …………………53
電子………………24, 190	発熱反応 ………………107	分子の速さ ………………94
電子雲 ………………52, 64	波動関数 …………………65	分子量 ……………………83
電子殻……………………27	バネ ……………………121	フントの規則 ………30, 51
電子式 …………………206	半減期 ……………………19	閉殻………………………57
電子親和力 ………………41	半透膜 …………………154	平衡 ……………………138
電子の居心地 …………162	反応座標 ………………122	平衡状態 ………………155
電磁波 …………………191	反応熱 …………………206	平衡定数 ………………140
電子ボルト ………10, 193	ピーエイチ ……………208	並進運動 ………………102
電池 ……………………170	光 ………………………191	ペーハー ………………208
電離平衡 ………………141	非共有電子対……………60	ヘス ……………………109
電流密度 ………………178	卑金属 …………………169	ヘビ毒……………………45
同位体……………………16	ビッグバン ………………12	ヘモグロビン ……………38
等張液 …………………155	ヒドロニウムイオン…46, 209	ベンゼン環 ……………197
透明な物質 ……………195	非平衡状態 ……………145	ボイルの法則……………90
	標準水素電極 …………165	放射性同位体 ……………20
◆な行	標準生成ギブズエネルギー	放射能……………………20
ナイアガラの滝 ………105	114, 134	飽和濃度 ………………151
ナトリウム …17, 38, 40, 44,	標準電極電位 …………163	ボーア模型 ………………39
162, 199	氷晶石 …………………156	ポーリング ………………71
鉛蓄電池 ………………167	ファラデー ………………38	ボルツマン因子 ………124
二酸化硫黄 ……………141	ファラデーの第二法則……	ボルツマン定数 …………98

ホルムアルデヒド ……128
ボルン ………………150

◆ま行
マイナスイオン…………47
マグネシウム……………19
マンガン乾電池 ………171
水………………………2, 72
水のイオン積 …………141
水のクラスター…………74
水の電解 ………………175
水の電離平衡 …………141
水分子……………………69
メスフラスコ …………208
メタン………………67, 172
メタン分子………………67
メンデレーエフ…………23
網膜 ……………………198
モル………………………79
モル質量 …………82, 91
モル濃度……………85, 137

◆や行
融解塩電解 ……………206
溶解度積 ………………150
陽極 ……………………177
陽子………………………14
溶融塩電解 ……………206

◆ら行
ラジカル ………………129
ランタノイド…………21, 35
力学エネルギー ………101
理想気体の状態方程式…90
リットル ………………87
リットル記号 …………207
量子論……………24, 190
ルイス構造………………56

ルシャトリエの原理……143
ルビー …………………196
レチナール ……………198
レモン電池 ……………161
連鎖反応 ………………125
ロウソク ………………119
ロドプシン ……………198

索引 223

|JCOPY| 〈(社)出版者著作権管理機構 委託出版物〉
本書の無断複写は著作権法上での例外を除き禁じられています。複写される場合は，そのつど事前に，(社)出版者著作権管理機構（電話 03-5244-5088, FAX 03-5244-5089, e-mail: info@jcopy.or.jp）の許諾を得てください。
また，本書を代行業者等の第三者に依頼してスキャニング等の行為によりデジタル化することは，個人の家庭内の利用であっても，一切認められておりません。

渡辺　正（わたなべ・ただし）

1948年，鳥取県生まれ。
東京大学名誉教授。工学博士。

▶「化学」についてひとこと──
ものすごい材料を生み，生命の秘密を解き明かす化学とじっくりつき合えば，
きっと豊かな人生が送れます。

おもな著訳書に，
『ダイオキシン』（共著），『これからの環境論』，『地球温暖化スキャンダル』（訳），
『不思議な量子』（共訳）［以上 日本評論社］
『電気化学』（編著），『「地球温暖化」神話』，『地球環境化学入門』（訳）［以上 丸善出版］
『アトキンス 一般化学（上・下）』（訳），『ティンバーレイク 教養の化学』（共訳），
『スペンサー 基礎化学（上・下）』（訳）［以上 東京化学同人］
『化学基礎』（共著），『分析化学』（共著），『有機化学』（共著），『物理化学』（共著），
『レア RARE──希少金属の知っておきたい16話』（訳）［以上 化学同人］
がある。

北條博彦（ほうじょう・ひろひこ）

1968年，神奈川県生まれ。
東京大学環境安全研究センター（兼・生産技術研究所）教授。博士（工学）。

▶「化学」についてひとこと──
一見複雑で多様な現象にも，実は意外に単純なルールが潜んでいる…
化学はそんなパズルのような世界です。

おもな著書に，『化学・バイオがわかる 物理111講』（共著，オーム社），
『化学基礎』（共著，化学同人）がある。

高校で教わりたかった化学［シリーズ　大人のための科学］

発行日	2008 年 2 月 25 日　第 1 版第 1 刷発行
	2023 年 3 月 10 日　第 1 版第 12 刷発行
著者	渡辺　正・北條博彦
発行所	株式会社 日本評論社
	170-8474　東京都豊島区南大塚 3-12-4
電話	03-3987-8621（販売）　03-3987-8599（編集）
印刷	三美印刷
製本	難波製本
イラスト	今村麻果
装幀	桂川　潤

© Tadashi Watanabe & Hirohiko Houjou 2008 Printed in Japan
ISBN978-4-535-60030-0

シリーズ 大人のための科学（全6冊）

高校で学びたい内容を独自の視点でえらび、その分野が日常生活に
どう役立っているか、身近なものとどうかかわりがあるか、という点にふれつつ、
科学の興味を育みます。科学の素養を身につけたいすべての人のための本。

高校で教わりたかった 化学
渡辺 正・北條博彦／著　◇2,090円（税込）／A5判　ISBN978-4-535-60030-0

化学は暗記科目と誤解されているが、物質の性質や変化の「なぜ？」を
つかむだけで十分。「なるほど！」と思えるように、化学のしくみがわかる。

つきあってみると，数学！
瀬山士郎／著　※現在品切 ◇1,760円（税込）／A5判　ISBN978-4-535-60031-7

数学は考える楽しさに溢れた、知的で不思議な世界。好きでなくても、
どこか気になるだけで大丈夫。面白く、役に立つ数学の世界にようこそ。

そこが知りたい☆天文学
福江 純／著　◇2,090円（税込）／A5判　ISBN978-4-535-60034-8

星や天体に関心があって、もう少しきちんと勉強したい人に向けた本。
宇宙を読み解くための基礎からさまざまな天体現象までをやさしく紹介。

高校で教わりたかった 物理
田口善弘／著　※現在品切 ◇1,760円（税込）／A5判　ISBN978-4-535-60032-4

科学者は、どうして幽霊の存在を否定できるのだろう。その疑問を出発点に、
身の回りを「物理っぽく」とらえる。物理嫌いの人にお勧め！

高校で教わりたかった 生物
趙 大衛／編著　松田良一／監訳、編著　◇1,980円（税込）／A5判　ISBN978-4-535-60033-1

台湾の高校教科書の邦訳。生物学と人間の関わりが中心テーマで、
高校生だけでなく大人も知っておくべきことが丁寧に書かれている。

以下続刊，書名は仮です。**地球科学**　丸山茂徳・椚座圭太郎／著

日本評論社
https://www.nippyo.co.jp/